D0313274

U.G.E. 10|18
12, avenue d'Italie — Paris XIIIe

Du même auteur
dans la collection 10/18

LA MALÉDICTION DES HALLMAN, n° 2145
LA BELLE ENDORMIE, n° 2516
L'HOMME CLANDESTIN, n° 2465
UN REGARD D'ADIEU, n° 2464

LE SANG AUX TEMPES

PAR

ROSS MACDONALD

Traduit de l'anglais
par Michel DEUTSCH

10|18

« Grands Détectives »
dirigé par Jean-Claude Zylberstein

Si vous désirez être régulièrement tenu au courant
de nos publications, écrivez-nous :
Éditions 10/18
12, avenue d'Italie
75627 Paris Cedex 13

Titre original :
The Blue Hammer

ISBN 2-264-00068-6

A William Campbell Gault

1

On accédait à la propriété par une route privée aboutissant à une aire de stationnement où je me garai. De là, on dominait toute la ville. Les tours de la mission et le tribunal étaient à demi noyés dans la brume. La baie et la guirlande d'îles qui la ceinturaient en partie s'étendaient du côté opposé de la crête.

Le seul bruit qui me parvenait en dehors de la rumeur lointaine de l'autoroute que je venais de quitter était celui de deux raquettes qui se renvoyaient une balle de tennis. Le court, entouré d'un haut grillage, se trouvait sur le côté de la maison. Un homme lourdement charpenté, en short et coiffé d'un chapeau de toile, était opposé à une femme blonde aux mouvements souples. Il y avait quelque chose de si intense, de si acharné dans leur façon de jouer que je pensai malgré moi à des prisonniers qui font de l'exercice à l'heure de la promenade.

Ayant raté plusieurs balles coup sur coup, l'homme finit par se décider à remarquer ma présence. Tournant le dos à sa partenaire, il abandonna la partie et s'approcha du grillage.

— Vous êtes Lew Archer ? me demanda-t-il. Vous êtes en retard, reprit-il quand je lui eus confirmé que c'était bien moi.

— C'est que j'ai eu du mal à trouver le chemin.

— Vous auriez pu vous renseigner en ville. N'importe qui vous l'aurait indiqué. Tout le monde sait où habite Jack Biemeyer. Même les avions utilisent ma propriété comme point de repère.

Pas difficile de deviner pourquoi. La maison était une tentaculaire masse de stuc blanc coiffée de tuiles rouges, plantée au sommet du point le plus élevé dominant Santa Teresa. Seuls la surclassaient en altitude les montagnes qui surplombaient la ville et le faucon à la queue rougeâtre qui tournoyait sur fond de ciel lumineux.

La femme nous rejoignit. Elle paraissait beaucoup plus jeune que mon interlocuteur. Sa tête fine auréolée de cheveux blonds et son corps à la maturité épanouie semblaient avoir une conscience aiguë de mon regard.

Comme Biemeyer demeurait muet, je me présentai et elle en fit autant :

— Ruth Biemeyer. Vous devez avoir soif, monsieur Archer. Moi, en tout cas, je meurs d'envie de boire quelque chose.

— Les bonnes manières et les lois de l'hospitalité, ce sera pour une autre fois, la rabroua Biemeyer. M. Archer est là pour parler affaires.

— Je sais. C'est pour le vol du tableau qu'il est venu.

— Si tu n'y vois pas d'inconvénient, Ruth, c'est moi qui réglerai cette question.

Il m'entraîna vers la maison. Elle nous emboîta le pas.

Il régnait une agréable fraîcheur à l'intérieur malgré

l'étouffante lourdeur de l'architecture. On avait plus l'impression de se trouver dans un édifice public que chez un particulier — c'était plutôt le genre d'endroit où l'on se rend pour payer ses impôts ou déposer une demande de divorce.

S'arrêtant au milieu de la vaste pièce centrale où il m'avait conduit, Biemeyer me désigna un mur blanc. Blanc et nu. Nu à l'exception de deux pitons. C'était là, me dit-il, où était accroché le tableau envolé.

Je sortis mon carnet et mon stylo à bille.

— Quand a-t-il disparu ?

— Hier.

— C'est hier que j'ai remarqué qu'il n'était plus là, précisa sa femme. Mais je ne viens pas tous les jours dans cette pièce.

— Est-il assuré ?

— Pas lui en particulier, répondit Biemeyer. Mais, bien entendu, tout ce qui est dans cette maison est couvert par une assurance ou une autre.

— Quelle valeur a-t-il exactement ?

— Deux mille dollars, quelque chose comme ça.

— Il vaut bien davantage, intervint Ruth. Cinq ou six fois plus au bas mot. La cote de Chantry ne cesse de grimper.

— Je ne savais pas que tu la suivais de si près, fit son mari d'une voix méfiante. Il vaudrait donc dix ou douze mille dollars ? C'est le prix que tu l'as payé ?

— Le prix que j'ai payé ne te regarde pas. C'est avec mon argent à moi que je l'ai acheté.

— Tu aurais quand même pu m'en parler. Je pensais que tu avais fini par ne plus considérer que ce qui touchait à Chantry était un sujet de conversation interdit.

Elle parut se figer sur place.

— Je trouve cette remarque tout à fait déplacée. Il y a trente ans que je n'ai pas vu Richard Chantry. Et si j'ai acheté ce tableau, cela n'a rien à voir avec lui.

— Que tu dis.

Ruth Biemeyer décocha un bref regard à son mari. Un regard où luisait comme une lueur de triomphe. On eût dit qu'ils jouaient à un jeu autrement plus compliqué qu'une partie de tennis et qu'elle venait de marquer un point.

— Mais, ma parole, tu es jaloux d'un mort !

Biemeyer laissa échapper un rire dépourvu de gaieté.

— Tu es ridicule. D'abord parce que je ne suis pas jaloux le moins du monde. Et ensuite, parce que je ne crois pas à la mort de Chantry.

Ils parlaient comme s'ils avaient oublié que j'étais là, mais quelque chose me disait qu'il n'en était rien. Je n'étais rien de plus qu'un arbitre devant qui ils pouvaient vider de vieilles rancunes sans risquer pour autant d'en arriver à des méthodes d'explication plus directes. Il avait beau ne plus être de la première jeunesse, Biemeyer avait l'air d'être un violent et il s'exprimait comme un violent.

Je commençais d'en avoir assez d'être relégué au rôle de témoin passif et j'estimai que c'était le moment ou jamais d'ouvrir ma grande gueule.

— Qui est ce Chantry ?

Ruth me dévisagea avec étonnement.

— Quoi ? Vous n'avez jamais entendu parler de lui ?

— Comme c'est le cas pour l'immense majorité de nos contemporains, laissa perfidement tomber son mari.

— C'est parfaitement faux. Il était déjà célèbre

quand il s'est volatilisé. Et il n'avait pas encore trente ans à l'époque.

Une tendresse teintée de nostalgie perçait dans sa voix. Je regardai son mari. Il était rouge de colère et une lueur trouble brillait dans ses yeux. Je m'interposai entre eux deux et me tournai vers Ruth.

— Et où demeurait ce Richard Chantry avant de s'évaporer, comme vous dites ?

— Ici même. A Santa Teresa.

— Son départ a eu lieu récemment ?

— Non, cela remonte à plus de vingt-cinq ans. Un beau jour, il a décidé de tout laisser tomber. Pour se lancer à la découverte de nouveaux horizons, a-t-il dit dans sa lettre d'adieu.

— Une lettre d'adieu qu'il vous avait laissée à vous, madame Biemeyer ?

— Non. Elle était adressée à sa femme qui l'a rendue publique. J'avais connu Richard quand nous vivions en Arizona et je ne l'ai jamais revu depuis.

— Ce n'est pourtant pas faute d'avoir essayé, l'interrompit son mari. Tu as voulu que ce soit à Santa Teresa que je prenne ma retraite, parce que c'est là qu'il habitait, et que je fasse construire cette maison tout à côté de la sienne.

— Ce n'est pas vrai, Jack. C'est toi qui as voulu la faire construire ici. Moi, je me suis bornée à dire amen, tu le sais très bien.

Les couleurs se retirèrent des joues de Biemeyer et il eut soudain l'air d'un chien battu. Comme s'il se rendait brusquement compte que sa mémoire lui jouait des tours.

— Tu as raison, je déraille, dit-il d'une voix cassée de vieillard.

Et il sortit de la pièce.

Ruth fit mine de le suivre, mais, se ravisant, elle revint sur ses pas et s'immobilisa, l'air songeur, devant une fenêtre. La réflexion durcissait ses traits.

— Mon mari est terriblement jaloux.

— C'est à cause de cela qu'il m'a demandé de venir ?

— Il vous a demandé de venir parce que j'ai tenu à ce qu'on fasse appel à vous. Je tiens absolument à retrouver ce tableau. C'est le seul souvenir de Richard Chantry que je possède.

Je m'assis sur le bras d'un fauteuil et rouvris mon carnet.

— Pouvez-vous me le décrire ?

— C'est un portrait de femme. Une femme jeune. Il est d'une facture plutôt conventionnelle. Les couleurs sont franches et soutenues — des couleurs indiennes. La femme est blonde et elle est enveloppée dans un *serape* à rayures blanches et rouges — ces espèces de couvertures que portent les Sud-Américaines, vous savez ? La première période de Richard était très influencée par l'art indien.

— Et c'est une toile de sa première période ?

— Franchement, je n'en sais rien. La personne à qui je l'ai achetée n'a pas pu la dater.

— Comment pouvez-vous être sûre que ce tableau est vraiment l'œuvre de Chantry ?

— Je crois qu'il me suffit de le regarder pour en avoir la certitude. Et le vendeur s'est porté garant de son authenticité. Paul Grimes — c'est son nom — était très lié avec Richard à l'époque où il l'a peinte. Il habitait alors l'Arizona. Il n'y a que peu de temps qu'il s'est installé à Santa Teresa.

— Auriez-vous une photographie de ce portrait ?

— Non, mais Grimes en possède une et il ne

demandera pas mieux que de vous la montrer, j'en suis sûre. Il tient une petite galerie de peinture en ville. Vous n'avez qu'à y faire un saut.

— Je préférerais lui en toucher d'abord deux mots. Je peux téléphoner ?

Son mari se trouvait dans la pièce où elle me conduisit, assis derrière un antique bureau à cylindre dont les panneaux de chêne éraflés juraient avec les délicats lambris en bois de teck qui garnissaient les murs. Il ne se retourna même pas à notre entrée. Il avait les yeux fixés sur la photographie aérienne qui faisait face au bureau. Elle représentait un trou creusé dans le sol. Un trou gigantesque. Je n'en avais jamais vu un aussi grand.

— C'était ma mine de cuivre, m'expliqua-t-il.

Il y avait à la fois de la fierté et de la mélancolie dans sa voix.

— J'ai toujours eu horreur de cette photo, dit Ruth Biemeyer. Je te serais reconnaissante de la faire disparaître.

— Je t'ai acheté cette maison, Ruth.

— J'ai vraiment toutes les chances ! Tu ne vois pas d'inconvénient à ce que M. Archer passe un coup de téléphone ?

— Eh bien si, ça me dérange, si tu veux savoir. Dans une maison de quatre cent mille dollars, il devrait quand même bien y avoir un coin où on pourrait avoir la paix !

Il se leva avec brusquerie et quitta la pièce.

2

Ruth Biemeyer s'accota au chambranle de la porte, me montrant son profil. Elle n'était plus de la première jeunesse, mais son corps avait conservé sa sveltesse et sa fermeté. Grâce au tennis. Et peut-être aussi grâce à sa nervosité.

— Votre mari est toujours comme ça ? lui demandai-je.

— Non, pas toujours. Mais il se fait du souci, ces temps-ci.

— A cause du tableau ?

— Entre autres, oui.

— Et à part ça ?

— Pour le reste... En fait, c'est peut-être aussi en rapport avec le tableau.

Elle hésita.

— Doris, notre fille, fait ses études et cela l'a amenée à avoir certaines fréquentations que nous n'aurions certainement pas approuvées quand elle vivait à la maison. L'université, vous savez ce que c'est.

— Quel âge a-t-elle ?

— Vingt ans. Elle est en seconde année.

— Et elle n'habite pas chez vous ?

— Malheureusement non. Elle a quitté la maison le mois dernier au début du semestre d'automne. Nous lui avons loué un studio à Academia Village en bordure du campus. J'aurais voulu qu'elle reste, bien sûr, mais elle est montée sur ses grands chevaux. Elle avait autant le droit que Jack et moi de mener sa vie à sa guise, disait-elle. Elle n'a jamais admis que son père boive. Et que je boive aussi, si vous voulez savoir toute la vérité.

— Est-ce qu'elle se drogue ?

— Je n'irais pas jusqu'à dire ça. Pas au point d'être vraiment accrochée, en tout cas.

Elle se tut quelques instants, se laissant sans doute aller à imaginer la vie de sa fille, et cela semblait lui donner la chair de poule.

— Je ne suis pas folle de certaines personnes de son entourage.

— A qui pensez-vous en particulier ?

— A un dénommé Fred Johnson, notamment, qu'elle a même fait venir chez nous. En fait, ce n'est plus un gamin. Il doit bien avoir la trentaine. C'est un de ces étudiants prolongés qui s'accrochent à l'université parce qu'ils en aiment l'atmosphère. Ou parce que cela leur permet de vivre aux crochets des uns ou des autres.

— Pensez-vous qu'il aurait pu voler votre tableau ?

— Je me garderais de porter une accusation pareille contre ce garçon. Mais il est vrai qu'il a la passion de la peinture. Il a un poste d'assistant au musée et il est inscrit à la section beaux-arts de l'université. Le nom de Richard Chantry était loin de lui être inconnu. En fait, s'agissant de l'œuvre de Chantry, il faisait quasiment figure d'autorité.

— Ne croyez-vous pas qu'on pourrait en dire autant de l'ensemble des étudiants des beaux-arts ?

— Oui, sans doute. Mais Fred manifestait un intérêt peu commun pour cette toile.

— Pourriez-vous me décrire ce garçon ?

— Je peux toujours essayer.

J'ouvris une fois de plus mon carnet et posai un coude sur le bureau. Ruth Biemeyer s'assit en face de moi dans le fauteuil pivotant.

— Quelle est la couleur de ses cheveux ? commençai-je.

— Blonds. Tirant sur le roux. Il les porte très longs. Ils commencent déjà à s'éclaircir, laissant présager une future tonsure, et, en guise de compensation, il se laisse pousser la moustache — une de ces grosses moustaches en brosse toute raide, si vous voyez ce que je veux dire. Ses dents ne sont pas en très bon état. Et il a le nez trop long.

— Et ses yeux ? Ils sont bleus ?

— Plutôt verts. Ce sont ses yeux, justement, qui me mettent mal à l'aise. Il ne regarde jamais les gens en face. Enfin, moi, en tout cas.

— Il est grand ? Petit ?

— De taille moyenne. Dans les un mètre soixante-quinze, quelque chose comme ça. Très mince. Dans l'ensemble, il n'est pas mal... si l'on aime ce genre-là.

— Ce qui est le cas de votre fille ?

— J'en ai peur. Elle l'apprécie beaucoup trop à mon gré.

— Et Fred Johnson appréciait trop ce fameux tableau ?

— Apprécier ? Le mot est faible. Il le fascinait littéralement. Il s'intéressait beaucoup plus à lui qu'à Doris. A tel point que j'avais l'impression que c'était plus pour le tableau que pour elle qu'il venait à la maison.

— Faisait-il des commentaires à son sujet ?

Elle hésita.

— Il a dit un jour qu'il lui faisait penser aux toiles que Chantry avait peintes de mémoire. Je lui ai demandé de préciser ce qu'il entendait par là et il m'a répondu que c'était probablement un des quelques portraits qu'il avait exécutés sans avoir le modèle devant ses yeux. De mémoire, quoi. Il semblait d'ailleurs considérer que cela rajoutait à sa rareté et, par conséquent, à sa valeur.

— A quelle somme l'estimait-il ?

— Il m'a demandé combien je l'avais payé, mais j'ai refusé de le lui dire. C'est mon petit secret.

— Je sais garder un secret.

— Moi aussi.

Elle ouvrit le tiroir supérieur du bureau et en sortit un annuaire.

— Vous vouliez téléphoner à Paul Grimes, je crois ? Inutile d'essayer de lui extorquer ce renseignement : je lui ai fait jurer de garder, lui aussi, le secret là-dessus.

Je notai le numéro et l'adresse du marchand, puis l'appelai. La femme qui me répondit avait un vague accent un peu guttural. Elle me dit que Grimes était occupé avec un client, mais qu'il en aurait bientôt fini. Je lui donnai mon nom et lui annonçai ma prochaine visite.

— Ne lui parlez pas de moi, me souffla vivement Ruth Biemeyer à l'oreille.

Je raccrochai.

— Qui était-ce ? voulus-je savoir.

— Elle s'appelle Paola, je crois. Elle se présente

comme la secrétaire de Paul Grimes, mais je doute fort que leurs rapports soient d'ordre exclusivement professionnel.

— D'où vient son accent ?

— De l'Arizona. Je crois qu'elle a du sang indien dans les veines.

Je levai les yeux vers la photo de l'énorme trou dont Jack Biemeyer avait doté le paysage arizonien.

— Il semble qu'on n'arrête pas de revenir à l'Arizona dans cette affaire. Vous m'avez bien dit que Richard Chantry était originaire de cette région ?

— Oui, en effet. Comme nous tous. Et nous avons tous fini par nous retrouver en Californie.

Elle parlait d'une voix neutre, sans paraître regretter l'État qu'elle avait quitté, ni apprécier particulièrement celui qu'elle avait fini par adopter. Elle semblait surtout désabusée.

— Pourquoi vous êtes-vous installée en Californie, madame Biemeyer ?

— J'imagine que c'est à ce que mon mari a prétendu tout à l'heure que vous pensez : que si j'ai voulu vivre ici, à Santa Teresa, c'est parce que Richard Chantry y habitait.

— Et qu'en est-il exactement ?

— Ce n'est sans doute pas entièrement faux. Richard était le seul peintre de talent que j'ai vraiment connu. Il m'a appris à voir. Et l'idée de vivre là où il avait peint ses plus belles toiles me séduisait. Il a réalisé l'essentiel de son œuvre en l'espace de sept ans. Et puis, il s'est volatilisé.

— Quand ça ?

— Vous voulez savoir la date exacte de son départ ? Le 4 juillet 1950.

— Vous êtes certaine que c'est de son propre chef

qu'il a disparu ? Qu'il n'a pas été assassiné ? Ou enlevé ?

— C'est absolument hors de question. Je vous ai dit qu'il avait laissé une lettre à sa femme.

— Et sa femme demeure toujours à Santa Teresa ?

— Bien sûr. On voit sa maison de chez nous. Elle est juste de l'autre côté de la *barranca*... du précipice.

— Vous la connaissez ?

— Francine ? Oui, je l'ai bien connue quand nous étions jeunes, mais nous n'avons jamais été amies intimes. C'est à peine si je l'ai revue depuis que nous nous sommes installés ici. Pourquoi cette question ?

— J'aimerais bien voir la lettre d'adieu de son mari.

— J'en ai un double. On en vend des photocopies au musée.

Elle alla la chercher. La lettre était dans un cadre d'argent. Avant de me la donner, elle la lut à voix basse. Aux mouvements de ses lèvres, on aurait dit qu'elle récitait une prière. Finalement, elle me la tendit à contrecœur.

Elle était tapée à la machine. Seule la signature était manuscrite.

Santa Teresa, 4 juillet 1950

Ma chère Francine,

Cette lettre est une lettre d'adieu. La seule idée de te quitter me brise le cœur. Pourtant il le faut. Nous avons souvent parlé tous les deux du besoin que j'éprouve de me mettre à la recherche de nouveaux horizons au-delà desquels je découvrirai cette lumière que je n'ai encore trouvée ni dans la mer, ni dans la terre. Comme l'Arizona jadis, ce pays admirable et son histoire m'ont dit tout ce qu'ils avaient à me dire.

Mais cette histoire, tout comme celle de l'Arizona, est trop mince et trop récente pour nourrir l'œuvre maîtresse que je suis destiné à créer. Je dois chercher ailleurs d'autres racines, des ténèbres plus profondes, une lumière plus rayonnante. Et, à l'instar de Gauguin, j'ai décidé de partir seul à leur découverte. Car ce n'est pas seulement le monde physique que je dois explorer, mais aussi les replis les plus profonds de mon âme.

Je n'emporte rien avec moi en dehors des vêtements que j'ai sur le dos, de mon talent et du souvenir que je garde de toi. Conservez-moi votre affection, toi, ma chère femme, et vous, mes chers amis, et soutenez-moi de vos pensées. Je ne fais qu'obéir à mon destin.

Richard Chantry

Je rendis la lettre encadrée à Ruth Biemeyer qui la pressa contre sa poitrine.

— C'est beau, n'est-ce pas ?

— Beau... c'est vite dit. La beauté réside dans le regard du spectateur extérieur. Pour sa femme, ça a dû être un choc terrible.

— Elle paraît l'avoir très bien supporté.

— Est-ce que vous avez eu l'occasion d'en parler avec elle ?

— Non, jamais.

Je devinai à la sécheresse de son ton qu'elle n'éprouvait pas une affection particulière pour la femme de Chantry.

— En tout cas, elle semble avoir tiré un excellent

parti de la célébrité qu'elle lui doit. Sans parler de la fortune qu'il lui a laissée.

— Chantry avait-il des tendances suicidaires ?

— Non, absolument pas. Mais, ajouta-t-elle après un silence, n'oubliez pas qu'à l'époque où je l'ai connu, il était très jeune. J'étais moi-même encore plus jeune que lui. Je ne l'ai pas revu et je n'ai eu aucun contact avec lui depuis plus de trente ans, c'est vrai. Pourtant — appelez cela une intuition si vous voulez —, j'ai la conviction qu'il est toujours vivant.

Elle avait mis la main sur son sein comme si le disparu continuait de vivre dans son cœur. Elle essuya du revers de la main les gouttes de sueur qui perlaient au-dessus de sa lèvre.

— Tout cela me secoue un peu. Le passé qui revient brusquement et vous frappe comme une gifle... Au moment où l'on croit justement avoir tiré un trait définitif sur lui. Cela vous est-il déjà arrivé à vous aussi ?

— Pas tellement dans la journée, mais parfois la nuit. Juste avant de m'endormir.

— Vous n'êtes pas marié ?

Elle avait l'esprit vif.

— Je l'ai été. Il y a vingt-cinq ans de ça.

— Votre femme vit toujours ?

— Je l'espère.

— Vous n'avez jamais cherché à en avoir le cœur net ?

— Plus maintenant. Je préfère m'intéresser à d'autres personnes. A présent, par exemple, j'aimerais bien avoir une petite conversation avec Mme Chantry.

— Je ne vois pas ce que cela vous apporterait.

— Je crois que je vais quand même essayer de bavarder un peu avec elle. Elle pourra au moins m'aider à planter le décor.

Son visage se pinça en signe de désapprobation.

— En voilà une idée ! Tout ce que je vous demande, c'est de retrouver mon tableau, rien de plus.

— Et vous voulez aussi me dire comment je dois m'y prendre, me semble-t-il, madame Biemeyer. J'ai déjà essayé cette technique avec d'autres clients. Ça n'a jamais rien donné.

— Mais pourquoi tenez-vous à parler à Francine ? Elle ne fait pas précisément partie du cercle de nos amis, vous savez.

— Parce que je devrais me borner à interroger vos seuls amis ?

— Ce n'est pas ce que je voulais dire. Vous avez l'intention d'interroger beaucoup de gens ? reprit-elle après un bref silence.

— Autant qu'il faudra. Cette affaire me fait l'effet d'être plus compliquée que vous semblez le penser. Plusieurs jours me seront peut-être nécessaires pour la régler — ce qui risque de vous coûter quelques centaines de dollars.

— N'ayez aucune crainte, nous sommes parfaitement solvables.

— Je n'en doute pas. Ce qui me tracasse un peu, ce sont vos intentions. Les vôtres et celles de votre mari.

— Ne vous inquiétez pas. S'il refuse de vous payer, c'est moi qui m'en chargerai.

Nous ressortîmes, et elle me désigna la demeure de Mme Chantry. C'était une maison à tourelles de style néo-espagnol complétée de dépendances, dont une serre aux dimensions impressionnantes. Elle se dressait presque au pied de la colline au sommet de laquelle était juchée celle des Biemeyer de l'autre côté de la *barranca*, cette espèce de gouffre qui faisait comme une déchirure entre les deux propriétés.

3

Je suivis le chemin sinueux menant au pont qui enjambait la *barranca* et m'arrêtai devant la maison de Chantry. Un grand type au nez crochu qui portait une chemise de soie blanche m'ouvrit avant même que j'aie eu le temps de frapper. Il sortit sur le seuil et referma la porte derrière lui.

— Vous désirez ?

Il avait tout du domestique jouant les enfants gâtés.

— Je souhaiterais voir Mme Chantry.

— Elle n'est pas là. Mais je peux lui transmettre un message.

— J'aimerais lui parler personnellement.

— A quel sujet ?

— Je le lui dirai moi-même si cela ne vous dérange pas. Où est-ce que je peux la trouver ?

— Elle est sûrement au musée. C'est son jour.

Je décidai de faire d'abord un saut à la galerie de Paul Grimes et pris la route du littoral pour rejoindre la ville basse. Les mouettes et les hirondelles de mer qui tournoyaient dans le ciel semblaient vouloir donner la réplique aux voiles blanches des bateaux de plaisance. Pris d'une soudaine impulsion, je m'arrêtai devant un motel donnant sur le port et retins une chambre.

La ville basse était un quartier défraîchi s'étendant sur quelque dix blocs en bordure du front de mer. Des gens tout aussi défraîchis déambulaient dans la rue ou flemmardaient, adossés aux devantures de magasins de brocante.

La galerie Grimes, située à l'écart de la rue principale, était coincée entre un débit de boissons et un restaurant genre gargote. Elle ne payait guère de mine : une devanture qui avait connu des jours meilleurs et, au-dessus, ce qui paraissait être un logement. *Paul Grimes — Tableaux et Décoration*, pouvait-on lire en lettres dorées sur la vitrine. Je m'arrêtai le long du trottoir gazonné.

Un carillon retentit quand je poussai la porte. A l'intérieur, des panneaux tendus de tissu gris auxquels étaient ici et là accrochées quelques toiles dissimulaient les parois de contre-plaqué badigeonné de peinture. Une femme au teint mat vêtue d'une ample robe multicolore feignait de s'affairer derrière un mauvais bureau. Elle avait des yeux très noirs, les pommettes saillantes et une poitrine généreuse. Ses cheveux qui lui tombaient dans le dos étaient du même noir intense que ses yeux. Elle était très belle. Et très jeune.

Je lui dis mon nom et ajoutai :

— M. Grimes m'attend.

— Je suis désolée, il a dû s'absenter.

— Quand doit-il revenir ?

— Il ne me l'a pas précisé. Mais je crois que ses affaires l'appelaient hors de la ville.

— Vous êtes sa secrétaire ?

— En quelque sorte...

Son sourire étincela comme la lame à demi sortie d'un cran d'arrêt.

— C'est vous qui avez téléphoné à propos d'un tableau ?

— Oui, c'est moi.

— Si vous voulez, je peux vous faire voir quelques toiles.

D'un geste, elle désigna celles qui étaient exposées.

— Celles-ci sont abstraites pour la plupart. Mais j'en ai d'autres, plus figuratives, dans l'arrière-boutique.

— Avez-vous des Chantry ?

— Non, je ne pense pas.

— M. Grimes a vendu un Chantry à M. et Mme Biemeyer qui m'ont dit qu'il pourrait m'en montrer la photo.

— Je ne suis pas au courant.

Quand elle écarta les mains en signe de regret, ses manches glissèrent, révélant une paire d'avant-bras potelés et bruns qu'un léger duvet ombrait comme une fumée qui s'attarde.

— Pouvez-vous me donner l'adresse personnelle de M. Grimes ?

— Il habite au-dessus. Mais il n'est pas chez lui.

— Quand pensez-vous qu'il rentrera ?

— Je n'en ai aucune idée. Il lui arrive parfois de disparaître une semaine. Il ne me dit pas où il va et je ne le lui demande pas.

Je la remerciai et ressortis pour entrer aussitôt dans le débit de boissons attenant au magasin.

— Bonjour, monsieur, me salua le Noir entre deux âges qui trônait derrière le comptoir. Vous désirez ?

— Juste un renseignement. Est-ce que vous connaissez M. Grimes ?

— Qui ça ?

— Paul Grimes, le propriétaire de la galerie d'à côté.

— Un bonhomme plus tout jeune avec un petit bouc gris ?

Portant la main à son menton, il esquissa la forme d'une barbiche effilée.

— Et qui porte toujours un sombrero blanc ?

— Ça pourrait bien être lui.

Le Noir secoua la tête.

— Je ne peux pas dire que je le connais vraiment. Il ne boit pas, cet homme. En tout cas, il n'a jamais mis les pieds chez moi.

— Et sa... son assistante ?

— Elle est venue une fois ou deux prendre un pack de bière. Paola, je crois qu'elle s'appelle. Elle serait pas un peu de sang indien ?

— Je n'en serais pas étonné.

— C'est bien ce que je pensais.

Cette idée avait l'air de le ravir.

— Drôlement balancée qu'elle est, c'te poulette ! J'comprends pas comment une jeunesse aussi choucarde peut être maquée avec un vieux birbe comme ce mec.

— Moi non plus. J'aimerais que vous me rendiez un petit service. Je voudrais savoir quand M. Grimes sera de retour.

Je posai sur le comptoir deux billets d'un dollar que je recouvris de ma carte.

— Vous pourrez me prévenir ?

— D'accord, y a pas de problème.

Je remontai la rue principale jusqu'au sobre bâtiment blanc qui abritait le musée. Il y avait une bonne heure que Fred Johnson était parti, me dit le jeune homme qui officiait au portillon.

— Vous vouliez le voir à titre personnel ou est-ce en rapport avec le musée ?

— J'ai cru comprendre qu'il s'intéressait à l'œuvre de Richard Chantry.

Il sourit de toutes ses dents.

— Il n'est pas le seul, croyez-moi ! Vous n'êtes pas d'ici, monsieur ?

— Non, je demeure à Los Angeles.

— Avez-vous vu nos Chantry ?

— Pas encore.

— Eh bien, on peut dire que vous avez bien choisi votre moment. Mme Chantry est là, justement. Elle nous consacre un après-midi par semaine.

A la galerie où étaient exposées de blanches et sereines sculptures de facture classique qu'il me fit traverser succédait une salle on ne peut plus différente. Les premiers tableaux qui accrochèrent mon regard me donnèrent l'impression d'être des fenêtres s'ouvrant sur un autre monde comme celles derrière lesquelles, la nuit venue, les amateurs de safari observent les bêtes de la jungle. Mais celles qui peuplaient les toiles de Chantry paraissaient être sur le point de se métamorphoser en êtres humains. A moins que ce ne fussent des humains virant à la bestialité.

Ce fut une femme qui, derrière moi, répondit à la question muette que je me posais :

— Ces toiles font partie de la série intitulée *La Création*. Elles reflètent la vision que l'artiste avait de l'évolution et sont l'expression de son premier épanouissement créatif. Si incroyable que cela puisse paraître, l'ensemble a été réalisé en l'espace de six mois.

Je me retournai vers la femme qui me tenait ce discours. En dépit du strict tailleur bleu nuit qu'elle portait et de sa façon de parler un tantinet affectée, il émanait d'elle une sorte de force brute. L'éclat de sa chevelure aux reflets d'argent, parfaitement coiffée, était celui même de la vitalité.

— Madame Chantry, sans doute ?

— Oui, elle-même.

Elle semblait heureuse qu'on la reconnaisse.

— Encore que je ne devrais pas être ici. J'ai une réception ce soir, mais je suis incapable de ne pas passer au musée le jour où je suis de permanence.

Elle m'entraîna jusqu'à un mur sur lequel s'alignait une série d'études de femmes. L'une d'elles attira aussitôt mon attention. Elle représentait une jeune femme aux hanches ceintes d'une peau de buffle qui cachait en partie le rocher sur lequel elle était assise. Ses épaules et ses seins délicats étaient nus. Une tête de buffle paraissait flotter dans le vide au-dessus d'elle.

— Cette étude s'intitule *Europe*, dit Mme Chantry.

Je me tournai vers elle. Elle souriait. Je revins à la toile.

— C'est vous ?

— Un peu. J'ai souvent servi de modèle à Richard.

Nous nous dévisageâmes quelques instants. Elle avait à peu près le même âge que moi, peut-être un peu moins, et, sous son tailleur, le corps d'Europe n'avait rien perdu de sa fermeté. Je me demandai quelle nécessité interne, quelle forme d'orgueil — à l'égard de Richard Chantry ou d'elle-même — l'incitait à jouer les guides de musée pour présenter les œuvres de son mari.

— Vous n'aviez encore jamais vu une seule de ses toiles ? Elles ont l'air de vous surprendre.

— C'est vrai. Je suis surpris.

— Elles ont cet effet sur la plupart des gens qui les voient pour la première fois. Dites-moi ce qui vous a poussé à venir les voir ?

Je lui expliquai que j'étais détective privé et que les Biemeyer m'avaient chargé d'enquêter sur le vol d'un tableau dont ils avaient été victimes. Je voulais voir sa réaction.

Elle pâlit sous son maquillage.

— Ces gens-là ne connaissent rien à la peinture. La toile que leur a vendue Paul Grimes est un faux. Il me l'avait proposée bien longtemps avant qu'ils ne l'aient vue. Je n'en aurais pas voulu pour un empire. C'est une grossière imitation d'une manière que Richard avait depuis longtemps abandonnée.

— Depuis combien de temps ?

— Une trentaine d'années. C'était le style de sa période arizonienne. Je ne serais pas étonnée que Grimes l'ait peinte lui-même.

— Il a la réputation d'être un faussaire ?

C'était une question de trop.

— Je ne tiens pas à discuter de sa réputation, ni avec vous, ni avec personne. Quand Richard vivait en Arizona, Paul Grimes était son ami et son maître.

— Mais il n'était pas votre ami à vous ?

— Je préfère ne pas entrer dans ce genre de considérations. Paul a aidé mon mari à une époque où il avait besoin d'être aidé. Mais les gens changent avec le temps. Tout change.

D'un coup d'œil circulaire, elle balaya les toiles de son mari comme si elles lui étaient soudain devenues étrangères, comme si elles étaient semblables à des rêves à demi oubliés.

— Je m'efforce de maintenir pure l'image de Richard, de sauvegarder ce qui était son idéal artistique. Tellement de gens essaient de se servir de son œuvre pour se remplir les poches !

— Y compris Fred Johnson ?

Ma question parut l'étonner. Elle secoua la tête.
— Fred est fasciné par l'œuvre de Richard, mais qu'il cherche à en tirer profit, ça non... je ne le crois pas.
Elle reprit après un silence :
— Ruth Biemeyer l'accuse-t-elle d'avoir volé sa précieuse croûte ?
— Son nom est venu dans la conversation.
— C'est parfaitement absurde ! Même s'il était malhonnête, et rien ne permet de le penser, Fred a bien trop de goût pour se laisser tromper par un aussi médiocre pastiche.
— J'aimerais quand même bien lui parler. Connaîtriez-vous son adresse, par hasard ?
— Un instant.
Elle disparut dans son bureau d'où elle ne tarda pas à ressortir.
— Il habite chez ses parents, 2004 Olive Street. Mais ne le brusquez pas. C'est un garçon très sensible. Et un inconditionnel de Chantry.
Je la remerciai pour ce renseignement, elle me remercia de l'intérêt que je portais à son mari. Elle paraissait jouer un rôle complexe, à la fois marchande de tableaux et gardienne du temple. Plus quelque chose d'autre encore, quelque chose d'indéfinissable, et je ne pouvais m'empêcher de me demander si ce ne devait pas être attribué à la sexualité exaspérée de la veuve qu'elle était.

4

Les Johnson habitaient une bâtisse à pignons en bois de deux étages qui faisait partie d'un lotissement datant apparemment du début du siècle. Les oliviers auxquels la rue devait son nom étaient encore plus anciens. A la lumière de cet après-midi ensoleillé, leurs feuilles avaient l'aspect de l'argent terni. Dans cette partie de la ville se côtoyaient garnis et résidences privées, cabinets médicaux et immeubles d'habitation partiellement convertis en bureaux. Le grand hôpital moderne dont les fenêtres évoquaient les alvéoles d'une ruche gigantesque qui s'élevait au centre du quartier semblait avoir pompé la majeure partie de l'énergie du quartier.

La demeure des Johnson était encore en plus triste état que ses voisines. Plusieurs de ses panneaux de bois étaient disjoints et elle aurait eu besoin d'un bon coup de peinture. Au fond de la cour envahie d'herbes folles, elle se dressait comme un fantôme de maison. Quand je frappai du poing la contre-porte au grillage mangé de rouille, elle parut renaître péniblement à la vie et comme à contrecœur. Bientôt, j'entendis un pas hésitant descendre pesamment l'escalier.

Le visage d'un vieil homme aux cheveux gris, gras et mal soignés, le menton nanti d'une courte barbe clairsemée, s'encadra derrière la grille.

— C'est pour quoi ? me demanda-t-il d'une voix bougonne après m'avoir examiné avec méfiance.

— Je voudrais voir Fred.

— J'sais pas s'il est là. J'étais au pieu.

Il se pencha au point que sa figure touchait presque le grillage et que je pus sentir son haleine avinée.

— Qu'est-ce que vous lui voulez, à Fred ?

— Lui parler, c'est tout.

Ses petits yeux rouges me scrutèrent avec méfiance.

— Lui parler de quoi ?

— C'est personnel.

— Vous feriez mieux de me dire de quoi vous voulez lui causer. Son temps, il vaut de l'argent. Il a une exerp... une ex... expertise à faire et ça représente de l'oseille.

Il devait être en manque de jaja et avoir quelqu'un sur qui passer sa mauvaise humeur était pour lui un don du ciel, me dis-je. Au même moment, une femme en tenue d'infirmière surgit de sous l'escalier. Elle avait une allure autoritaire, mais sa voix était celle d'une petite fille.

— Je vais m'expliquer avec monsieur, Gerard. Ta pauvre tête est déjà assez embrouillée comme ça sans que tu t'occupes en plus des affaires de Fred.

Elle posa sa main sur la joue du vieux bonhomme, regarda ses yeux comme un homme de l'art qui établit un diagnostic et, d'une petite claque, lui signifia qu'il n'avait plus qu'à remonter.

— Je suis Mme Johnson, se présenta-t-elle alors. La maman de Fred.

Ses cheveux noirs parsemés de mèches grises et

tirés en arrière lui dégageaient le visage — un visage comme emplâtré d'une couche de chair inerte qui le rendait aussi inexpressif que celui de son mari. Son corps volumineux était toutefois étroitement corseté et son uniforme blanc était d'une irréprochable netteté.

— Est-ce qu'il est là ?

— Je ne crois pas.

Elle regarda dans la rue par-dessus mon épaule.

— Je ne vois pas sa voiture.

— Quand pensez-vous qu'il va rentrer ?

— C'est difficile à dire. Il fait ses études à l'université.

A en juger par le ton sur lequel elle avait dit cela, que son fils soit étudiant devait être l'un de ses grands sujets de fierté.

— Ses heures de cours n'arrêtent pas de changer, et quand il a un creux dans son emploi du temps, il file au musée où il a un emploi à temps partiel. Sans lui, ils seraient perdus. Mais est-ce que je peux vous aider ?

— Peut-être. Je peux entrer ?

— Non, c'est moi qui vais sortir, répondit-elle vivement. La maison n'est pas très en ordre. Depuis que j'ai repris mon travail à l'hôpital, je n'ai plus le temps de m'en occuper comme il faudrait.

Elle sortit la grosse clé de la serrure et, une fois dehors, elle reboucla la porte. Du coup, je me demandai si elle n'enfermait pas son mari à double tour quand il avait bu un coup de trop.

Elle fit quelques pas sur la terrasse et, se retournant, contempla la façade de la maison d'un œil critique.

— C'est vrai que l'extérieur ne vaut pas mieux que l'intérieur. Mais qu'est-ce qu'on peut y faire ? La maison appartient à la clinique comme toutes celles du quartier, et ils vont les démolir l'année prochaine. Tout ce côté de la rue doit être transformé en parking.

Elle soupira.

— Je ne sais pas où on ira loger, surtout avec la hausse des loyers qui ne fait qu'aller de mal en pis — et mon mari qui ne vaut pas mieux que s'il était invalide.

— Je suis désolé...

— A propos de Jerry ? Pour ça, moi aussi, je suis désolée. Pourtant, c'était un costaud, dans le temps. Seulement, il a fait une dépression — ça remonte à la guerre — et, depuis, ce n'est plus le même homme. Et, bien sûr, en plus, il boit. Comme tant d'autres, ajouta-t-elle avec un soupir.

Sa franchise me plaisait, même si elle paraissait avoir quelque chose d'un peu carnassier. Et je me demandai distraitement pourquoi tant d'infirmières finissent par récolter un mari invalide.

— Mais dites-moi plutôt quel est votre problème, enchaîna-t-elle sur un autre ton.

— Je n'ai pas de problème. Je désire seulement m'entretenir avec votre fils.

— A quel sujet ?

— Au sujet d'un tableau.

— En effet, c'est son domaine. Il pourra vous dire tout ce que vous voulez sur la peinture.

Cependant, elle abandonna le sujet comme s'il lui faisait peur.

— Dites... il n'a pas d'ennuis ?

C'était encore d'une autre voix qu'elle avait posé la question.

— J'espère que non, madame Johnson.

— Moi aussi. C'est un brave garçon, Fred. Il a toujours été un brave garçon. Je suis bien placée pour le savoir puisque je suis sa mère.

Elle me lança un coup d'œil soupçonneux.

— Vous êtes de la police ?

J'avais, en effet, été dans la police quand j'étais jeune et cela ne devait apparemment pas échapper au flair d'un nez dressé à sentir l'odeur *sui generis* du flic. Mais j'avais ma petite histoire toute prête.

— Non, je suis journaliste et j'envisage d'écrire un article sur un peintre — Richard Chantry.

Son visage se crispa et elle se raidit comme si j'avais proféré une menace.

— Ah bon ?

— Or, si j'ai bien compris, votre fils est un expert en ce qui concerne Chantry ?

— Ça, je ne peux pas vous dire. Il s'intéresse à tant de peintres ! C'est le métier qu'il a choisi de faire.

— Vendre des tableaux ?

— Oui, il aimerait. Mais, pour ça, il faut un capital. Et on n'est même pas propriétaires de cette vieille baraque.

Elle considéra la maison à la façade grisâtre comme si elle était la source de tous ses tracas. D'une fenêtre située sous les combles, son mari nous observait comme un prisonnier enfermé dans une tour. De la main, elle fit le geste de le repousser et il disparut dans l'obscurité de la pièce où il se tenait.

— Je suis hantée par l'idée qu'il pourrait un jour basculer d'une fenêtre, murmura-t-elle. Il ne s'est jamais remis des blessures qu'il a ramenées de la guerre, le pauvre. Des fois, quand ça le prend, il lui arrive de s'écrouler comme une masse. Je me demande souvent s'il ne serait pas mieux à l'hôpital des anciens combattants. Mais je n'ai pas le cœur de l'y placer. Il est tellement plus heureux avec nous. Et puis, il nous manquerait tellement à tous les deux, mon fils et moi. Fred est un garçon qui a besoin de la présence de son père.

Mais il n'y avait pas une once de chaleur humaine dans la voix qui prononçait ces paroles attendrissantes, et ses yeux froids, rivés aux miens, guettaient ma réaction. Mme Johnson devait sans doute avoir peur pour son fils et elle essayait de tisser en toute hâte un cocon familial protecteur à son intention.

— Est-ce que vous savez où je pourrais le joindre ?

— Je n'en ai aucune idée. Il peut être à l'université, au musée, quelque part en ville... je n'en sais rien. Il est tellement occupé, toujours à courir à droite et à gauche. Heureusement, il décrochera enfin son diplôme l'année prochaine, c'est sûr. Alors, tout ira bien.

Elle secoua vigoureusement la tête à plusieurs reprises, mais cette mimique censée manifester sa confiance en l'avenir n'exprimait que l'opiniâtreté désespérée de quelqu'un qui se tape la tête contre les murs.

Au même instant, une vieille Ford bleue tourna au coin de l'hôpital et s'engagea dans la rue. Elle ralentit en arrivant à notre hauteur comme pour se ranger derrière ma voiture. Les cheveux et la moustache du conducteur étaient d'un blond tirant sur le roux.

Du coin de l'œil, je vis Mme Johnson faire un signe de tête quasiment imperceptible auquel il répondit par un battement de paupières. Il n'était pas encore tout à fait arrêté et entreprit aussitôt de rejoindre le milieu de la chaussée. Ce faisant, il s'en fallut de peu qu'il n'emboutisse mon pare-chocs arrière. La Ford accéléra laborieusement en crachant un nuage de gaz d'échappement.

— C'était Fred, madame Johnson ?

— Oui, répondit-elle après une brève hésitation. Je me demande pourquoi il est reparti.

— Sans doute parce que vous lui avez fait signe de ne pas s'arrêter.

— *Moi*, je lui ai fait signe ? Vous avez des visions ou quoi ?

Je me contentai de la planter sur le bord du trottoir pour me lancer à la poursuite de la Ford. A l'entrée de l'autoroute, les feux de circulation passèrent à l'orange, et elle tourna à droite en direction de l'université. Bloqué par un interminable feu rouge, j'eus tout le loisir de voir le nuage qui s'échappait de son tuyau d'échappement se confondre avec le smog qui baignait la ville. Quand le feu passa au vert, je pris la route du campus où demeurait Doris Biemeyer, la petite amie de Fred.

5

Estompée par la brume, l'université, qui se dressait sur une avancée de terre s'enfonçant dans la mer, ressemblait de loin à une cité médiévale. Mais, vus de près, les bâtiments cubiques et oblongs, à prétention vaguement moderniste qui la composaient perdaient tout romantisme. On eût dit que l'architecte qui en avait accouché avait passé sa vie à construire des immeubles de bureaux. Le gardien de faction devant l'entrée du parking m'indiqua la direction du village estudiantin.

Il semblait qu'il y avait autant de chiens perdus que d'étudiants du même nom à errer dans l'étroite rue qui coupait Academia Village, bordée de boutiques à hamburgers, de minuscules pavillons, de duplex et d'immeubles locatifs géants. C'était dans un de ces derniers, le Sherbourne, qu'habitait Doris Biemeyer. Haut de six étages, il occupait presque tout un bloc à lui tout seul.

Je me garai derrière un camping-car peinturluré dont le décor était censé évoquer une cabane en rondins, à ceci près que ladite cabane était montée sur roues. La vieille Ford bleue de Fred Johnson n'était nulle part en vue. Je franchis l'entrée du Sherbourne et pris l'ascenseur qui me déposa au troisième.

L'immeuble avait beau être de construction toute récente, il sentait déjà le vieux à l'intérieur. Il y régnait une odeur composite de sueur, de parfum, de hasch et d'épices. Les voix humaines, s'il y en avait, étaient noyées sous des torrents de musique cacophonique venant de sources diverses qui s'entrechoquaient dans le corridor, telles les voix de la personnalité multiple du bâtiment lui-même.

Il me fallut frapper plusieurs fois à la porte de l'appartement 304. La jeune fille qui finit par se décider à ouvrir était la réplique en format réduit de sa mère. En plus jolie et moins sûre d'elle.

— Mademoiselle Biemeyer ?

— Oui ?

Elle regardait fixement quelque chose derrière mon épaule gauche. Je fis un pas de côté et me retournai, m'attendant presque à ce que quelqu'un m'agresse. Mais non : il n'y avait personne.

— Je peux entrer une minute ? Je voudrais vous dire deux mots.

— Je regrette, mais je suis en méditation.

— Ah bon ? Et sur quoi méditez-vous ?

— A vrai dire, je ne sais pas encore très bien.

Elle eut un léger gloussement et, portant la main à la hauteur de sa tempe, effleura ses cheveux d'or pâle, semblables à de la soie grège.

— Ça n'est pas encore venu. Ça ne s'est pas encore matérialisé, quoi.

Avec sa blondeur presque transparente, elle avait l'air de ne pas s'être tout à fait matérialisée, elle non plus. Elle oscilla doucement comme un rideau agité par le vent et, perdant soudain l'équilibre, s'abattit brutalement contre le montant de la porte.

La saisissant par les bras, je la remis debout. Elle avait les mains glacées et paraissait étourdie. Quelle cochonnerie a-t-elle bien pu prendre pour être dans cet état-là ? me demandai-je.

La soutenant par les épaules, je la poussai à l'intérieur du living qui s'ouvrait sur un balcon protégé par un store. La pièce était presque aussi dépouillée qu'une paillote de coolie. L'ameublement se limitait à deux ou trois chaises de cuisine, un matelas posé sur un sommier métallique, une table de bridge et quelques nattes. Le seul élément de décoration était un immense papillon en papier rouge. Presque aussi grand que la jeune fille, il était suspendu au plafond par une ficelle et pivotait lentement, très lentement, sur lui-même, toutes ailes déployées.

Doris s'assit sur une des nattes et, levant la tête, se perdit dans la contemplation du lépidoptère. Croisant les jambes sous la longue robe de coton qui était apparemment son seul vêtement, elle s'efforça de prendre la position du lotus. Mais l'essai ne fut pas concluant.

— C'est vous qui avez fabriqué ce papillon, Doris ?

Elle secoua la tête.

— Non. Le bricolage, très peu pour moi. Il faisait partie de la décoration du bal de fin d'année qu'on a donné à ma sortie du pensionnat. C'est ma mère qui a eu l'idée de l'accrocher là. Affreux, hein ?

Sa petite voix douce et fluette ne semblait pas synchronisée avec le mouvement de ses lèvres.

— Je ne me sens pas très bien.

Je me mis sur un genou et me penchai sur elle.

— Qu'est-ce que vous avez pris ?

— Juste quelques pilules pour mes nerfs. Ça m'aide à méditer.

Elle recommença à se battre avec ses pieds et ses genoux pour les forcer à prendre la position adéquate. Elle avait la plante des pieds sale.

— Quel genre de pilules ?

— Les rouges. Je n'en ai pris que deux. Le problème, c'est que je n'ai pas mangé depuis hier. Fred m'avait promis de m'apporter quelque chose, mais je parie que sa mère n'a pas voulu. Elle ne m'aime pas. Elle veut se le garder pour elle toute seule. Elle peut aller au diable et se faire tringler par les cafards, ajouta-t-elle de sa gentille petite voix câline.

— Et votre mère à vous, Doris ?

Se désintéressant de ses pieds, elle allongea les jambes sur lesquelles elle rabattit le bas de sa robe.

— Quoi, ma mère ?

— Si vous avez besoin de manger ou s'il vous faut une aide quelconque, pourquoi ne vous adressez-vous pas à elle ?

Elle secoua la tête avec une violence surprenante. Ses cheveux lui balayèrent la figure, recouvrant ses yeux et sa bouche. Elle les rejeta rageusement en arrière comme si elle arrachait un masque en caoutchouc de son visage.

— Son aide à elle, je n'en ai rien à faire. Tout ce qu'elle cherche, c'est à me voler ma liberté — me boucler dans une clinique et m'oublier.

Elle se dressa maladroitement sur ses genoux, de sorte que ses yeux bleus étaient maintenant à la hauteur des miens.

— Vous êtes un flic ?

— Non.

— C'est vrai ? Elle m'a menacée de me fourrer entre les mains des psys. En un sens, ça ne me déplairait pas tellement. Je pourrais leur raconter un ou deux trucs, moi aussi.

Elle sabra l'air d'un coup de menton plein de défi.
— Quoi, par exemple ?
— Par exemple, qu'ils n'ont jamais rien su faire d'autre que de se bagarrer. Ils ont construit cette affreuse bicoque, et qu'est-ce qu'ils y font ? Ils passent leur temps à s'engueuler, et voilà tout. Sauf, bien sûr, pendant les périodes de bouderie où ils ne s'adressent plus la parole.
— Et à propos de quoi s'engueulent-ils ?
— A propos d'une bonne femme, surtout. Mildred, elle s'appelle. Mais ce n'est pas ça le plus important. Non, ce qui est le plus important, c'est qu'ils ne s'aiment pas et que chacun en rend l'autre responsable. Et ils m'en veulent aussi à moi — en tout cas, c'est tout comme. Je ne me souviens plus très bien de ce qui se passait quand j'étais petite, mais je me rappelle un jour où ils se balançaient des injures qu'ils s'envoyaient par-dessus ma tête — deux géants complètement à poil qui hurlaient comme des dingues, et moi en sandwich entre eux. Et lui, il bandait pas croyable ! Alors, elle m'a attrapée et s'est enfermée avec moi dans la salle de bains. Du coup il a enfoncé la porte d'un coup d'épaule. Après ça, il s'est baladé pendant des semaines avec le bras en écharpe. Moi, conclut Doris de sa voix douce, c'est la tête que je porte en écharpe.
— Ce ne sont pas les tranquillisants qui vous guériront de ça.
Elle plissa les paupières et fit la moue comme un enfant têtu prêt à éclater en sanglots.
— Personne ne vous a demandé votre avis. Vous êtes un psy, hein ?
Elle renifla.
— Vous puez. Vous avez l'odeur des secrets pourris que vous arrachez aux gens.

J'eus la nette impression que mon demi-sourire était de traviole. Elle était jeune et fofolle, peut-être malade et elle se droguait, elle l'avait elle-même reconnu. Mais elle était jeune. Et elle avait les cheveux propres. L'idée qu'elle trouvait que je sentais mauvais me déplaisait souverainement.

Je me levai, heurtant le papillon de mon crâne, et sortis sur le balcon. On apercevait un petit bout d'océan bleu au fond de l'étroite travée séparant deux immeubles d'en face. Un trimaran passait, poussé par une brise légère.

Quand je me retournai, la pièce me parut sombre — un cube d'ombre transparente habité par une vie obscure. Le papillon semblait voler de ses propres ailes. Doris se leva. Pas très assurée sur ses jambes, elle était juste au-dessous de lui.

— C'est ma mère qui vous a dit de venir ? me demanda-t-elle.

— Pas exactement. Nous avons bavardé.

— Et je suppose qu'elle vous a raconté par le menu toutes les choses épouvantables que j'ai faites. Que je suis une bonne à rien.

— Non. Mais elle se fait du souci à cause de vous.

— A cause de Fred et moi, vous voulez dire ?

— Oui, je crois.

Elle secoua le menton sans lever la tête.

— Moi aussi, je me fais du souci pour nous, mais pas pour les mêmes raisons. Elle croit que je suis sa maîtresse ou je ne sais quoi. Seulement, je suis incapable d'avoir une relation avec les gens. Plus j'essaie de me rapprocher d'eux, plus je me rétracte.

— Pourquoi ?

— Ils me font peur. Quand il... quand mon père a enfoncé la porte de la salle de bains, j'ai plongé dans le panier à linge et j'ai rabattu le couvercle sur moi. Jamais je n'oublierai le sentiment que j'ai éprouvé. C'était comme si j'étais morte, enterrée et pour toujours à l'abri.

— A l'abri ?

— On ne peut pas tuer quelqu'un qui est déjà mort.

— Qu'est-ce qui vous fait si peur, Doris ?

Elle me lança un regard en dessous.

— Les gens.

— Fred vous fait aussi cet effet-là ?

— Non, lui, il ne me fait pas peur. Des fois, il me rend folle. Il me donne envie de...

Elle n'alla pas jusqu'au bout de sa phrase. Elle referma la bouche avec une telle énergie que j'entendis grincer ses dents.

— De quoi ? insistai-je.

Elle hésita, le visage crispé, essayant de déchiffrer son propre secret.

— J'allais dire de le tuer. Mais je ne veux pas vraiment le tuer. A quoi ça servirait, d'abord ? Le pauvre ! Il est déjà mort et enterré — comme moi.

J'avais follement envie de lui dire qu'elle était trop jolie et trop jeune pour parler comme ça. Seulement, elle était un témoin et il valait mieux écraser.

— Qu'est-il arrivé à Fred ?

— Des tas de choses. D'abord, ses parents étaient pauvres, et il lui a fallu la moitié de sa vie pour arriver là où il en est maintenant, c'est-à-dire pratiquement nulle part. Sa mère est plus ou moins infirmière, mais elle fait une fixation sur son mari. Il a été blessé à la guerre et il n'est plus bon à rien. Fred était censé devenir un peintre ou quelque chose dans ce goût-là, mais j'ai bien peur que sa carrière ne soit finie avant d'avoir commencé.

— Pourquoi ? Il a des ennuis ?

Son visage se ferma.

— Je n'ai pas dit ça.

— C'est pourtant ce que vous aviez l'air de sous-entendre.

— Oui, peut-être. De toute manière, tout le monde a des ennuis.

— De quel genre sont ceux de Fred ?

Elle secoua la tête.

— Ça, je ne vous le dirai pas. Vous iriez tout répéter à ma mère.

— Je vous assure que non.

— Ça m'étonnerait.

— Vous l'aimez bien, Fred ?

— J'ai bien le droit d'avoir de l'affection pour quelqu'un, non ? C'est un gentil garçon — un type bien.

— Ben voyons ! Mais ce gentil garçon n'aurait-il pas volé ce gentil tableau à vos gentils parents ?

— C'est ça ! Moquez-vous de moi pendant que vous y êtes ! Ne vous gênez pas.

— Je ne me moque pas de vous. Seulement, tous ces gens tellement gentils, moi, je ne suis pas client. Mais vous n'avez pas répondu à ma question. Est-ce lui qui a volé le tableau, Doris ?

Elle fit signe que non.

— Personne ne l'a volé.

— Parce qu'il s'est décroché tout seul pour aller prendre l'air ?

— Arrêtez de m'asticoter comme ça.

Les larmes qu'elle retenait se mirent à couler sur ses joues.

— C'est moi qui l'ai pris.

— Pourquoi ?

— Fred me l'avait demandé.
— Et pourquoi ?
— Oh ! Il avait une excellente raison.
— Laquelle ?
— Il m'a fait promettre de n'en parler à personne.
— Est-ce qu'il l'a toujours ?
— J'imagine, puisqu'il ne l'a pas rapporté.
— Parce qu'il a dit qu'il le rapporterait ?
— Oui, et c'est ce qu'il fera. Il voulait seulement l'examiner.
— Pourquoi ?
— Pour savoir s'il est authentique.
— Il croyait que c'était un faux ?
— Il voulait en avoir le cœur net.
— Et, pour ça, il fallait qu'il le vole ?
— Je vous répète qu'il ne l'a pas volé. Je l'ai laissé l'emporter. Et vous, vous n'entrez pas dans la catégorie des gens gentils.

6

Je n'étais pas loin de penser comme elle, aussi je décidai de la laisser tranquille. Je sortis et m'installai dans ma voiture. Pendant plus d'une heure, je restai à surveiller l'entrée du Sherbourne dont l'ombre s'allongeait à mesure que le temps passait. Il y avait une friterie un peu plus haut et, de temps à autre, une bouffée de vent m'apportait des odeurs qui me mirent en appétit. Je finis par aller m'offrir un hot-dog.

Il faisait sombre dans la boutique. Les jeunes barbus qui cassaient la croûte avaient l'air morne et désabusé. On aurait dit des hommes des cavernes attendant la fin de l'ère glaciaire.

J'étais de retour dans ma voiture quand la Ford bleue montra enfin le bout du nez. Fred Johnson se gara juste derrière moi et, après avoir jeté un coup d'œil à gauche et à droite, entra dans l'immeuble. Il prit l'ascenseur. Je me précipitai dans l'escalier et le rejoignis sur le palier du troisième. Il portait un costume vert et une cravate jaune large comme ça.

A ma vue, il essaya de battre en retraite, mais la porte se referma devant son nez et la cabine commença à redescendre.

Il me dévisagea en écarquillant les yeux. Il était pâle.

— Qu'est-ce que vous voulez ?

— Le tableau que vous avez pris chez les Biemeyer.

— Quel tableau ?

— Vous le savez très bien. Le Chantry.

— Je ne l'ai pas pris.

— C'est possible. Il n'empêche qu'il est maintenant entre vos mains.

Il regarda la porte de la chambre de Doris au bout du couloir.

— C'est Doris qui vous a dit ça ?

— Il vaudrait mieux laisser Mlle Biemeyer en dehors de ça. Elle a déjà assez de problèmes. Avec ses parents et avec elle-même.

Il acquiesça comme s'il avait compris à demi-mot et se rangeait à mon point de vue, mais il avait les yeux fébriles d'un rat pris au piège qui cherche désespérément une issue. Il avait l'air las d'un garçon qui serait passé brutalement et sans transition de l'enfance à l'âge d'homme.

— Et d'abord, qui êtes-vous ? me demanda-t-il.

— Je m'appelle Lew Archer et je suis détective privé. Les Biemeyer m'ont chargé de retrouver leur tableau. Où est-il, Fred ?

— Je ne sais pas.

Il secoua la tête d'un air accablé. La sueur perlait à son front.

— Qu'est-il devenu ?

— D'accord, je l'ai emmené chez moi, c'est vrai. Mais je n'avais pas l'intention de le voler. Je voulais seulement l'étudier de près.

— Quand l'avez-vous... emprunté ?

— Hier.

— Et où est-il maintenant ?

— Je n'en sais rien. Je vous dis la vérité. Il a disparu de ma chambre.

— Parce qu'il était dans votre chambre ? A Olive Street ?

— Oui, monsieur. Quelqu'un a dû s'introduire dans la maison et s'en emparer pendant que je dormais. Il était là quand je me suis couché et, à mon réveil, il n'y était plus.

— Vous devez avoir le sommeil lourd.

— Absolument.

— Ou être un sacré menteur.

Un frisson — de honte ? ou de fureur ? — secoua son corps efflanqué. Je crus qu'il allait me lancer son poing dans la figure et m'apprêtai à le bloquer. Mais non : il se rua vers l'escalier. Je réagis à retardement et il m'échappa. Quand je sortis dans la rue, la Ford bleue avait déjà démarré.

J'achetai un hamburger à emporter et, mon petit sac à la main, je regagnai le Sherbourne. Retour à la case départ : j'appuyai sur le bouton du troisième.

Quand elle ouvrit et vit que c'était moi qui avais sonné, Doris parut désappointée.

— Tenez, voilà déjà de quoi vous caler les dents, lui dis-je en lui tendant le hamburger.

— Je n'ai pas faim. D'ailleurs, il est entendu que Fred m'apportera de la bouffe.

— Vous feriez aussi bien de manger ça. Il ne viendra peut-être pas aujourd'hui.

— Mais il m'a promis de passer.

— Je crains qu'il n'ait des ennuis, Doris. A cause du tableau.

Elle écrasa le hamburger quand son poing se crispa.

— Mes parents essaient d'avoir sa peau ?

— Je n'irai pas aussi loin.

— On voit que vous ne les connaissez pas. Ils le

feront virer du musée. Il ne décrochera jamais son diplôme. Et tout ça parce qu'il a cherché à leur rendre service !

— Là, je ne vous suis pas très bien.

Elle secoua la tête avec impatience.

— Il voulait l'authentifier, leur tableau. Il avait l'intention de déterminer la date à laquelle il a été peint. Si la peinture était fraîche, cela voudrait probablement dire que ce n'était pas un vrai.

— Un vrai Chantry ?

— Évidemment. La première fois qu'il l'a vu, Fred a pensé que c'était un faux. En tout cas, il a tout de suite eu des doutes. Et il n'a aucune confiance dans le type qui l'a vendu à mes parents.

— Paul Grimes ?

— Exactement. D'après Fred, il a mauvaise réputation dans le milieu de la peinture.

Je me demandai quelle réputation allait avoir Fred maintenant que le tableau avait été volé. Mais Doris avait déjà assez de soucis comme ça pour que je lui évite ce genre de réflexion. Je l'abandonnai donc avec son hamburger en capilotade et repris la route de Santa Teresa.

La galerie Grimes était fermée. Ce fut en vain que je frappai à la porte. J'eus beau secouer la poignée et donner de la voix, j'en fus pour mes frais. Je collai mon front contre la vitrine. Il faisait sombre à l'intérieur. C'était le désert.

J'entrai dans le débit de boissons voisin et demandai au Noir s'il avait vu Paola.

— Et comment que je l'ai vue, me répondit-il. Elle chargeait des tableaux dans sa camionnette, y a une heure de ça. Même que je lui ai donné un coup de main.

— Quel genre de tableaux ?

— Encadrés. Des trucs à la noix avec plein de couleurs partout. Moi, j'aime qu'une peinture ressemble à quelque chose. Pas étonnant qu'ils aient pas réussi à les vendre.

— Comment savez-vous qu'ils n'ont pas réussi ?

— Ça coule de source. Ils faisaient qu'encombrer la boutique, elle m'a dit, la Paola.

— Paul Grimes... l'homme à la barbiche... Était-il avec elle ?

— Ah non, il y était pas. J' l'ai pas vu depuis que vous êtes passé.

— Paola vous a dit où elle allait ?

— J' lui ai pas demandé. Elle a pris la direction de Montevista.

Du pouce, il indiqua le sud-ouest.

— Qu'est-ce qu'elle a comme camionnette ?

— C'est une vieille Volkswagen jaune. Elle a des ennuis, c'te dame ?

— Non. Je voulais seulement la voir à propos d'un tableau.

— Que vous voulez acheter ?

— Peut-être.

Il me lança un regard incrédule.

— Vous aimez ce genre de peinture ?

— Parfois.

— Dommage qu'ils savaient pas qu'ils avaient un amateur. S'ils avaient su, peut-être qu'ils seraient restés pour s'occuper de vous.

— C'est bien possible. Je voudrais vous prendre deux quarts de whisky... du whisky du Tennessee.

— Pourquoi vous en voulez pas une demie ? Ce serait plus économique.

— Je préfère deux quarts.

7

En route, je m'arrêtai au musée dans l'espoir d'y trouver Fred, mais l'établissement avait déjà fermé ses portes et je continuai en direction d'Olive Street. L'obscurité avait envahi cours et jardins et des fenêtres s'allumaient dans les vieilles maisons. L'hôpital ressemblait à une grosse boîte piquetée de lumières. Je m'arrêtai près de la maison décatie des Johnson et fis l'ascension du porche aux marches branlantes.

Le père de Fred avait dû m'entendre arriver car il demanda avant même que j'aie eu le temps de frapper :

— Qui c'est ?

— Archer, répondis-je. Je suis déjà passé dans la journée pour voir Fred.

— C'est vrai. J' m'en rappelle.

Un exploit dont il ne paraissait pas peu fier.

— Je peux entrer, monsieur Johnson ? J'aimerais vous parler une minute.

— J' suis désolé, mais c'est pas possible. Ma femme a bouclé la porte.

— Où est la clé ?

— Elle la garde toujours sur elle quand elle va à l'hôpital. Elle a peur que je sorte dans la rue et que je me fasse écrabouiller. Pourtant, je suis à jeun. Tellement à jeun, même, que ça me rend malade. Mais elle a beau être infirmière, ça la laisse froide.

Il avait des trémolos dans la voix tellement il s'apitoyait sur son sort.

— Il n'y a pas un moyen d'entrer ? En passant par une fenêtre, par exemple ?

— Elle me tuerait si jamais je vous laissais entrer !

— Comment voulez-vous qu'elle le sache ? J'ai apporté du whisky, monsieur Johnson. Ça ne vous dirait rien d'en boire un coup ?

— Et comment que ça me dirait !

Maintenant, sa voix vibrait d'enthousiasme.

— Mais comment vous ferez pour entrer ?

— Ne vous en faites pas, j'ai un trousseau de clés.

C'était une vieille serrure bateau et elle s'ouvrit au deuxième essai. Je refermai la porte derrière moi et j'avançai dans l'entrée — non sans difficulté vu son étroitesse. Johnson était mastoc et c'était tout juste s'il y avait assez de place pour nous deux. Je vis à la lueur faiblarde de l'ampoule qui pendait au plafond que, sous l'effet de l'excitation, son visage était agité de tics.

— Alors, comme ça, vous avez du whisky, vous avez dit ?

— Attendez une minute.

— Mais c'est que j'en suis malade. Vous le voyez bien, non ?

Je débouchai un des deux flacons. Il le porta vivement à ses lèvres et le vida d'une seule rasade. Quand il l'eut séché, il en lécha encore le goulot.

J'avais l'impression de jouer les proxénètes. Mais

le brutal coup de fouet de l'alcool n'avait nullement l'air de le mettre K.-O. Au contraire, cela semblait améliorer son élocution.

— Je buvais du whisky du Tennessee au bon vieux temps. Ouais, je buvais du whisky du Tennessee et je montais un cheval du Tennessee. Parce que c'est bien du whisky du Tennessee, ça, pas vrai ?

— Absolument, monsieur Johnson.

— Appelez-moi Jerry. Quand quelqu'un est un ami, je le sens tout de suite.

Abandonnant la bouteille vide sur la première marche de l'escalier, il posa la main sur mon épaule, s'y appuyant de tout son poids.

— Comment c'est votre nom, déjà ?

— Archer. Lew Archer.

— Et vous faites quoi, dans la vie, monsieur Archer ?

— Je suis détective privé.

J'ouvris mon porte-cartes pour lui montrer la photocopie de ma licence.

— Des personnes d'ici m'ont chargé de retrouver un tableau qui a disparu. Un portrait de femme signé par un peintre bien connu dans la région, Richard Chantry. Vous avez sans doute entendu parler de lui ?

Son front se plissa sous l'effort de la réflexion.

— J' peux pas vous dire, fit-il enfin. Vous feriez mieux d'en causer à mon fils. C'est son truc au Fred, la peinture.

— C'est ce que j'ai fait, justement. Ce tableau, c'est lui qui l'a pris. Il l'a apporté ici.

— Chez nous ?

— En tout cas, c'est ce qu'il m'a dit cet après-midi.

— J'en crois pas un mot. Jamais il aurait fait une

chose pareille. C'est un gars honnête, Fred. Il a jamais rien volé de sa vie. On a confiance en lui au musée. Tout le monde a confiance en lui.

L'alcool le rendait volubile et je l'arrêtai sur sa lancée.

— Il affirme que ce n'était pas un vol. Il l'avait seulement emprunté pour faire des tests.

— Des tests ? Quel genre de tests ?

— Je ne sais pas au juste. Selon lui, il voulait déterminer l'âge de la toile. L'artiste qui est censé l'avoir peinte a disparu depuis longtemps.

— Qui c'était, c't artiste ?

— Richard Chantry.

— Oui, c'est un nom qui me dit quelque chose, en effet. Ils ont plein de tableaux de lui au musée.

Il se gratta le crâne, histoire de réchauffer sa mémoire.

— Je crois bien qu'il est mort, non ?

— En tout cas, il a disparu. Tout ce qu'on sait, c'est qu'il y a vingt-cinq ans que personne ne l'a revu. Si la peinture de ce tableau est relativement fraîche, c'est sans doute quelqu'un d'autre qui l'a peint.

— Excusez-moi, mais j'ai du mal à vous suivre.

— Aucune importance. Ce qui m'intéresse, c'est que Fred a apporté cette toile à la maison et que, selon ses dires, on l'a volé dans sa chambre cette nuit. Vous êtes au courant ?

— Foutre pas !

D'un seul coup, son visage se décomposa et j'eus brusquement l'impression d'avoir un vieillard devant moi.

— Alors, vous pensez que c'est moi qui l'ai volé ?

— Ce n'est absolument pas ce que je voulais dire.

— J'espère bien. Fred m'étranglerait si j'avais le

malheur de toucher à ses sacro-saintes affaires. J'ai même pas le droit d'entrer dans sa chambre.

— Ce que je voulais savoir, c'est si Fred a parlé d'un tableau qu'on lui aurait volé cette nuit.

— Pas que je sache.

— Est-ce que vous l'avez vu, ce matin ?

— Bien sûr. Même que c'est moi qui lui ai préparé son porridge.

— Et il n'a pas parlé de ce tableau baladeur ?

— Non, monsieur. Pas à moi, en tout cas.

— J'aimerais jeter un coup d'œil dans sa chambre. Ça peut se faire, vous croyez ?

Cette seule idée eut l'air de le terrifier.

— J' sais pas trop... Non, je ne crois pas. Sarah — c'est ma femme — a horreur qu'il vienne des gens dans *sa* maison. Elle se débarrasserait même de moi si elle pouvait.

— Vous ne m'avez pas dit qu'elle était sortie ?

— Oui. Elle est à son hôpital.

— Alors, comment voulez-vous qu'elle le sache ?

— J' sais pas comment elle fait, mais elle sait toujours tout. Sûr qu'elle s'arrange pour me tirer les vers du nez d'une manière ou d'une autre. Elle arrête pas de m'asticoter. C'est pas marrant, je vous jure.

Il eut un petit rire gêné.

— Vous en auriez pas encore une goutte, de votre whisky du Tennessee, histoire de me donner un peu de cœur au ventre ?

Je lui brandis la seconde bouteille sous le nez. Il fit mine de la saisir, mais je l'éloignai de sa main tendue.

— Je vous la donnerai quand vous m'aurez conduit là-haut.

Et je remis le flacon dans ma poche.

— J' sais pas trop...

Il regarda avec circonspection dans l'escalier comme si sa femme risquait d'y être aux aguets. Il n'y avait personne, bien sûr, mais sa présence invisible semblait remplir la maison. Il avait si peur qu'il en tremblait. A moins que ce ne fût parce qu'il était en manque de whisky.

Finalement, l'envie de biberonner fut la plus forte. Il alluma et commença de grimper les marches. Je lui emboîtai le pas.

Le premier étage était encore plus mal entretenu que le rez-de-chaussée. L'antique papier mural défraîchi se décollait. Le parquet nu était griffé et rayé. Il manquait un panneau à une porte ; il avait été remplacé par du carton.

Néanmoins, j'avais déjà vu pire dans les bidonvilles et les barrios avec leurs taudis qui faisaient penser à des champs de bataille après la retraite. Non, la maison des Johnson n'avait quand même pas été mise à feu et à sang. Mais il me sembla soudain tout à fait possible qu'elle eût inspiré à Fred l'idée de commettre un mauvais coup. Peut-être avait-il piqué le tableau dans l'espoir d'en tirer quelque chose qui lui apporterait une vie meilleure.

En un sens, je l'aurais compris. Rentrer dans cette baraque en sortant de chez les Biemeyer ou du musée, ça devait être pénible.

Johnson ouvrit la porte veuve de son panneau et tira sur le cordon de la lampe sans abat-jour qui pendait au plafond.

— Voilà. C'est la chambre de Fred, m'annonça-t-il.

L'ameublement se limitait à un étroit lit métallique sur lequel était jetée une couverture de l'armée, une commode, un transat déchiré et une bibliothèque aux rayons bourrés de livres. Plus, dans un coin près de la fenêtre dont le store était baissé, une vieille table de cuisine sur laquelle s'entassaient des outils divers et variés, des marteaux, des ciseaux, tout un assortiment de scies, des aiguilles et du fil voisinant avec des tubes de colle et des pots de peinture.

L'ampoule nue qui continuait encore d'osciller projetait des ombres mouvantes dans toute la pièce et c'était comme si la maison tout entière tanguait. Je l'immobilisai. Les murs étaient ornés de reproductions de peintures modernes, entre autres des Monet et des Modigliani, la plupart découpées dans des revues. Je jetai un coup d'œil dans la penderie. Elle ne contenait qu'une veste et deux chemises accrochées à des cintres, et une paire de boots noires. Les biens et les effets personnels étaient vraiment réduits à la portion congrue pour un garçon de l'âge de Fred.

Je fis l'inventaire des tiroirs de la commode. Du linge de corps, des mouchoirs, des chaussettes. Et une photo de classe datant de 1961. Je n'arrivai pas à trouver le visage de Fred.

— C'est lui, dit Johnson derrière mon épaule en désignant du doigt un des adolescents que je ne reconnus pas, mais dont, le temps ayant passé, je trouvai attendrissant le sourire débordant d'espoir en l'avenir.

Je passai les bouquins en revue. Presque uniquement des livres de poche consacrés à l'art, à la culture en général et à la technologie. Il y avait aussi quelques ouvrages sur la psychiatrie et la psychanalyse. Les deux seuls que j'avais lus moi-même — *La Psychopathologie de la vie quotidienne* et *La Vérité de Gandhi* — étaient quand même d'assez curieuses lectures pour un voleur — si Fred était un voleur.

Je me tournai vers Johnson.

— Un visiteur indésirable aurait-il pu s'introduire chez vous et voler le tableau dans sa chambre ?

Il haussa pesamment les épaules.

— Tout est possible, hein ? Mais, moi, j'ai rien entendu. Faut dire que quand je dors, j'ai un sommeil de plomb.

— Vous êtes bien sûr que ce n'est pas vous qui l'avez fauché, ce tableau, Jerry ?

— Non, monsieur, c'est pas moi, fit-il en secouant énergiquement la tête. Toucher aux affaires de Fred, moi ? Y ferait beau voir ! J' suis peut-être plus qu'un vieux croûton, mais jamais l'idée me viendrait d'aller chaparder c' qu'est à mon fils. Y a qu' lui dans cette maison qui ait encore quelque chose à attendre de l'existence.

— Personne d'autre n'y habite en dehors de vous trois — vous, Mme Johnson et Fred ?

— Non, personne. Avant, on avait des pensionnaires, mais ça fait longtemps qu'on n'en prend plus.

— Alors, qu'a pu devenir le tableau qui était dans la chambre de Fred ?

Johnson baissa le menton sur sa poitrine et sa tête se mit à se balancer de gauche à droite. Massif comme il était, on aurait dit un vieux taureau malade.

— J' l'ai jamais vu, ce tableau. Vous ne comprenez donc pas que je suis en pleine déglingue ? Après la guerre, j'ai passé six ans — sept, même — dans un hôpital pour anciens combattants. La plupart du temps, j'étais dans les vapes. Et ça n'a pas changé. C'est rare que je sache quel jour de la semaine on est. Et j' veux pas le savoir. Je suis un homme malade. Pourquoi vous m' fichez pas la paix ?

Je n'insistai pas davantage. Je sortis de la chambre

et visitai rapidement les autres pièces du premier. A part celle de Fred, une seule était occupée. Le lit à deux places était, de toute évidence, celui que partageaient Johnson et sa moitié. Le tableau n'était pas caché sous le matelas, le placard et la commode ne contenaient rien de compromettant. La seule déduction que je pouvais tirer de cette visite domiciliaire était que j'avais affaire à une famille qui tirait le diable par la queue.

Il y avait au fond du couloir une petite porte cadenassée. Johnson surgit derrière moi tandis que je l'examinais.

— Ça, c'est le grenier, me dit-il. Mais j'ai pas la clé. Sarah a peur que je me casse la figure dans l'escalier. N'importe comment, il n'y a rien à voir. C'est pareil que moi, ajouta-t-il en se tapotant le crâne. Y a personne là-haut.

Il m'adressa un grand sourire idiot. Je lui tendis la seconde bouteille. Pour solde de tout compte — et je n'étais pas tellement fier de moi. Je fus heureux de me retrouver à l'air libre. Il referma la porte derrière moi comme un prisonnier sur parole qui s'enferme dans sa propre geôle. Je repris mon passe et donnai un tour de clé.

8

Laissant la voiture où elle était, je pris à pied la direction de l'hôpital dans l'intention d'obtenir de Mme Johnson quelques renseignements supplémentaires concernant son fils. Les rares lampadaires étaient disséminés au milieu des arbres de sorte que l'obscurité était presque totale. Sur le trottoir, je remarquai des flaques d'huile qui se faisaient plus nombreuses à mesure que j'avançais.

Intrigué, je plongeai mon doigt dans l'une d'elles et l'examinai à la lumière du lampadaire le plus proche. Le liquide avait une couleur rouge. Et son odeur n'était pas celle de l'huile.

Des ronflements s'élevaient un peu plus loin. Un homme était couché, face contre terre, sur la bande de gazon bordant le trottoir. Je me précipitai et m'agenouillai à côté de lui. L'arrière de son crâne était noir de sang. Je déplaçai sa tête avec précaution. Sa figure aussi était en sang.

Il poussa un gémissement et tenta de se redresser, mais il n'en eut pas la force et sa tête retomba. Je la tournai de côté pour faciliter sa respiration.

Il ouvrit les yeux, balbutia : « Chantry ? Laisse-moi... laisse-moi », et ses râles reprirent.

Il était visiblement très amoché. Je me relevai et fonçai à toutes jambes vers l'entrée des urgences de l'hôpital.

Sept ou huit personnes, adultes et enfants, attendaient dans la salle. Derrière son comptoir, une jeune infirmière à la mine harassée avait l'air de garder une barricade.

— Il y a un blessé dans la rue, lui annonçai-je.

— Eh bien, amenez-le.

— Ce n'est pas possible. Il faut une ambulance.

— Il est loin ?

— Juste au carrefour.

— C'est que nous n'avons pas d'ambulance. Si vous voulez en appeler une, la cabine téléphonique est dans le couloir. Vous avez de la monnaie ?

Elle me donna le numéro.

Moins de cinq minutes plus tard, une ambulance s'arrêtait devant l'entrée. Je montai à côté du chauffeur et le guidai jusqu'au blessé.

Sa respiration affaiblie était irrégulière. L'ambulancier braqua une torche électrique sur lui et je l'observai de plus près. C'était un homme d'une soixantaine d'années ; il avait une barbiche taillée en pointe et son abondante crinière grise était gluante de sang. Il me faisait penser à un lion de mer à l'agonie et ses râles eux-mêmes évoquaient un lointain rugissement.

— Est-ce que vous le connaissez, monsieur ?

J'étais en train de me dire que le blessé correspondait à la description que le Noir du bistrot où j'avais acheté le whisky m'avait faite de Paul Grimes.

— Non, c'est la première fois que je le vois.

Les ambulanciers l'installèrent avec précaution sur une civière qu'ils enfournèrent à l'arrière du véhicule qui démarra aussitôt. Je le suivis à pied. Je le rejoignis devant les urgences au moment où ils sortaient la civière, et il s'en fallut de peu qu'elle ne bascule lorsque le blessé se dressa sur les avant-bras et leva vers moi son visage ensanglanté aux yeux vides.

— Je te connais, salaud, balbutia-t-il.

Sa tête retomba en arrière et il ne bougea plus. Les ambulanciers disparurent à l'intérieur de l'hôpital avec leur fardeau. Moi, j'attendis dans la rue l'inéluctable arrivée de la police.

Qui ne tarda guère. Quelques instants plus tard, une voiture banalisée s'arrêta le long du trottoir et deux inspecteurs en descendirent. Ils avaient l'air plutôt jeune et le léger costume d'été qu'ils portaient était aussi clair que leur mine était sombre. L'un d'eux s'engouffra au pas de charge dans l'hôpital. L'autre, un certain Leverett, commença aussi sec à me poser des questions.

— Vous connaissez le blessé ?

— C'est la première fois que je le vois (*seconde édition*). C'est tout à fait par hasard que je suis tombé sur lui.

— Comment se fait-il que vous ayez appelé une ambulance ?

— Ça m'a paru être la chose la plus logique à faire, non ?

— Mais pourquoi ne nous avez-vous pas appelés, nous ?

— Je savais bien que quelqu'un s'en chargerait.

Leverett rougit imperceptiblement.

— Je vous conseille de ne pas jouer au petit soldat avec moi. Et d'abord, qui êtes-vous ?

M'efforçant de garder mon calme, je lui dis que j'étais détective privé et que les Biemeyer m'avaient chargé d'une enquête. Ce nom ne lui était manifestement pas inconnu car il changea aussitôt d'attitude, et ce fut sur un tout autre ton qu'il me pria bien poliment de lui montrer mes papiers. Quand je me fus exécuté, il me demanda d'avoir l'amabilité de l'attendre un moment et je l'assurai que je ne bougerais pas.

Je ne tins cependant pas ma promesse à la lettre : dès que je me retrouvai seul, je traversai le carrefour et retournai à l'endroit où j'avais remarqué les premières taches de sang sur le trottoir. La nuit était chaude et elles commençaient déjà à sécher.

Un vieux cabriolet noir à la capote déchirée était garé pas bien loin. La clé était sur le contact. Une enveloppe était coincée entre le coussin et le dossier du siège du passager. De petits tableaux étaient empilés sur la plage arrière à côté d'un sombrero blanc.

J'allumai le tableau de bord pour examiner l'enveloppe. Elle contenait une invitation pour un cocktail adressée à M. Paul Grimes. Le carton était signé « Francine Chantry ». La réception était prévue aujourd'hui à huit heures.

Ma montre indiquait huit heures et quelques minutes. J'allai jeter un coup d'œil aux toiles entassées à l'arrière. Deux seulement étaient encadrées. Elles n'avaient rien de commun avec les Chantry que j'avais vus au musée. Et elles ne ressemblaient pas à grand-chose, en fait. Outre quelques paysages et quelques marines dépourvus d'intérêt, il y avait un petit portrait de femme qui me parut particulièrement raté. Toutefois, je n'avais pas une confiance à tous crins dans mon jugement en ce domaine. Je pris l'un des paysages que j'allai mettre dans le coffre de ma voiture, puis retournai à l'hôpital.

Leverett et son collègue vinrent à ma rencontre, accompagnés d'un troisième larron qu'ils me présentèrent comme le capitaine Mackendrick. C'était un homme entre deux âges, large d'épaules et lourdement charpenté, dont le complet froissé s'accordait à merveille avec son visage fripé. Il m'annonça que le blessé n'avait pas survécu et je lui fis part de mes conclusions concernant son identité probable.

Mackendrick griffonna quelques lignes dans un petit carnet noir. Il me regarda avec des yeux gros comme ça quand je lui appris que le nom de Chantry avait été l'un des derniers mots que le défunt avait prononcés.

— Chantry ? Je me souviens de lui. J'étais encore une bleusaille lorsqu'il a disparu. Une disparition qui a fait du bruit, à l'époque.

— Vous pensez qu'elle était volontaire ?

— Absolument. Des quantités d'indices le confirment.

Il ne me précisa pas lesquels. Et, de mon côté, je m'abstins de lui faire part de mes projets pour la soirée.

9

En traversant la ville basse, je passai devant la galerie Grimes. Tout y était, bien sûr, éteint comme dans l'appartement du premier. Je sentis le souffle frais et salé de la mer longtemps avant d'en atteindre le rivage. Un parc le bordait sur près de deux kilomètres. Les vagues écumantes qui venaient lécher la plage avaient un éclat presque fantomatique dans la nuit. Ici et là, des couples étaient couchés dans l'herbe. C'était quand même plus agréable de tomber sur des amoureux que sur un cadavre !

Channel Road montait à l'assaut d'une falaise qui dominait le port, véritable forêt de mâts, et l'entourait partiellement de son croissant. Arrivée au sommet, la route faisait un détour pour longer un ravin qui dégringolait sur la mer et au-delà duquel s'élevait la colline que couronnait la demeure des Biemeyer.

La maison de Mme Chantry, tout en colonnades et flanquée de tourelles, se dressait entre le ravin et la mer. Elle était flanquée d'une serre coiffée d'une verrière. Je m'arrêtai sur le terre-plein dallé ceinturé d'un muret où s'alignaient une bonne vingtaine de voitures. Un domestique en veste blanche vint à ma rencontre et me proposa de garer la mienne.

Une jeune femme de chambre noire m'accueillit à la porte. Elle ne me demanda ni mon carton d'invitation, ni mon nom. Et elle ne se permit pas de s'étonner que je ne sois pas sur mon trente et un, ni même que je n'arbore pas la mine euphorique de circonstance.

J'entrai et me dirigeai vers le salon d'où parvenait de la musique. Une femme aux cheveux noirs coupés court jouait *Someone to Watch Over Me* sur un piano de concert qui, vu les proportions de la pièce — le plafond était bien haut de deux étages —, avait tout du modèle réduit. Une trentaine d'invités en tenue de soirée bavardaient par petits groupes, verre en main. On aurait dit une scène surgie du passé, moins réelle, peut-être, que les tableaux qui garnissaient les murs.

Mme Chantry traversa le salon dans toute sa longueur pour venir me souhaiter la bienvenue. Sa robe du soir bleue qui balayait le sol découvrait généreusement ses épaules. Sur le moment, elle n'eut pas l'air de me reconnaître, mais, brusquement, elle leva les deux mains dans un geste d'heureuse surprise.

— Que c'est aimable à vous d'être venu ! s'exclama-t-elle. Comme je suis contente de ne pas avoir oublié comme je le craignais de vous avertir que je donnais cette petite soirée. Monsieur Marsh, n'est-ce pas ?

Elle me dévisageait attentivement. Avec sympathie ? Avec crainte ? J'étais incapable de le dire.

— Archer, rectifiai-je. Lew Archer.

— Mais bien sûr ! Où avais-je la tête ? C'est terrible, je n'ai aucune mémoire des noms. Si vous permettez, je laisserai à Betty Jo Siddon le soin de vous présenter mes amis.

Betty Jo Siddon était une brune au regard décidé

d'une trentaine d'années. Bien faite, mais ses mouvements étaient un peu gauches comme si elle n'était pas tout à fait à sa place dans cet univers. Elle était journaliste et couvrait la soirée pour le canard local, m'annonça-t-elle. Elle se demandait visiblement ce que je faisais là, mais je ne fis rien pour satisfaire sa curiosité et elle ne me posa pas la question.

Elle me présenta tour à tour au colonel Aspinwall, un monsieur âgé qui avait l'accent anglais, un habit anglais et une jeune épouse anglaise qui, après m'avoir toisé de la tête aux pieds, parvint manifestement à la conclusion que je n'appartenais pas à son monde ; au Dr Ian Innes, un gros poussah débordant de bajoues mâchonnant un cigare qui m'examina d'un œil clinique comme s'il établissait un diagnostic ; à Mme Innes qui, pâle, crispée et agitée de trémoussements incessants, aurait fort bien pu passer pour une de ses patientes ; à Jeremy Rader, artiste peintre de son état, un garçon jovial à la crinière léonine dont la jeunesse attardée brillait de ses derniers feux ; à Molly Rader, une brune sculpturale qui abordait le cap de la quarantaine et était indiscutablement le plus bel objet qu'il m'eût été donné d'admirer depuis pas mal de semaines ; à Jackie Pratt, un bonhomme malingre et étriqué aux cheveux longs, tout de noir vêtu, qui avait l'air d'un petit jeunot sorti tout droit d'un roman de Dickens, mais dont on s'apercevait au second regard qu'il était largement quinquagénaire ; aux deux jeunes femmes qui l'accompagnaient et qui avaient le physique (et la conversation) de deux modèles ; à Ralph Sandman et Larry Fallon qui avaient des gilets de soie et des chemises à jabot, et donnaient la très nette impression d'être un couple ; et à Arthur Planter, enfin, un amateur d'art doublé d'un collectionneur renommé dont tout le monde avait entendu parler — sauf moi, bien entendu.

Quand la corvée de serrages de main fut arrivée à son terme, Betty Jo se tourna vers moi.

— Vous désirez peut-être boire quelque chose ?

— Non, pas précisément.

Elle me considéra avec plus d'attention.

— Vous ne vous sentez pas bien ? Vous n'avez pas très bonne mine.

J'eus envie de lui répondre que le mourant sur lequel j'étais tombé était peut-être contagieux, mais je me contentai de dire que mon dernier repas remontait à peu près au temps des dinosaures.

— Mais bien sûr ! Vous avez l'air d'avoir un peu faim, c'est cela.

— Vous voulez dire que je meurs littéralement de faim ! J'ai eu une journée plus que chargée.

Elle me pilota jusqu'au buffet dressé dans une pièce attenante dont les larges baies s'ouvraient sur la mer et dont le seul éclairage était constitué par les hautes bougies disposées sur la table.

Derrière celle-ci, arborant la mine jalouse d'un propriétaire, se tenait le grand noiraud que j'avais déjà vu lors de ma première visite. Il coupa quelques tranches de jambon fumé et m'en fit un sandwich. Lorsqu'il me proposa du vin et que je lui dis que je préférais la bière, il sortit de la pièce en grommelant.

— C'est un domestique ? demandai-je à Betty Jo.

— Rico ? Plus ou moins, répondit la jeune femme, restant délibérément dans le vague.

Et elle changea de sujet :

— Et qu'est-ce que vous faites dans la vie pour avoir eu une journée tellement chargée ?

— J'ai fait mon travail. Je suis détective privé.

— Tiens ! Je m'étais justement dit que vous étiez peut-être dans la police. Vous êtes sur une enquête ?

— En quelque sorte.

— Mais c'est passionnant !

Elle m'empoigna par le bras.

— Est-ce que cela a quelque chose à voir avec le tableau qu'on a volé aux Biemeyer ?

— Vous avez l'air très bien informée.

— J'essaie de l'être, en tout cas. Je n'ai aucune envie de tenir toute ma vie la chronique mondaine. En fait, j'ai appris le vol du tableau ce matin à la conférence de rédaction. Si j'ai bien compris, il s'agit d'un portrait de femme, non ?

— Oui, c'est ce qu'il paraît. Mais je ne l'ai pas vu. Qu'est-ce qu'on en a dit d'autre à votre journal ?

— Que c'était probablement un faux. C'est vrai ?

— Ce n'est pas l'opinion des Biemeyer, mais c'est celle de Mme Chantry.

— Si Francine dit que c'est un faux, elle doit sûrement avoir raison. Elle connaît par cœur toutes les toiles de son mari. Il n'y en a d'ailleurs pas tellement — moins d'une centaine en tout. Sa période de gloire n'a duré que sept ans. Et puis, il s'est volatilisé... ou Dieu sait quoi.

— Qu'entendez-vous par « ou Dieu sait quoi » ?

— D'après certains — des vieux de la vieille —, il aurait été assassiné. Mais, pour autant que je sache, ce ne sont là rien de plus que des spéculations.

— Assassiné par qui ?

Elle me décocha un bref coup d'œil.

— Par Francine Chantry. Mais vous ne raconterez pas que c'est moi qui vous ai dit ça, hein ?

— Vous ne me l'auriez pas dit si vous pensiez que je risquerais de le crier sur les toits. Mais pourquoi elle ?

— Il a disparu si brutalement... Dans ces cas-là, c'est automatiquement l'épouse qu'on soupçonne, non ?

— Et pas toujours à tort. Mais est-ce pour des raisons d'ordre professionnel que vous vous intéressez au vol de ce tableau ?

— J'aimerais bien faire un papier là-dessus si c'est ce que vous voulez dire.

— C'est exactement ce que je veux dire. Alors, je vais vous faire une proposition.

Elle me lança un nouveau coup d'œil. Méfiant, cette fois. Est-ce que j'essayais de la draguer, par hasard ?

— Oh ?

Je souris.

— Non, n'ayez pas peur, il ne s'agit pas d'une proposition déshonnête. Voilà. Est-ce que, en échange d'un scoop sur l'affaire Chantry, vous me ferez part de ce que vous pourrez apprendre ?

— Ça dépend du scoop.

— Eh bien, ouvrez vos oreilles.

Et je la mis au courant de ce qui venait de se passer : le blessé que j'avais fait transporter à l'hôpital et qui y était mort.

Ses yeux, maintenant, brillaient d'excitation, et elle avait la mine gourmande d'une fille qui s'attend à être embrassée — mais ce n'était vraiment pas à ça qu'elle pensait.

— Oui, murmura-t-elle. Ça, c'est un scoop terrible !

Sur ces entrefaites, le dénommé Rico réapparut, un verre débordant de mousse à la main.

— Ça m'a pris du temps, maugréa-t-il. La bière était tiède. Il n'y a personne qui en boive à part vous. J'ai été forcé de la rafraîchir.

— Je vous remercie infiniment.

Je lui pris le verre des mains et l'offris à Betty Jo qui le refusa d'un sourire.

— J'ai du boulot qui m'attend. Excusez-moi, mais je vais être forcée de vous laisser tomber.

Je lui conseillai de prendre langue avec Mackendrick. Elle m'assura qu'elle n'y manquerait pas et s'esquiva par une porte donnant sur le jardin.

Elle n'eut pas plutôt disparu que je me surpris à regretter sa présence. Après avoir mangé le sandwich et fini la bière, je retournai au grand salon. Au milieu de l'indifférence générale, la pianiste s'appliquait à donner la preuve de sa virtuosité. Dès qu'elle m'aperçut, Mme Chantry, qui était en train de bavarder avec Arthur Planter, le quitta pour venir vers moi.

— Où est passée Betty Jo ? s'enquit-elle. Vous ne l'avez pas mangée, j'espère ?

Bien qu'elle eût posé la question sur un ton léger, elle ne souriait pas. Moi non plus.

— Mlle Siddon a dû partir.

Son expression se fit encore moins avenante.

— Pourquoi ne m'a-t-elle pas prévenue ? J'ose espérer qu'elle rendra compte de la soirée comme il convient. Elle a pour objet de réunir des fonds au bénéfice du musée.

— Vous ne serez pas déçue, j'en suis persuadé.

— Vous a-t-elle dit où elle allait ?

— A l'hôpital. Il y a eu un meurtre. Paul Grimes a été assassiné.

On aurait cru que je l'avais accusée de l'avoir tué de ses propres mains, mais elle recouvra instantanément la maîtrise d'elle-même et se composa un visage serein. Elle m'entraîna d'abord dans la salle faisant office de buffet, puis, se rendant compte de la présence de Rico, dans le petit salon attenant, elle en ferma soigneusement la porte et s'immobilisa devant l'âtre vide.

— Comment savez-vous que Paul Grimes a été assassiné ?

— Je l'ai trouvé en train de mourir.

— Où ça ?

— Près de l'hôpital. Il essayait peut-être de s'y rendre pour qu'on s'occupe de lui, mais il n'a pas eu le temps d'y arriver. Sa figure n'était plus qu'une plaie et il avait le crâne fracassé.

Elle prit une profonde inspiration. Elle était toujours belle, d'une beauté un peu métallique, mais toute trace de vie avait déserté son visage. Ses yeux écarquillés s'étaient assombris.

— Êtes-vous sûr qu'il ne s'agisse pas d'un accident, monsieur Archer ?

— Je ne crois pas. Et la police ne le croit pas non plus.

— Savez-vous qui dirige l'enquête ?

— Le capitaine Mackendrick.

— Parfait.

Elle eut un bref hochement du menton.

— Il connaissait mon mari.

— Que vient faire votre mari là-dedans ? Je ne comprends pas.

— Paul Grimes et lui étaient très liés à une certaine époque. Sa mort va faire revenir toutes ces vieilles histoires sur le tapis.

— Quelles vieilles histoires ?

— Le moment me paraît mal choisi pour évoquer ce sujet. Ce sera pour un autre jour, si vous y tenez.

Sa main se referma sur mon poignet comme un bracelet de glace.

— Je vais vous demander une chose, monsieur Archer. Deux choses, même. D'abord, de ne pas répéter ce que je vous ai dit aujourd'hui à propos de ce pauvre Paul au capitaine Mackendrick — ni à lui ni à personne. C'était un bon ami de Richard. Un ami qui nous était cher à tous les deux. C'est la colère qui m'a fait tenir ces propos. Je regrette infiniment d'avoir parlé comme cela. Je n'aurais pas dû.

Lâchant mon poignet, elle alla s'appuyer au dossier d'un fauteuil. Sa voix modulée passait par tous les registres, du grave à l'aigu, mais son regard intense, braqué sur moi, demeurait fixe. Je le sentais presque de façon tangible. Pourtant, je ne pouvais croire à ce soudain revirement de ses sentiments à l'égard de Paul Grimes et je me demandais ce qui avait bien pu se passer jadis entre elle et lui.

Comme si le poids accablant du passé lui était soudain tombé sur les épaules, elle se laissa choir dans le fauteuil et ce fut d'une voix éteinte qu'elle me présenta sa seconde requête :

— Auriez-vous l'amabilité de m'apporter à boire ?

— De l'eau ?

— Oui, de l'eau.

J'allai lui en chercher un verre à côté. Le serrant dans ses mains qui tremblaient, elle le vida d'un trait avant de me remercier.

— Je ne vois d'ailleurs pas pourquoi je vous remercie, ajouta-t-elle. Vous avez complètement gâché ma soirée.

— Vous m'en voyez navré, mais ce n'est pas ma faute. C'est l'assassin de Grimes qui l'a gâchée. Moi, je ne suis que le messager qu'on condamne à mort parce qu'il était porteur de mauvaises nouvelles.

Elle me dévisagea.

— Vous êtes quelqu'un de fort intelligent, monsieur Archer.

— Vous n'avez pas envie de me parler ?

— Ce n'est pas ce que je viens de faire ?

— Parler vraiment, je veux dire.

Elle secoua la tête.

— Il faut que je m'occupe de mes invités.

— Tant qu'il y aura de quoi boire, ils n'ont pas besoin qu'on s'occupe d'eux.

— Non, ce n'est vraiment pas possible.

Et elle se leva pour sortir.

— Paul Grimes ne devait-il pas assister à votre soirée ? lui demandai-je alors.

— Certainement pas.

— Il avait pourtant une invitation. Ce n'est pas vous qui la lui avez envoyée ?

Elle se tourna vers moi, le dos appuyé au montant de la porte.

— J'en ai envoyé pas mal, vous savez. Et d'autres membres du comité en ont aussi envoyé.

— Mais vous devez savoir s'il était invité ?

— Je ne pense pas.

— Mais vous n'en êtes pas sûre ?

— Effectivement.

— Lui est-il déjà arrivé de venir chez vous ?

— Pas que je sache. Mais je ne vois pas où vous voulez en venir avec toutes ces questions.

— J'essaie de me faire une idée des relations que vous entreteniez avec lui.

— Elles étaient inexistantes.

— Si vos rapports étaient bons ou mauvais, je veux dire. Cet après-midi, vous l'accusiez pratiquement d'avoir vendu aux Biemeyer un faux Chantry qu'il aurait fabriqué de ses mains. Et vous l'invitez à votre soirée !

— Les invitations ont été envoyées la semaine dernière.

— Vous admettez donc lui en avoir adressé une ?

— C'est possible. Probable, même. Mais ce que je vous ai dit cet après-midi, je ne le pensais pas sérieusement. J'étais énervée. Paul m'agace un peu, je l'avoue.

— Désormais, il ne vous agacera plus.

— Je sais. Sa mort me désole.

Elle redressa la tête.

— Et je lui ai bien envoyé cette invitation. J'espérais que nous nous réconcilierions. Nous étions en froid depuis un certain temps. Je pensais que si je faisais un geste, cela pourrait arranger les choses.

Ses yeux sous sa frange grise étaient attentifs et froids. Je ne croyais pas un mot de tout ce qu'elle me racontait, et cela devait se voir car son ton se fit plus insistant :

— Je trouve affreux de perdre des amis, particulièrement quand c'étaient des amis de mon mari. Les rangs des derniers survivants de l'époque arizonienne sont de plus en plus clairsemés, et Paul était l'un d'eux. Il a tout fait pour aider Richard à percer, vous savez. Mais lui n'est jamais parvenu à se faire un nom.

— Y avait-il des... frictions entre eux ?

— Entre mon mari et Paul ? Certainement pas ! Paul a été l'un des maîtres de Richard et il était très fier de la réussite de son élève.

— Quels étaient les sentiments de votre mari à son égard ?

— Il lui était reconnaissant. Ils ont toujours été bons amis tant que Paul était avec nous.

Elle me lança un regard incertain.

— Je ne vois pas où tout cela nous mène.
— Moi non plus, madame Chantry.
— Alors, pourquoi toutes ces questions ? Vous me faites perdre mon temps et vous perdez le vôtre.
— Ce n'est pas mon avis. Mais dites-moi une chose. Votre mari est-il toujours vivant ?
Elle secoua la tête.
— Je ne peux pas vous répondre. Je l'ignore. Sincèrement, je ne sais pas.
— Depuis quand ne l'avez-vous pas vu ?
— Il est parti durant l'été 1950. Je ne l'ai pas revu depuis.
— Et vous êtes sûre qu'il ne lui était pas arrivé quelque chose ?
— Absolument. Il m'a écrit une lettre merveilleuse où il m'explique les raisons de son départ. Si vous voulez la lire...
— Je l'ai déjà lue. Donc, pour autant que vous le sachiez, il est toujours vivant ?
— Je l'espère. De tout mon cœur. Et je crois qu'il l'est.
— Vous n'avez jamais eu de nouvelles de lui depuis sa disparition ?
— Jamais.
— Vous attendez-vous à en recevoir ?
— Je ne sais pas.
Elle détourna la tête.
— Cette conversation m'est pénible, monsieur Archer.
— Je suis désolé.
— Alors, pourquoi insistez-vous ?
— J'essaie de savoir s'il est possible que votre mari ait tué Paul Grimes.
— En voilà une idée ridicule ! Ridicule et de mauvais goût.

— Grimes ne devait pas la trouver si ridicule que ça. Il a prononcé le nom de Chantry avant de mourir.

Si elle ne se trouva pas mal, il ne s'en fallut pas de beaucoup. Elle devint livide sous son maquillage et je dus la prendre par les épaules pour l'empêcher de tomber. Sa chair était presque aussi froide que du marbre.

A ce moment, la porte s'ouvrit sur Rico qui me bouscula en entrant. C'est alors que je fus frappé par sa stature. Il était si grand qu'il semblait être à l'étroit dans cette petite pièce.

— Mais qu'est-ce qui se passe ?

— Rien, répondit Mme Chantry. Laissez-nous, s'il vous plaît, Rico.

— Il vous embête ?

— Non, ce n'est pas ça. Mais j'aimerais que vous me laissiez seule tous les deux.

— Vous avez entendu ce qu'elle a dit ? fit Rico en s'adressant à moi.

— C'est valable aussi pour vous. Mme Chantry et moi n'en avons pas encore tout à fait terminé.

Je me tournai vers elle.

— Vous ne voulez pas savoir ce qu'a dit Grimes ?

— Tôt ou tard, il faudra bien que je l'apprenne, soupira-t-elle. Vous pouvez vous retirer, Rico. Tout va bien, je vous assure.

Il ne paraissait pas convaincu. Il me lança un regard noir, mais il avait en même temps l'air ulcéré et la mine boudeuse d'un petit garçon qu'on envoie au coin. Il était bel homme si l'on aimait le genre latino-malabar. Et je ne pouvais m'empêcher de me demander si Mme Chantry faisait partie du club.

— Allez, Rico, s'il vous plaît...

Le ton sur lequel elle avait dit cela était celui qu'on

emploie pour calmer un chien-loup agressif ou un étalon rétif.

Il sortit sans nous quitter des yeux et je refermai la porte derrière lui.

— Il y a longtemps que Rico est à mon service, dit Mme Chantry. Il avait une véritable dévotion pour mon mari, et, après le départ de Richard, il a reporté tout son dévouement sur moi.

— C'est bien naturel.

Une légère rougeur lui monta aux joues et elle changea de sujet :

— Vous vous apprêtiez à me répéter ce que vous a dit Paul Grimes avant de mourir.

— En effet. Il a manifestement dû me prendre pour votre mari. Il a dit : « Chantry ? Laisse-moi. » Et, un peu plus tard : « Je te connais, salaud. » Aussi ai-je naturellement été amené à penser que c'était votre époux qui l'avait ainsi frappé à mort.

Elle laissa retomber les mains derrière lesquelles elle cachait son visage pâle et défait.

— Mais ce n'est pas possible ! Richard était doux de caractère. Et Paul et lui étaient d'excellents amis.

— Est-ce que je lui ressemble ?

— Non. Richard était beaucoup plus jeune...

Elle se reprit.

— Mais, depuis tout ce temps, il a pris de l'âge, c'est vrai.

— Nous en sommes tous là. En vingt-cinq ans, on change.

— Oui.

Elle pencha la tête comme si elle sentait soudain le poids de toutes ces années.

— Mais Richard ne vous ressemblait absolument pas. Peut-être qu'il y a une vague similitude entre votre voix et la sienne...

— Je n'avais pas encore ouvert la bouche quand Grimes m'a interpellé en m'appelant Chantry. Je ne lui ai d'ailleurs pas une seule fois adressé directement la parole.

— Qu'est-ce que cela prouve ? Maintenant, je vous prie de me laisser. Cette conversation m'a été très pénible. Et il faut que je retourne auprès de mes invités.

Sur ces mots, elle sortit du petit salon. J'attendis une ou deux minutes avant d'imiter son exemple. Elle et Rico, debout devant la table du buffet, parlaient à voix basse, têtes rapprochées. Comme des intimes.

J'avais l'impression d'être un intrus et je m'approchai de la baie. Au loin, on distinguait le port. Les mâts et les haubans étaient comme les arbres étiques et dénudés d'une blanche forêt à la parure hivernale. Les flammes des bougies qui se reflétaient sur le vitrage étaient comme des feux Saint-Elme dansant autour de ces mâts.

10

Dans le grand salon, Arthur Planter, le collectionneur, planté devant le mur, examinait un des tableaux qui y étaient accrochés, un portrait d'homme. Quand je m'adressai à lui, il ne me répondit pas, mais son corps dégingandé se raidit imperceptiblement.

— Monsieur Planter ? répétai-je.

Cette fois, il se retourna avec une mauvaise grâce évidente.

— Oui ?

— Je suis détective privé et...

— Vraiment ?

Ses petits yeux fixés sur moi ne trahissaient pas le moindre intérêt.

— Connaissiez-vous Paul Grimes ?

— Le connaître... ce serait beaucoup dire. Il m'est effectivement arrivé d'être en affaires avec lui, mais si peu !

Il pinça les lèvres comme si ce souvenir lui laissait un mauvais goût dans la bouche.

— Eh bien, cela ne se produira plus. Il vient d'être assassiné.

J'escomptais que la brutalité délibérée avec laquelle

je lui annonçais la nouvelle lui ferait baisser ses défenses. Mais cet espoir fut déçu.

— Et je fais partie des suspects ? se borna-t-il à demander d'une voix sèche et ennuyée.

— Comme vous y allez ! Il y avait quelques toiles dans sa voiture. Je vous serais reconnaissant si vous aviez l'amabilité de jeter un coup d'œil à l'une d'entre elles.

— Pour quoi faire ?

— Pour l'identifier si possible.

Il poussa un soupir.

— Je suis à votre disposition. Mais je vous avouerai que je resterais plus volontiers à regarder celle-là.

Il désigna le portrait pendu au mur.

— Qui est-ce ?

— Vous voulez dire que vous ne le savez pas ? Mais c'est Richard Chantry. Le seul autoportrait de sa grande époque.

Je regardai le tableau de plus près. Avec ses cheveux en broussaille et la barbe fauve qui cachait en partie une bouche presque féminine, et ses yeux profonds couleur émeraude, le personnage avait quelque chose de léonin. Il dégageait une impression de force.

— Vous l'avez connu ? demandai-je à Planter.

— Bien sûr. En un sens, j'ai été un de ceux qui l'ont découvert.

— Croyez-vous qu'il soit encore vivant ?

— Je n'en ai aucune idée. Bien sincèrement, je l'espère. Mais s'il l'est et s'il peint toujours, il garde son œuvre sous le boisseau.

— Pourquoi a-t-il disparu comme ça, un beau jour ?

— Je ne sais pas, répéta-t-il. C'était un homme qui vivait par phases — comme la lune. Peut-être était-il arrivé au terme d'un de ses cycles.

Il balaya d'un regard vaguement méprisant la foule des invités qui se pressaient dans la pièce.

— Cette peinture que vous voulez me faire voir, c'est un Chantry ?

— Ça, c'est vous qui me le direz. Moi, je suis un profane.

Nous sortîmes et je le précédai jusqu'à ma voiture. Là, je lui montrai à la lumière des phares le petit paysage marin que j'avais subtilisé dans le coupé de Paul Grimes. Il me le prit des mains avec une extrême délicatesse comme pour me donner une leçon sur l'art et la manière de manier une peinture.

— Si vous voulez mon avis, c'est du mauvais barbouillage, dit-il après l'avoir examiné. En tout cas, pour répondre à votre question, ce n'est certainement pas Chantry qui a commis une croûte pareille.

— Selon vous, qui a pu en être l'auteur ?

Il réfléchit un moment.

— Peut-être Jacob Whitmore. Mais, dans ce cas, c'est une œuvre de jeunesse — purement et platement représentative. La carrière de ce pauvre Jacob a constitué une sorte de résumé de l'histoire de l'art moderne — avec une génération de retard. Après avoir évolué jusqu'au surréalisme, il venait de découvrir le symbolisme quand il est mort.

— Et quand est-il mort ?

— Hier, répondit-il benoîtement, prenant apparemment plaisir à jouer de l'effet de surprise. D'après ce que je sais, il a fait une crise cardiaque alors qu'il se baignait au large de Sycamore Point.

Il regarda d'un air rêveur le tableau qu'il tenait toujours.

— Je me demande ce que Paul Grimes espérait tirer de ça. La cote des œuvres d'un bon peintre grimpe après sa mort. Mais Jacob Whitmore n'était pas un bon peintre.

— Ses toiles et celles de Chantry ont-elles des points de ressemblance ?

— Certainement pas.

Il me dévisagea.

— Pourquoi cette question ?

— Si j'en crois ce que j'ai entendu dire, Paul Grimes n'aurait peut-être pas eu de scrupules à vendre de faux Chantry.

— Je vois ce que vous voulez dire. Eh bien, croyez-moi, il aurait eu du mal à faire passer ce méchant badigeonnage pour un Chantry. Ce n'est même pas un Whitmore passable. Voyez vous-même. Ce n'est même pas du travail fini, ajouta-t-il avant de conclure cruellement : Il s'est vengé par anticipation sur la mer en la peignant aussi mal.

Je considérai les taches confuses, bleues et vertes, étalées sur la toile inachevée. Si mauvaise qu'elle fût, le fait que celui qui avait peint ces flots était mort dans cette même mer lui conférait un sens plus profond et une certaine puissance.

— Il habitait ici ?

— Oui, à Sycamore Point, précisément. Sur la plage, au nord du campus.

— Il avait de la famille ?

— Il vivait avec une fille. Elle m'a justement téléphoné aujourd'hui. Elle voulait que je passe voir les tableaux qu'il a laissés. Si j'ai bien compris, elle les brade. Mais, franchement, même à bas prix, je ne suis pas preneur.

Il me rendit la toile et m'indiqua la route de Sycamore Point. Je le remerciai et sautai dans la voiture.

L'ex-compagne de Jacob Whitmore occupait l'un des quelques cottages — il y en avait une demi-douzaine — construits sur la plage au pied du promontoire auquel l'endroit devait son nom. C'était une fille blonde à la mine funèbre qui avait un faux air d'adolescente attardée. Elle ne fit qu'entrouvrir la porte et me considéra derrière le battant entrebâillé comme si je venais lui annoncer une nouvelle catastrophe.

— Vous désirez ?

— Je suis intéressé par vos peintures.

— Il ne m'en reste plus beaucoup. Je les solde. Jake s'est noyé hier... je suppose que vous le savez. Il m'a laissée sans un sou.

Il y avait de l'amertume et de la rancœur dans sa voix morne. Son regard se perdit au loin, en direction de la mer et des vagues tout juste visibles dont le roulement régulier semblait débiter l'éternité en tranches.

— Puis-je tout de même entrer pour voir ce qu'il vous reste ?

— Oui, bien sûr.

Elle ouvrit la porte toute grande et la referma précipitamment derrière elle en luttant contre le vent. A l'intérieur, ça sentait l'iode, le vin, le hasch et le moisi. Le mobilier réduit à sa plus simple expression était en piètre état. C'était une maison où se livrait le même combat perdu d'avance contre la pauvreté et la décrépitude que dans celle des Johnson.

La jeune femme disparut dans une autre pièce d'où elle ressortit presque aussitôt les bras chargés de toiles qu'elle posa sur la table de rotin.

— Je vous les laisserai pour dix dollars la pièce, quarante-cinq les cinq. Moins cher que Jake les vendait au marché-exposition qui se tient le samedi sur la plage de Santa Teresa. Il n'y a pas très longtemps, il en a même eu une qu'il a vendue un bon prix à un marchand. Mais je ne peux pas me permettre d'attendre, j'ai besoin d'argent tout de suite.

— Ce marchand, ce n'était pas Paul Grimes, par hasard ?

— Si, en effet.

Elle me décocha un coup d'œil méfiant.

— Vous êtes aussi du métier ?

— Non.

— Pourtant, vous connaissez Paul Grimes.

— Vaguement.

— Est-ce qu'il est honnête ?

— Je ne sais pas. Pourquoi ?

— Moi, j'en doute. Il a fait tout un cinéma, soi-disant qu'il aimait follement ce que faisait Jake, qu'il allait le lancer tous azimuts, que ce serait la fortune. J'ai cru que le rêve de Jake allait enfin se réaliser. Les acheteurs se précipiteraient en foule, les prix monteraient en flèche... Mais, finalement, Grimes lui a pris deux malheureuses petites toiles de rien du tout — dont une qui n'était même pas de Jake —, point à la ligne.

— Et de qui était l'autre ?

— Je n'en sais rien. Jake ne me parlait pas de ses affaires. Ce devait être un tableau qu'un de ses amis lui avait laissé en dépôt des fois qu'il pourrait le vendre au marché du samedi.

— Pourriez-vous me le décrire ?

— C'était le portrait d'une femme. Enfin... je ne sais pas si elle était réelle ou imaginaire. Très belle, en tout cas. Elle avait les cheveux de la même couleur que les miens.

Elle porta la main à ses cheveux, visiblement décolorés, et ce geste parut susciter en elle de l'appréhension ou de la méfiance.

— Mais pourquoi tout le monde s'intéresse tant à ce tableau ? Est-ce qu'il valait très cher ?

— Je l'ignore.

— Je n'en serais pas autrement étonnée. Jake ne m'a pas dit combien il l'avait vendu, mais je sais que nous avons vécu deux mois sur la somme qu'il en avait tirée. Cet argent a duré jusqu'à hier. Comme Jake, ajouta-t-elle d'une voix sans timbre.

Elle se détourna et étala les toiles sur la table. Toutes ou presque étaient des marines de petite taille de la même facture de celle que j'avais montrée à Arthur Planter. Le peintre avait visiblement été obsédé par la mer et je me demandai jusqu'à quel point sa mort, dans les conditions où elle avait eu lieu, avait été accidentelle.

— Que voulez-vous dire ? Qu'il s'est suicidé ?

— Non, pas du tout.

Elle changea brusquement de sujet.

— Tenez, je vous laisse les cinq pour quarante dollars. C'est tout juste le prix du matériel. Si vous êtes peintre, vous devez le savoir.

— Je ne suis pas peintre.

— Je me demande parfois si Jake en était un. Il s'est escrimé pendant trente ans avec ses pinceaux et tout ce qu'il laisse se réduit à ça, dit-elle avec un geste qui englobait tout — les tableaux, la maison et la mort de son compagnon.

— Plus moi, ajouta-t-elle en esquissant un sourire qui ressemblait plus à une grimace qu'à autre chose.

Ses yeux tournés vers les brumes tumultueuses du passé étaient aussi froids que ceux d'un oiseau de mer. Elle parut embarrassée quand elle se rendit compte que je l'observais.

— Je ne suis pas aussi dégueulasse que vous avez l'air de le penser, se défendit-elle. C'est pour lui acheter un vrai cercueil que je les vends, ces barbouilles, si vous voulez savoir. Je ne veux pas qu'il soit enterré entre quatre mauvaises planches aux frais de l'administration. Et je ne veux pas non plus qu'ils le gardent à la morgue jusqu'à la saint-glinglin.

— Eh bien, c'est d'accord. Je prends les cinq.

Et je lui tendis deux billets de vingt dollars non sans me demander si Biemeyer me rembourserait.

Elle les prit du bout des doigts.

— Ce n'est pas une vente de charité, vous savez. Ce n'est pas parce que je vous ai dit que j'étais fauchée que vous devez vous croire obligé de m'acheter quoi que ce soit.

— Ne vous inquiétez pas. J'ai besoin de ces tableaux.

— Pour quoi faire ? Êtes-vous un marchand, oui ou non ?

— Pas exactement.

— Ce qui veut dire que vous en êtes un. Je savais bien que vous n'étiez pas peintre.

— Comment le savez-vous ?

— J'ai vécu dix ans avec un peintre, figurez-vous.

Changeant de position, elle posa une fesse sur le coin de la table.

— Vous n'avez pas la tête d'un peintre, vous ne parlez pas comme un peintre, vous n'avez pas les yeux d'un peintre et vous ne sentez pas comme un peintre.

— Qu'est-ce que je sens ?

— Je ne sais pas. Le flic, peut-être. Quand Grimes

a acheté ces deux toiles à Jake, j'ai pensé qu'il y avait peut-être quelque chose de pas catholique là-dessous. Je me trompais ?

— Je ne sais pas.

— Alors, pourquoi est-ce que vous achetez celles-là ?

— Parce que Paul Grimes a acheté les autres.

— Vous voulez dire que s'il a banqué pour les avoir, c'est qu'elles ont de la valeur ?

— J'aimerais surtout savoir pourquoi il les voulait.

— Moi aussi. Mais j'aimerais aussi savoir pourquoi vous les voulez, vous.

— Parce que Grimes les voulait.

— Autrement dit, vous faites tout ce qu'il fait, c'est ça ?

— Tout... j'espère que non.

Elle m'adressa un sourire entendu.

— Oui... On raconte qu'il est un peu escroc sur les bords, à l'occasion. Mais je n'irai pas aussi loin. Je n'ai rien contre lui. Et je suis un peu amie avec sa fille.

— Paola ? C'est sa fille ?

— Oui. Vous la connaissez ?

— J'ai eu l'occasion de faire sa connaissance. Mais vous, comment se fait-il que vous la connaissiez ?

— Nous nous sommes rencontrées à une soirée dans le *barrio*. Elle m'a dit que sa mère était moitié espagnole et moitié indienne. C'est une fille superbe, vous ne trouvez pas ? J'aime beaucoup le type hispanique.

Et, voûtant les épaules, elle se frotta les mains l'une contre l'autre comme pour se réchauffer à la chaleur de Paola.

De retour à Santa Teresa, je passai à la morgue de l'hôpital. Henry Purvis, un jeune coroner adjoint que je connaissais, me confirma que Jacob Whitmore s'était effectivement noyé alors qu'il se baignait. Il fit glisser le tiroir qui recelait un corps aux chairs bleuâtres, à l'épaisse toison et au sexe rabougri. Quand nous sortîmes de la chambre froide, je frissonnais.

11

Purvis, comme s'il supportait mal d'être seul, m'accompagna dans l'antichambre. Sa crinière était presque aussi abondante que celle du cadavre et il était presque assez jeune pour être son fils.

— Peut-on penser que la mort de Whitmore soit due à autre chose qu'à un accident ? lui demandai-je quand il eut rabattu la lourde porte d'acier de la chambre froide.

— Non, je ne crois pas. Il n'avait plus l'âge d'affronter les déferlantes de Sycamore Point. Pour le coroner, il ne fait pas de doute que c'est une noyade accidentelle. Il n'a même pas ordonné d'autopsie.

— A mon avis, il a eu tort, Henry.

— Qu'est-ce qui vous fait dire ça ?

— Whitmore et Grimes étaient en relation d'affaires. S'ils sont tous les deux au frigo, ce n'est probablement pas une simple coïncidence. Pour Grimes, il va y avoir une autopsie, bien sûr ?

Purvis acquiesça.

— Demain matin à la première heure. Mais j'ai effectué un examen préliminaire et je peux déjà vous dire quelles en seront probablement les conclusions. Il a été mortellement frappé par un instrument contondant, vraisemblablement un démonte-pneu.

— Qui n'a pas été retrouvé ?

— Pas à ma connaissance. Mais pour ça, vous feriez mieux de vous adresser à la police. Les armes, c'est son domaine, pas le mien.

Il me dévisagea attentivement.

— Vous connaissiez Grimes ?

— Pas vraiment. Je savais qu'il était marchand de tableaux à Santa Teresa, c'est tout.

— Savez-vous s'il se droguait ?

— Là, vous m'en demandez trop. A quel genre de drogue pensez-vous ?

— A l'héroïne ou quelque chose comme ça. Il a d'anciennes traces de piqûres aux bras et aux cuisses. J'ai posé la question à la femme, mais elle n'a pas répondu. A la façon dont elle a piqué sa crise, je ne serais pas étonné si elle se droguait, elle aussi. Ce ne sont pas les toxicos qui manquent dans le coin. Il y en a même à l'hôpital.

— De quelle femme parlez-vous ?

— Une fille brune — de type espagnol. Quand je lui ai montré le corps, j'ai cru qu'elle allait devenir folle. Je l'ai conduite à la chapelle et j'ai essayé de dénicher un prêtre, mais c'était au milieu de la nuit : pas moyen d'en trouver un à une heure pareille. J'ai prévenu la police. Ils veulent lui parler.

Je lui demandai où était la chapelle. C'était une petite pièce minuscule au premier étage dont l'unique vitrail indiquait la fonction. Il y avait un lutrin et une dizaine de chaises rembourrées. Paola était accroupie à même le sol, les mains nouées autour des genoux. Elle avait la tête baissée et ses cheveux cachaient presque entièrement son visage. Elle était secouée de hoquets. Lorsque je m'approchai d'elle, elle se protégea la tête de son bras comme si j'avais l'intention de l'assassiner.

— Allez-vous-en, fit-elle.

— Je ne veux pas vous faire de mal, Paola.

Elle rejeta ses cheveux en arrière et me regarda en plissant les yeux comme si elle ne me reconnaissait pas. Il émanait d'elle une sorte de sensualité sauvage.

— Vous n'êtes pas le prêtre.

— Non.

Je m'assis à côté d'elle sur la moquette qui reprenait à l'infini le motif du vitrail. Il y avait eu une époque où j'avais presque été tenté d'entrer dans les ordres. Je commençais à ne plus pouvoir supporter les souffrances de mes contemporains et je me demandais si un costume noir et un col romain pourraient me servir d'armure. Ça, je ne le saurai jamais. Ma grand-mère m'avait destiné à être un homme d'Église, mais, en définitive, la prêtrise avait dû se passer de moi. En regardant les yeux noirs et opaques de Paola, je songeai que la douleur qu'on partage avec les femmes ne va presque jamais sans désir. On peut parfois, au moins, coucher avec elles et connaître un moment de tendresse partagée, ce qui est interdit aux prêtres. Mais il n'était pas question de cela avec Paola. Elle et la fille de Sycamore Point appartenaient aujourd'hui l'une et l'autre à un homme mort. Il vous vient vraiment de drôles d'idées quand on met les pieds dans une chapelle !

— Qu'est-il arrivé à Paul ? demandai-je à Paola.

Elle tourna la tête vers moi, le menton enfoncé dans le creux de son épaule, la lippe boudeuse.

— Vous ne m'avez pas dit qui vous êtes, dit-elle sur la défensive. Vous êtes de la police ?

— Non, je suis à la tête d'une petite affaire.

Un demi-mensonge qui m'arracha une demi-grimace. Décidément, les chapelles ne me valaient rien.

— J'ai entendu dire qu'il vend des tableaux.

— Plus maintenant. Il est mort.

— Comptez-vous reprendre la galerie ?

Elle haussa les épaules et secoua farouchement la tête, à croire que j'avais proféré la pire des menaces.

— Fichtre pas ! Vous ne croyez quand même pas que j'ai envie de me faire trucider comme mon père !

— Paul était vraiment votre père ?

— Oui.

— Qui l'a tué ?

— Pourquoi voulez-vous que je réponde à vos questions ? Vous ne répondez pas aux miennes.

Elle se pencha vers moi.

— Vous n'êtes pas passé à la galerie cet après-midi ?

— Si.

— C'était à propos du tableau des Biemeyer que vous étiez venu, hein ? De quel genre d'affaires vous occupez-vous ? Vous êtes marchand ?

— Disons que je m'intéresse à la peinture.

— Ça, j'avais compris. Mais de quel côté êtes-vous ?

— Du côté des braves gens.

— Les braves gens, ça n'existe pas. Si vous ne l'avez pas encore compris, vous pouvez aller vous faire pendre ailleurs.

Elle se dressa sur les genoux et d'un geste irrité m'invita à dégager.

— Qu'est-ce que vous attendez pour décamper ?

— J'aimerais vous aider, répondis-je.

Ce qui n'était pas tout à fait un mensonge.

— Je connais la chanson. Vous voulez m'aider, d'accord. Mais, en échange, il faudra que je vous aide à mon tour. Et quand vous aurez obtenu ce que vous voulez, vous vous déguiserez en courant d'air et adieu. C'est bien ça, hein ?

— Je crois que, pour l'instant, vous avez beaucoup plus besoin que moi d'être aidée...

Elle resta un moment silencieuse à me regarder fixement. Je pouvais suivre le fil de sa pensée de façon presque aussi palpable que si elle déplaçait les pions sur un échiquier et se demandait s'il serait avantageux de sacrifier telle pièce plutôt que telle autre.

— J'ai des ennuis, c'est vrai, finit-elle par admettre en mettant les mains paumes en l'air sur ses genoux comme pour m'inviter à partager sa peine. Mais comment savoir si vous n'en êtes pas un de plus ? Et puis d'abord, qui êtes-vous ?

Je lui dis mon nom et quand je précisai quel était mon métier, ses paupières battirent, mais elle ne fit pas de commentaires. Pour conclure, j'ajoutai que les Biemeyer m'avaient engagé pour retrouver le tableau qui leur avait été volé.

— J'ignore tout de ce tableau. Je vous l'ai déjà dit cet après-midi à la galerie.

— Je ne mets pas votre parole en doute, m'empressai-je de rétorquer non sans faire, il faut bien le dire, quelque réserve mentale. Le problème, c'est qu'il n'est pas impossible qu'il y ait un lien entre le vol du tableau et l'assassinat de votre père.

— Qu'est-ce que vous en savez ?

— Je ne peux rien affirmer, mais c'est une probabilité. D'où venait-il, ce tableau, mademoiselle Grimes ?

Sa bouche se crispa.

— Continuez de dire Paola. Je ne me suis jamais fait appeler par le nom de mon père. De toute façon, je serais bien incapable de vous dire comment cette toile est arrivée dans ses mains. Il se servait de moi simplement comme couverture et ne me parlait jamais de ses affaires.

— Vous ne pouvez pas me le dire ou vous ne le voulez pas ?

— Les deux.

— Ce tableau était-il authentique ?

— Je l'ignore.

Il y eut un nouveau silence. Elle paraissait presque s'être arrêtée de respirer.

— Vous dites que vous voulez m'aider, finit-elle par poursuivre, mais tout ce que vous savez faire, c'est de me bombarder de questions. Si j'y réponds et que ça me vaille d'aller en prison, vous parlez d'une façon de m'aider !

— Il aurait mieux valu pour lui que votre père y soit, en prison.

— Peut-être, mais je ne tiens quand même pas à ce qu'on me flanque en cabane. Et pas davantage à me retrouver six pieds sous terre.

Son regard anxieux trahissait la tempête qui se déroulait sous son crâne.

— Vous croyez que celui qui a peint ce tableau est aussi l'assassin de mon père ?

— Quelque chose me dit que ça se pourrait bien, en effet.

— Est-ce que... Richard Chantry est toujours vivant ? fit-elle d'une voix mal assurée.

— C'est une éventualité qu'on ne peut pas exclure. Pourquoi me demandez-vous ça ?

— Ce tableau... je ne suis pas un expert comme l'était mon père, mais j'ai vraiment trouvé qu'il ressemblait à un Chantry.

— Et votre père, qu'est-ce qu'il en pensait ?

— Ça, ne comptez pas sur moi pour vous le dire. Et puis, je ne veux plus parler de ça. C'est vous qui faites toutes les demandes et moi je suis seulement bonne pour faire les réponses. Je suis fatiguée. Je veux rentrer chez moi.

— Je vais vous reconduire.

— Je vous remercie, mais c'est non. Je dois attendre la police. Je n'ai sûrement pas besoin de m'encombrer en plus l'existence avec un privé.

— Ce ne serait peut-être pas un si mauvais choix, Paola. N'oubliez pas qu'il n'est pas impossible que l'assassin de votre père et l'auteur de ce tableau ne fassent qu'un.

Elle m'empoigna par le coude.

— C'est ce que vous n'arrêtez pas de répéter. Mais vous n'en savez rien.

— Non, je n'en sais rien.

— Alors, arrêtez de me faire peur. J'ai déjà assez la trouille comme ça.

— Et vous n'avez pas tort. Le hasard a voulu que je sois tombé sur votre père juste avant qu'il meure. A deux pas d'ici. Il faisait sombre. Il était déjà à moitié inconscient et il m'a pris pour Chantry. Il m'a appelé par son nom. Et ce qu'il a dit laissait entendre que son agresseur n'était autre que Chantry.

Elle écarquilla des yeux effarés.

— Mais pourquoi Chantry l'aurait-il tué ? Ils étaient très amis en Arizona. Mon père parlait souvent de lui. Il a été son premier maître.

— Cela doit remonter à loin.

— Oui. Plus de trente ans.

— Les gens peuvent changer en trente ans.

Elle acquiesça d'un coup de menton et ses cheveux lui retombèrent sur la figure comme une vague d'eau noire.

— Et qu'a fait votre père pendant toutes ces années ?

— Je n'en sais trop rien. Je le voyais assez rarement jusqu'à ces derniers temps. Jusqu'à ce qu'il ait besoin de moi, quoi.

— Est-ce qu'il se droguait ?

Elle ne répondit pas tout de suite. Elle gardait la tête baissée et comme elle n'avait pas relevé ses cheveux, on aurait dit une femme sans visage.

Enfin, elle reprit la parole :

— Si vous me le demandez, c'est que vous connaissez déjà la réponse. Sinon, vous n'auriez pas posé la question. Oui, il se droguait. Ça lui a valu un séjour en prison et il en est sorti désintoxiqué.

Elle écarta le rideau de sa chevelure et me regarda, sans doute pour voir si je la croyais.

— Je ne serais jamais venue l'aider pour la galerie s'il n'avait pas arrêté. Je me souvenais trop bien de l'effet que ça lui faisait quand j'étais encore gamine et qu'on habitait Tucson et Copper City.

— Quel effet ?

— C'était un type bien, un homme qui comptait. Même qu'il a enseigné à l'université, un moment. Et puis, il a changé.

— Comment cela ?

— Il s'est... il s'est mis à courir après les garçons, quoi. Enfin, peut-être qu'il le faisait déjà avant. Je ne sais pas.

— Et ça aussi, ça lui avait passé ?

— Je crois, oui.

Mais sa voix déchirée était mal assurée et dubitative. Je n'insistai pas.

— Revenons-en au tableau des Biemeyer. C'était un faux, oui ou non ?

— Je n'en sais rien. Tout ce que je peux vous dire, c'est que mon père, qui était un expert, lui, était sûr de son authenticité.

— Comment le savez-vous ?

— Il me l'a affirmé le jour où il l'a acheté au marché d'art de la plage. Il m'a dit que ce ne pouvait pas ne pas être un Chantry, que personne d'autre n'aurait été capable de peindre cette toile. Et que c'était la plus belle trouvaille de son existence.

— Il vous a vraiment dit cela ?

— Oui. Et je ne vois pas pourquoi il m'aurait menti. Il n'y avait pas de raison.

Mais elle me scrutait comme si ma réaction devait répondre aux questions qu'elle se posait sur la sincérité de son père.

Elle avait peur. Et moi, j'étais fatigué. Je m'assis une minute ou deux sur une chaise pour souffler un peu et détendre mon esprit. Paola se leva et s'avança jusqu'à la porte, mais elle ne la franchit pas. S'adossant au chambranle, elle me considéra d'un air accusateur comme si j'allais lui voler son sac — ou le lui avais déjà volé.

— Je ne suis pas votre ennemi, Paola, lui dis-je.

— Alors, arrêtez de me persécuter. Je n'en peux plus. Ça a été dur, vous savez.

Elle détourna le regard comme si elle avait honte de ce qu'elle s'apprêtait à dire.

— Je l'aimais, mon père. Alors, de le voir mort...

— Je suis désolé, Paola. Ça ira mieux demain, vous verrez.

— J'espère.
— Il paraît que votre père avait une photo de cette peinture ?
— Oui. Mais, maintenant, elle est entre les mains du coroner.
— Henry Purvis ?
— Je ne sais pas comment il s'appelle. En tout cas, c'est lui qui l'a.
— Comment le savez-vous ?
— Il me l'a montrée. Il m'a dit qu'il l'avait trouvée sur mon père et il voulait savoir si je reconnaissais la femme qui avait servi de modèle. Je lui ai répondu que non.
— Mais vous avez reconnu le tableau ?
— Oui.
— C'était bien celui que votre père avait vendu aux Biemeyer ?
— Oui.
— Savez-vous combien il leur a coûté ?
— Non. Mon père ne me l'a jamais dit. Je crois qu'il avait besoin d'argent pour payer une dette et il ne voulait pas que je le sache. Toutefois, il m'a dit quelque chose d'autre. Qu'il connaissait la femme qui a posé, si vous voulez savoir. C'est comme ça qu'il a pu certifier que c'était bien un Chantry.
— Il vous a dit comment elle s'appelait ?
— Oui. Mildred. Il l'avait connue autrefois à Tucson où elle était modèle. Elle était belle. Mais, toujours d'après mon père, c'était une peinture exécutée de mémoire parce qu'aujourd'hui Mildred est une vieille femme — si elle est encore de ce monde.
— Vous ne vous souvenez pas de son nom de famille ?
— Non, juste de son prénom. Je crois qu'elle prenait le nom des types avec qui elle vivait.

Je sortis de la chapelle où je la laissai et retournai à la morgue retrouver Purvis. Il était toujours dans l'antichambre. Mais il n'avait plus la photo du tableau, me dit-il. Il l'avait confiée à Betty Jo Siddon.

Je m'étonnai :

— Pour quoi faire ?

— Elle voulait l'emmener à son journal pour qu'on en fasse une repro.

— Vous croyez que Mackendrick vous votera une motion de félicitation, Henry ?

— C'est lui-même qui m'a dit qu'elle pouvait la prendre. Le chef de la police part à la retraite cette année, bon Dieu ! Aussi, le capitaine Mackendrick n'a rien contre un peu de battage publicitaire autour de son nom.

Je m'apprêtai à quitter l'hôpital, mais le sentiment d'avoir oublié quelque chose me fit brusquement m'immobiliser. Mais oui, bien sûr ! Ça m'était complètement sorti de la tête : si j'avais découvert Paul Grimes gisant sur le trottoir, c'était parce que je me rendais justement à l'hôpital dans l'intention d'interviewer Mme Johnson, la mère de Fred !

12

Je demandai à l'accueil où je pouvais trouver Mme Johnson.

— Il y a plusieurs Mme Johnson qui travaillent ici, me répondit l'infirmière faisant office d'hôtesse, une femme d'un certain âge au long visage osseux dont l'affabilité ne semblait pas être la vertu première. Comment c'est, son petit nom ? Sarah ?

— Oui. Son mari s'appelle Jerry ou Gerard.

— Il fallait le dire tout de suite.

Changeant brusquement de registre, elle enchaîna sur le ton emphatique d'un juge qui prononce son verdict :

— Mme Gerard Johnson ne fait plus partie du personnel de l'hôpital.

— Elle m'a pourtant dit qu'elle y travaillait.

— Eh bien, elle vous a menti.

Se rendant compte de la brutalité de sa formulation, ce fut d'une voix plus amène qu'elle ajouta :

— Ou alors, c'est que vous l'avez mal comprise. Toujours est-il qu'elle travaille maintenant dans une maison de repos qui se trouve un peu plus bas au bord de la route.

— Connaîtriez-vous par hasard le nom de cet établissement ?

— La Paloma, répondit-elle avec un souverain mépris.

— Merci. Pourquoi l'a-t-on mise à la porte ?

— Je n'ai pas dit qu'on l'avait mise à la porte. Elle a été autorisée à présenter sa démission. Mais il s'agit là d'une question dont je ne suis pas habilitée à parler.

Ce qui n'empêchait pas qu'elle ne semblait nullement pressée de me voir partir.

— Vous êtes de la police ?

— Je suis détective privé, mais je collabore avec la police.

Ouvrant mon porte-cartes, je lui mis la photocopie de ma licence sous les yeux. Elle sourit aussitôt comme si elle se voyait dans un miroir.

— Comme ça, elle a encore des ennuis ?

— J'espère que non.

Elle ne se laissa pas démonter.

— Elle a recommencé à voler de la drogue ? insista-t-elle.

— Disons qu'elle fait l'objet d'une enquête. Quand a-t-elle quitté son emploi ici ?

— La semaine dernière. La direction a accepté de ne pas mentionner l'incident dans son dossier, mais à la condition expresse qu'elle démissionne sur-le-champ. On a trouvé des pilules dans sa poche — j'étais là quand on l'a fouillée. Si vous aviez entendu en quels termes elle a injurié le directeur !

— Lesquels ?

— Oh ! Je m'en voudrais de les répéter !

Son visage jusque-là blafard était maintenant aussi écarlate que si je lui avais fait des propositions malhonnêtes. Elle me décocha un regard venimeux —

peut-être tout simplement parce qu'elle se sentait gênée de s'être ainsi mise dans tous ses états —, puis elle tourna les talons et s'éclipsa.

Il était maintenant plus de minuit. J'étais resté si longtemps entre les murs de cet hôpital que je commençais presque à me sentir dans la peau d'un malade. Je passai par un autre chemin que celui que j'avais pris pour me rendre à l'accueil : je n'avais, en effet, aucune envie de revoir Mackendrick, Purvis ou Paola. Et pas davantage les cadavres de Grimes et de Whitmore.

Je savais à peu près où devait se trouver la maison de repos car je me rappelais avoir vu depuis l'autoroute un panonceau à l'enseigne de La Paloma. Je grimpai dans la voiture et démarrai. Je passai devant le bâtiment abritant les cabinets des médecins attachés à l'hôpital — tous éteints —, celui des infirmières résidentes, puis longeai plusieurs rangées de modestes pavillons de plain-pied datant tous d'avant la guerre. Entre ceux-ci et l'autoroute était coincé un espace vert tout en longueur planté de chênes sous lesquels, leurs pare-brise aveuglés par les gouttelettes déposées par le brouillard, étaient garées les autos de quelques amoureux vraisemblablement nyctalopes.

Le cube de stuc d'un étage qu'était La Paloma n'était guère plus distant de l'autoroute qu'une station-service. Une fois que je fus entré et que j'eus refermé le lourd portail, le grondement de la circulation ne fut plus qu'une rumeur sporadique si assourdie que les bruits propres à l'établissement — ronflements, soupirs et plaintes aussi vagues que mystérieuses des patients — me parvenaient de façon perceptible. J'entendis derrière moi s'approcher des pas feutrés. C'était une infirmière. Une jeune et jolie Noire.

— Il est trop tard pour les visites, me dit-elle. Il faudra revenir demain.

— Je voudrais seulement parler à un membre du personnel... Mme Johnson.

— Ah ? Je vais tâcher de la trouver. Elle est très demandée, ce soir. Vous êtes la seconde personne qui veut la voir.

— Ah bon ? Et qui était la première ?

Elle marqua une hésitation.

— Vous êtes peut-être M. Johnson ?

— Non, je suis juste un ami.

— Eh bien, le précédent visiteur était son fils — une espèce de moustachu. Le cirque qu'il a fait, cet énergumène, avant que je réussisse à le mettre dehors !

J'eus droit à un regard sévère, mais néanmoins dépourvu d'hostilité.

— J'espère que vous n'allez pas faire comme lui ?

— Je n'en ai nullement l'intention, rassurez-vous.

— Parfait. Je vais chercher Mme Johnson. Mais, surtout, ne faites pas de bruit. Les malades dorment.

— Vous pouvez compter sur moi. Mais pourquoi le fils de Mme Johnson a-t-il fait des histoires ?

— A propos d'argent, bien sûr. Vous avez déjà vu qu'on fasse des histoires pour autre chose ?

— Il peut aussi parfois s'agir d'affaires de cœur.

— Eh bien, justement, le cœur était aussi de la partie. Il y avait une blonde qui l'attendait dans sa voiture.

— Tout le monde n'a pas toujours autant de chance.

Elle prit une expression sévère, manifestement destinée à me dissuader d'avoir la témérité de lui faire du rentre-dedans si c'était ce que j'avais en tête.

— Je vais vous chercher Sarah.

Laquelle arriva en traînant les pieds. Elle n'avait

pas l'air particulièrement enchantée de ma visite. Ses yeux étaient gonflés : elle avait visiblement pleuré.

— Qu'est-ce que vous voulez ? me demanda-t-elle sur un ton qui laissait clairement entendre qu'elle ne voulait pas me parler.

— Juste vous dire deux mots, c'est tout.

— Je suis déjà en retard dans mon travail. Qu'est-ce que vous cherchez ? A me faire renvoyer ?

— Certainement pas. Je dois quand même vous dire que je suis détective privé.

Elle jeta un regard circulaire autour d'elle et ses yeux se fixèrent sur la porte. Tout son corps se raidit comme si elle s'apprêtait à prendre la fuite. Je m'avançai de façon à lui barrer le chemin.

— Il n'y aurait pas un endroit où l'on pourrait bavarder tranquillement quelques instants ?

— Ça doit pouvoir se trouver. Mais si on me flanque dehors, ce sera votre faute.

Elle me conduisit dans une petite salle d'attente aux meubles dépareillés. Nous nous assîmes l'un en face de l'autre sous le lampadaire à la lumière chétive qu'elle avait commencé par allumer. Nos genoux se touchaient presque et elle tira sur sa jupe de nylon blanc comme pour se protéger d'un éventuel risque de contamination.

— Alors, qu'est-ce que vous me voulez ? Parce que je n'ai pas cru un seul instant à ces balivernes que vous m'avez sorties comme quoi vous étiez journaliste. J'ai tout de suite compris que vous étiez de la police.

— J'aimerais voir votre fils.

— Pour ça, moi aussi.

Elle haussa ses lourdes épaules et les laissa retomber avec un soupir.

— Je ne l'ai pas vu de la journée et je commence à m'inquiéter.

— Tiens donc ! Il était ici tout à l'heure. Qu'est-ce qu'il voulait ?

Elle ne répondit pas tout de suite. Elle déglutit comme si elle ravalait son mensonge et essayait d'en inventer un autre.

— De l'argent. Et alors ? Ce n'est pas un crime de demander de l'argent à sa mère lorsqu'on en a besoin, quand même ! Ce n'est pas la première fois que je le dépanne. Il me rembourse toujours dès qu'il le peut.

Je n'avais pas fait le voyage pour entendre ce genre de boniments.

— Je vous en prie, madame Johnson, l'interrompis-je. Fred a de sérieux problèmes. Il s'est déjà mis dans de sales draps en volant un tableau. Si, en plus, il enlève une fille, cela ne va pas arranger les choses.

— Qu'est-ce que c'est que cette histoire à dormir debout ? Il ne l'a pas enlevée ! Si elle est venue avec lui, c'est qu'elle le voulait bien. Ça fait déjà un bout de temps qu'elle lui court après. Et si l'autre moricaude vous a raconté autre chose, c'est rien que des inventions.

Elle brandit le poing en direction de la porte par où la petite infirmière avait disparu.

— Et le tableau, madame Johnson ?

— Le tableau ? Quel tableau ?

— Celui que Fred a volé aux Biemeyer.

— Il ne l'a pas volé. Il l'avait seulement emprunté pour l'examiner. Il l'avait apporté au musée et c'est là qu'on l'a volé.

— Fred m'a dit que c'était chez vous que le vol avait eu lieu.

Elle secoua la tête.

— Vous devez avoir mal compris. Il l'a laissé dans la cave du musée et c'est là qu'il a disparu, votre tableau. Fred n'y est pour rien. C'est le musée qui est responsable.

— Est-ce là la version que vous avez mise au point tous les deux ?

— C'est la pure vérité. Pour trouver plus honnête que Fred, il faut se lever de bonne heure. Si vous ne vous en êtes pas rendu compte, c'est que vous avez l'esprit mal tourné à force d'avoir affaire à des gens malhonnêtes.

— Je n'en doute pas. Et c'est dans cette catégorie de gens que vous vous rangez.

— Si vous croyez que je vais me laisser insulter comme ça...

Elle essayait de me faire le coup de la grosse colère, mais sans pouvoir y arriver. La journée avait été trop dure pour elle, et elle avait encore une interminable nuit de travail en perspective. Elle se prit la tête entre les mains et resta ainsi sans une larme, sans une plainte, sans un mot, dans un silence qui représentait toute la désolation du monde.

Elle se reprit enfin et me regarda avec le plus grand calme.

— Il faut que je retourne à mon travail.

— Personne ne vous surveille.

— Peut-être, mais on me tombera dessus si tout n'est pas en ordre demain matin. Nous ne sommes que deux à assurer la garde dans cette boîte minable.

— Je croyais que vous travailliez à l'hôpital.

— Oui, j'y travaillais avant. Mais je me suis disputée avec un des gros pontes.

— A quel propos ?

— C'était une histoire sans importance.

— Dans ce cas, vous pouvez me dire de quoi il s'agissait, madame Johnson.

— Je n'ai aucune raison de vous raconter ma vie. J'ai bien autre chose en tête.

— Et peut-être aussi un poids sur la conscience ?

— Ce que j'ai sur la conscience ne regarde que moi.

Elle était aussi rigide qu'une statue en pierre et je ne pouvais m'empêcher de ressentir une certaine admiration pour son caractère. Mais il n'était pas question de la laisser s'enfermer dans son silence. Si cette affaire avait commencé par ce qui n'était, somme toute, qu'un larcin de peu d'importance, elle était désormais devenue beaucoup trop grave. Deux hommes étaient morts et la petite Biemeyer s'était volatilisée dans la nuit.

— Où est-ce que votre fils est allé avec Mlle Biemeyer ?

— Je n'en sais rien.

— Vous ne le lui avez pas demandé ? Ça m'étonnerait que vous lui ayez donné de l'argent sans chercher à savoir ce qu'il comptait en faire.

— C'est pourtant comme ça.

— Je pense que vous mentez, madame Johnson.

— Pensez ce que vous voulez.

Il y avait un soupçon d'amusement dans sa voix.

— Et ce n'est pas la première fois. En fait, vous n'avez pas cessé de me mentir.

Une lueur d'intérêt s'alluma dans ses yeux qu'animait l'expression de supériorité qu'ont les menteurs à l'égard de ceux qu'ils cherchent à mener en bateau.

— Tenez, par exemple, poursuivis-je, je sais que vous avez dû quitter l'hôpital parce que vous avez été surprise à voler des médicaments. Or, vous m'avez dit que c'était parce que vous vous étiez disputée avec un de vos supérieurs.

— Pour l'histoire des médicaments, c'est vrai, contre-attaqua-t-elle. Il y avait des produits qui manquaient dans les réserves et c'est moi qu'on a accusée de les avoir volés.

— Et c'est à tort qu'on vous a accusée, bien entendu ?

— Évidemment. Pour qui me prenez-vous ?

— Pour une menteuse.

Elle fit à nouveau mine de se lever, mais elle n'alla pas jusqu'au bout de son geste.

— Allez-y. Continuez de me traiter de tous les noms. J'ai l'habitude. De toute façon, vous ne pouvez rien prouver.

— Est-ce que vous prenez de la drogue ?

— Est-ce que j'ai la tête à ça ?

— Alors, pour qui en voliez-vous ? Pour Fred ?

Elle fit mine de s'esclaffer, mais réussit tout juste à émettre une sorte de gloussement haut perché.

— Pourquoi a-t-il subtilisé le tableau, madame Johnson ? Pour le vendre afin de pouvoir s'en acheter ?

— Mon fils n'est pas un drogué.

— Pour en fournir à Mlle Biemeyer, alors ?

— En voilà une idée ! Elle est pleine aux as.

— Est-ce à cause de son argent que Fred s'intéresse à elle ?

Elle se pencha en avant, les mains sur les genoux, la mine grave. Où était passée la femme qui gloussait de rire un instant plus tôt ?

— Vous ne le connaissez pas. Et vous ne le connaîtrez jamais — parce que vous manquez totalement de compréhension. Fred est un garçon bien. Ses sentiments pour la petite Biemeyer sont ceux d'un grand frère, c'est tout.

— Et où le grand frère emmène-t-il sa petite sœur ?

— Ce n'est pas le moment de faire de l'ironie.

— Je veux savoir où ils sont — ou où ils vont — tous les deux. Le savez-vous, madame Johnson ?

— Non.

— Vous ne leur auriez pas donné d'argent pour le voyage si vous n'en connaissiez pas la destination.

— Qui prétend que je leur en ai donné ?

— Je le sais, c'est tout.

Elle se frappa les genoux de ses poings à plusieurs reprises.

— Saleté de moricaude ! Je la tuerai !

— Je ne vous le conseille pas, madame Johnson. A moins que vous n'ayez envie de vous retrouver en prison.

— Je plaisantais, dit-elle avec un sourire grimaçant.

— Vous avez mal choisi votre moment pour faire ce genre de plaisanterie. Il se trouve qu'un homme a été assassiné ce soir — un certain Paul Grimes.

— Assassiné ?

— Assommé à mort.

Elle bascula de son siège et s'effondra sur le sol où elle resta sans bouger jusqu'à ce que la jeune Noire que j'avais appelée à la rescousse lui vidât une carafe d'eau sur la tête. Du coup, elle se releva en hoquetant et porta la main à ses cheveux.

— Mais qu'est-ce qui lui a pris à celle-là ? s'exclama-t-elle. Ma mise en plis est fichue, maintenant !

— Vous vous êtes évanouie, lui expliquai-je.

Vacillant sur ses jambes, elle secoua la tête de gauche à droite.

— Vous feriez mieux de vous asseoir, dit la petite

infirmière en lui passant un bras derrière les épaules pour la soutenir. Vous êtes vraiment tombée dans les pommes.

Mais Mme Johnson s'obstina à rester debout.

— Qu'est-ce qui s'est passé ? On m'a frappée ?

— C'est ce que je vous ai appris — l'assassinat de Paul Grimes — qui vous a porté un coup, répondis-je. Je l'ai trouvé gisant sur le trottoir à deux pas de l'hôpital.

Son visage demeura quelques instants vide de toute expression, puis elle me regarda avec ahurissement.

— Qui est-ce ?

— Un marchand de tableaux venu de l'Arizona. C'est lui qui avait vendu cette toile aux Biemeyer. Vous ne le connaissez pas ?

— Comment avez-vous dit qu'il s'appelait ?

— Paul Grimes.

— Je n'ai jamais entendu prononcer ce nom.

— Alors, pourquoi vous êtes-vous évanouie quand je vous ai dit qu'on l'avait tué ?

— Je ne me suis pas vraiment évanouie. Simplement, il m'arrive parfois d'avoir des étourdissements. Ce n'est rien.

— Dans ce cas, je crois qu'il serait préférable que je vous reconduise chez vous.

— Non ! Je perdrais mon emploi. Et je ne peux pas me permettre d'être licenciée — c'est mon travail qui nous fait vivre.

Tête basse et toujours un peu chancelante, elle pivota sur elle-même et se dirigea vers la porte.

Je lui emboîtai le pas.

— Où Fred a-t-il emmené la petite Biemeyer ?

Mais elle continua d'avancer comme si elle n'avait pas entendu ma question.

13

Je regagnai Santa Teresa. Le centre était quasiment désert. Une voiture de patrouille me dépassa. Le conducteur me jeta un bref coup d'œil au passage et poursuivit son chemin.

Des fenêtres étaient allumées au premier étage du siège du journal. L'édifice faisait face à un jardin public bordé de palmiers, sentinelles immobiles dans le silence de la nuit, que pas un souffle d'air ne faisait frémir.

Je me garai, mis pied à terre et entrai. Je montai au premier. Guidé par le cliquetis d'une machine à écrire, je traversai une immense salle vide pour parvenir à l'espèce de placard servant de bureau à Betty Jo Siddon. Elle sursauta et leva la tête quand elle m'entendit prononcer son nom.

— Oh ! Vous m'avez fait peur ! s'exclama-t-elle.

— Vous m'en voyez désolé.

— Bah ! Ce n'est pas grave. D'ailleurs, je suis contente de votre visite. J'essaie de mettre un peu d'ordre dans cette histoire de meurtre.

— Je peux lire ?

— Vous lirez ça comme tout le monde dans le

journal de demain. Du moins, si mon article paraît, ce qui n'est pas toujours évident. Le rédacteur en chef est du genre chauviniste mâle : il fait tout son possible pour me cantonner exclusivement aux pages féminines.

Elle souriait, mais une lueur de révolte brillait au fond de ses yeux.

— Vous pouvez quand même me faire part de votre théorie.

— L'ennui, c'est que je n'ai pas de théorie, justement. J'essaie de construire mon papier autour de trois points d'interrogation : Qui est la femme du portrait ? Qui l'a peint ? Et, bien sûr, qui a volé le tableau ? Bref, c'est un triple mystère. Savez-vous qui est le voleur ?

— Je crois, oui. Mais je ne voudrais pas que vous me citiez.

— Promis. Alors ?

— Eh bien, d'après les déclarations des témoins que j'ai interrogés — et qui, pour être franc, sont quelque peu sujets à caution —, le tableau en question aurait été volé deux fois. Un étudiant en beaux-arts du nom de Fred Johnson l'a subtilisé chez les Biemeyer...

— Fred Johnson ? Le type qui travaille au musée ? Je l'imagine mal voler quoi que ce soit.

— Selon lui, il ne l'a pas volé. Il prétend l'avoir seulement emprunté dans l'intention de l'expertiser pour savoir s'il s'agit vraiment d'un Chantry. Mais quelqu'un d'autre l'aurait volé, soit chez lui, soit au musée — il m'a sorti les deux versions.

Betty Jo, s'armant d'un crayon, griffonna quelques notes.

— Savez-vous où il est ? J'aimerais bien lui parler.

— Pour ça, il faudrait pouvoir mettre la main sur

lui. Tout ce que je sais, c'est qu'il a filé pour une destination inconnue avec la petite Biemeyer. Pour ce qui est de votre autre question, la réponse est non : je ne sais pas qui est l'auteur du tableau. Il est possible que ce soit un Chantry, mais ce n'est pas certain. Peut-être que Fred Johnson le sait, lui. Quant à la femme du portrait, je ne connais que son prénom : il s'agit d'une certaine Mildred.

— Elle habite Santa Teresa ?

— Cela m'étonnerait. Elle était modèle à Tucson il y a vingt-cinq ou trente ans de ça. Paul Grimes, le type qui s'est fait tuer, la connaissait. D'après lui, le portrait a été peint de mémoire. C'est celui d'une jeune femme ; or, aujourd'hui, cette Mildred est forcément une vieille dame.

— Ce qui signifierait que c'est une œuvre récente ?

— C'est apparemment ce que Fred cherchait à établir. Il voulait essayer de la dater pour déterminer si elle pouvait être vraiment de la main de Chantry.

Betty Jo, qui s'activait toujours à prendre des notes, leva vivement la tête.

— Qu'est-ce que vous en pensez, vous ?

— Moi ? Que voulez-vous que j'en pense ? Je n'ai pas vu le tableau. Je n'en ai même pas vu la photo.

— Pourquoi vous ne me l'avez pas dit plus tôt ? Attendez... Je vais vous la chercher.

Elle bondit sur ses pieds et disparut par une porte — celle du « Service Photo » à en croire la pancarte. Un vrai courant d'air !

Malgré ma fatigue, je me sentais jeune tout à coup — ou, du moins, prêt à oublier que Betty Jo était d'âge à être ma fille. Mais quand même pas au point de me risquer à sauter le fossé des générations pour me retrouver au fond d'un gouffre qui se refermerait sur moi comme une paire de tenailles. Mieux valait me calmer et penser à autre chose. A l'inconnue du portrait, par exemple.

Betty Jo ne tarda pas à revenir avec une photographie en couleurs, format 10×15, qu'elle posa sur son bureau. Je la pris et l'approchai de la rampe pour l'examiner. Paola avait raison : cette femme était une beauté. Des traits classiques, le teint délicat des blondes mettant en valeur des yeux dont le bleu avait la couleur de la glace et qui accrochaient immédiatement le regard. J'avais l'impression qu'elle me fixait — ou que je la voyais de très loin. Peut-être parce que j'étais influencé malgré moi par les propos de Paul Grimes que m'avait rapportés sa fille : que la femme qui avait posé était maintenant vieille, morte peut-être, et que le tableau n'était plus que le souvenir matérialisé de sa splendeur passée.

Toujours est-il que ces yeux me fascinaient littéralement. Il fallait que je retrouve le tableau et la femme qui avait servi de modèle si elle vivait encore. Que je découvre où, quand et par qui elle avait été peinte.

— Est-ce que le journal publiera cette photo ? demandai-je à Betty.

— Je ne pense pas. D'après notre photographe, la reproduction qu'il en a faite passerait mal à l'impression.

— Ça ne fait rien. Une copie, même médiocre, pourrait m'être utile pour essayer de retrouver Fred et la petite Biemeyer. Et je suppose que vous devrez rendre l'original à la police.

— Vous n'aurez qu'à demander à Carlos de vous en tirer une.

— Pourriez-vous le lui demander vous-même ? Moi, je ne le connais pas.

— Si vous voulez. Mais, en échange, vous me tiendrez au courant de vos recherches, d'accord ?

— N'ayez crainte, je penserai à vous.

Une réponse qui avait un double sens, mais, cela, je le gardai pour moi.

Quand elle fut repartie avec la photo dans l'antre du photographe, je m'assis dans son fauteuil et m'endormis aussi sec, la tête sur mes bras croisés sur le bureau. Je dus faire un rêve de violence car lorsque Betty Jo me secoua l'épaule, je me levai d'un bond en portant la main à mon aisselle pour sortir de son étui un revolver qui brillait par son absence.

La jeune femme recula précipitamment.

— Oh ! Vous tenez vraiment à me faire peur. C'est une manie chez vous ?

— Encore une fois, je suis désolé.

— Carlos s'occupe de votre photo. En attendant, je vais devoir me remettre à la machine. Il faut absolument que mon papier soit prêt pour l'édition de midi. A propos, vous ne voyez pas d'inconvénient à ce que je parle de vous ?

— A condition que vous ne citiez pas mon nom.

— Quelle modestie !

— Ce n'est pas ça. Je suis détective privé et je tiens à le rester... Privé, je veux dire.

J'allai m'installer à un autre bureau pour reprendre mon roupillon. Cela faisait un bout de temps que je n'avais pas dormi dans la même pièce qu'une fille. Encore que, évidemment, celle-ci ressemblât plus à un hall de gare qu'à une chambre à coucher, qu'elle fût éclairée *a giorno* et que la fille en question eût autre chose en tête que de faire de moi l'homme de ses pensées.

Cette fois, elle prit soin de rester à distance.

— Monsieur Archer ?

Le son de sa voix me réveilla.

Le garçon de couleur qui l'accompagnait me tendit une épreuve en noir et blanc. L'image était sombre et comme estompée ; on aurait dit que la femme blonde était encore plus éloignée dans le temps. Cependant, ses traits étaient parfaitement reconnaissables.

Je remerciai le photographe et lui proposai de le payer pour son travail, ce qu'il refusa avec la plus grande énergie avant de regagner son labo tandis que Betty Jo prenait à nouveau place à sa machine. Mais elle avait à peine tapé quelques mots qu'elle laissa retomber ses mains sur ses genoux.

— Je ne sais pas si j'arriverai à l'écrire, ce papier ! soupira-t-elle avec découragement. Je ne peux citer ni le nom de Fred Johnson, ni celui de la fille... Qu'est-ce que vous voulez que je raconte ?

— Patience. Ça viendra.

— Oui, mais quand ? J'ignore tout de ces gens-là. Ah ! Si la femme du portrait est toujours en vie et si j'arrivais à la joindre, ce serait différent. Je pourrais faire d'elle le pivot de toute l'histoire.

— Rien ne vous en empêche.

— Mais ce serait tellement mieux si je pouvais dire catégoriquement qui elle est et où elle se trouve. Et qu'elle est en vie — si elle est toujours en vie. Je pourrais peut-être même l'interviewer pour finir mon article en beauté.

— Tout ça, les Biemeyer doivent le savoir. Ce sont sûrement des raisons personnelles qui les ont incités à se procurer ce portrait d'elle.

Elle jeta un coup d'œil à sa montre.

— Minuit passé... Je ne peux quand même pas les appeler à une heure pareille. D'ailleurs, il y a de fortes chances pour qu'ils ne sachent rien. Ruth Biemeyer a beau être intarissable sur les relations qu'elle a eues dans le temps avec Richard Chantry, je doute qu'ils aient été très intimes tous les deux.

Je m'abstins de la contredire. Je ne voulais pas parler maintenant de mes clients. L'affaire avait pris des proportions inattendues depuis qu'ils m'avaient chargé de l'enquête, et, pour l'heure, j'étais dans l'incapacité de le leur expliquer. En revanche, Mme Chantry, elle, pouvait éclairer un peu ma lanterne.

Je fis l'impasse :

— Il y a en tout cas quelqu'un qui l'a connu intimement. Sa femme.

— Francine ? Vous croyez qu'elle accepterait de se confier à moi ?

— Je vois mal comment elle pourrait refuser maintenant que nous avons un meurtre sur les bras. Ce qui ne l'arrange pas du tout. Elle sait peut-être tout ce qu'il y a à savoir sur la femme du portrait. Ne posait-elle pas elle-même pour son mari ?

— Comment le savez-vous ?

— Elle me l'a dit.

— A moi, elle ne me l'a jamais dit.

— C'est que vous n'êtes pas un homme.

— Décidément, rien ne vous échappe.

14

Je conduisis Betty Jo chez Mme Chantry. La maison plongée dans l'obscurité était silencieuse. Il n'y avait plus une seule voiture devant l'entrée. La soirée était terminée.

Peut-être pas complètement, quand même, car un faible bruit parvenait à mes oreilles, un sourd gémissement de douleur ou le râle d'une femme qui prend son plaisir. Il se tut brusquement quand nous arrivâmes devant la porte.

— Qu'est-ce que c'était que ça ? me demanda Betty Jo.

— Mme Chantry, peut-être. Mais, dans ces cas-là, vous savez, toutes les femmes ont la même...

Elle m'interrompit d'un geste impatient et frappa. Une lampe s'alluma au-dessus de la porte.

Un bon bout de temps s'écoula avant que celle-ci finisse enfin par s'ouvrir. Sur Rico. Il avait une trace de rouge à lèvres au coin de la bouche. Voyant mon regard, il la frotta du revers de la main, ce qui eut pour seul résultat de l'étaler un peu plus sur son menton.

— Vous désirez ? grommela-t-il d'un ton rogue.

Il n'avait pas l'air content.

— Nous avons une ou deux questions à poser à Mme Chantry, lui répondis-je.

— Elle dort.

— Eh bien, réveillez-la.

— Vous n'y pensez pas ! Elle a eu une journée fatigante. Et la soirée a été épuisante.

La marque de rouge à lèvres qui lui balafrait le menton donnait à ses paroles une résonance lubrique qui ne manquait pas de sel.

— Demandez-lui quand même si elle veut bien nous recevoir. Nous enquêtons sur un meurtre, ce que vous n'êtes sans doute pas sans savoir.

— M. Archer et Mlle Siddon, crut bon de préciser Betty Jo.

— Je sais qui vous êtes.

Rico nous fit entrer dans le grand salon après avoir donné de la lumière. Avec sa tête d'oiseau de proie sortant de sa robe de chambre marron, il avait tout d'un moine moyenâgeux. Ça empestait le tabac froid et j'avais presque l'impression d'entendre la rumeur fantôme des conversations. Des verres vides ou à moitié pleins traînaient un peu partout — il y en avait jusque sur le clavier du piano. Abstraction faite des tableaux dont s'ornaient les murs, telles des fenêtres s'ouvrant sur un monde dont rien, pas même un meurtre, ne pouvait troubler la sérénité, la pièce suintait la gueule de bois par tous les pores.

J'examinai les toiles les unes après les autres, essayant de déterminer en profane que j'étais si elles étaient de la main qui avait peint celle des Biemeyer, mais j'en étais bien incapable. Et Betty Jo m'avoua qu'elle n'était pas plus douée que moi.

Mais qui sait si, après tout, le meurtre de Grimes — et le meurtre éventuel de Whitmore — n'avait pas subtilement modifié ces portraits ? Ou, tout au moins, la perception que j'en avais ? J'avais l'impression qu'ils me considéraient d'un œil soupçonneux et avec une sorte d'inquiétante résignation. Certains de ces personnages avaient l'air de prisonniers, d'autres de jurés, d'autres encore d'apathiques bêtes en cage. Y en avait-il qui reflétaient l'esprit de celui qui les avait peints, me demandai-je ?

— Avez-vous connu Richard Chantry, Betty Jo ?

— Pas vraiment. Je suis d'une autre génération. Mais je l'ai quand même vu une fois.

— Ah bon ? Et quand ?

— Ici même... dans cette pièce. Mon père, qui était écrivain, avait tenu à ce que je l'accompagne pour que je fasse sa connaissance. Une telle rencontre était quelque chose de très exceptionnel. Chantry ne voyait pour ainsi dire personne. Il consacrait tout son temps à son seul travail.

— Quelle impression vous a-t-il faite ?

Elle prit le temps de la réflexion avant de répondre.

— Je l'ai trouvé... lointain. Et très timide. Aussi timide que moi. Il m'a prise sur ses genoux, mais parce qu'il ne pouvait pas faire autrement. Je crois qu'il s'est débarrassé de moi dès qu'il l'a pu, et j'en ai été bien contente. Il ne devait pas aimer les petites filles. Ou alors, c'était qu'il les aimait un peu trop.

— Vous avez vraiment pensé ça à l'époque ?

— Je crois, oui. Les petites filles sentent intuitivement ce genre de choses. Enfin, c'était le cas pour moi.

— Quel âge aviez-vous ?

— Quatre ou cinq ans, quelque chose comme ça.

— Et maintenant, quel est votre âge ?

— Ça ne vous regarde pas, dit-elle sur la défensive, mais avec un petit sourire.

— Moins de trente ans ?

— Vous n'êtes pas tombé loin. Cette visite remonte en gros à vingt-cinq ans si c'est ce que vous voulez savoir. Chantry a disparu peu de temps après. J'ai souvent cet effet-là sur les hommes.

— Pas sur moi, en tout cas.

Un peu de rose lui monta aux joues, ce qui la rendit plus ravissante encore.

— Alors, tâchez de ne pas me prendre sur vos genoux : qui sait si vous ne risqueriez pas de vous volatiliser à votre tour ?

— Merci du conseil.

— Il n'y a pas de quoi. Mais, sérieusement, cela me fait un drôle d'effet de me retrouver ici, dans cette même pièce, à fouiller la vie de Richard Chantry. C'est à se demander si certaines choses ne sont pas écrites d'avance. Est-ce que vous croyez au destin ?

— Bien sûr. Le destin de la plupart des gens est déterminé par le milieu, l'époque et l'endroit où ils sont nés.

— J'ai eu tort de vous poser cette question. Parce que je n'aime pas vraiment ma famille. Et pas tellement mon époque. Et ce pays non plus.

— Alors, réagissez contre eux.

— C'est ce que vous faites, vous ?

— J'essaie, en tout cas.

Ses yeux quittèrent les miens pour se poser quelque part au fond de la pièce. Mme Chantry était entrée silencieusement. Elle s'était brossé les cheveux et venait visiblement de se passer de l'eau sur la figure. La robe d'intérieur blanche qui la moulait étroitement s'évasait à partir des genoux pour finir par balayer le sol.

— J'aurais préféré que, pour réagir, vous choisissiez un autre endroit, monsieur Archer, dit-elle. Et un autre moment. Vous vous rendez compte de l'heure qu'il est ?

Le sourire de martyre qu'elle m'adressa se durcit quand elle se tourna vers Betty Jo.

— Quelle est la raison de cette visite, ma chère ?

Comme Betty Jo, prise de court, avait l'air de ne pas trop savoir quoi répondre, je sortis la photo que Carlos avait tirée à mon intention.

— Voudriez-vous examiner cette photo, madame Chantry ? C'est celle du tableau volé dont je vous ai parlé.

— Je n'ai rien à ajouter à ce que je vous ai dit précédemment. Il s'agit sans doute possible d'un faux. Je crois connaître toutes les toiles de mon mari et je puis vous affirmer que Richard n'a jamais peint celle-là.

— J'aimerais quand même que vous y jetiez un coup d'œil.

— C'est inutile. J'ai vu le tableau en question, je vous l'ai déjà dit.

— Avez-vous reconnu la femme qui y est représentée ?

— Non.

La seconde d'hésitation qu'elle avait eue suffit à me faire comprendre qu'elle mentait.

— Je vous serais néanmoins reconnaissant de regarder cette épreuve pour en avoir le cœur net.

— Je vous répète que c'est parfaitement inutile.

— S'il vous plaît, madame Chantry. Cela peut être important.

— Certainement pas pour moi.

— Sait-on jamais ?

— Soit. Si vous y tenez tant que ça...

Elle prit la photo que je lui tendais. Je notai que sa main tremblait imperceptiblement, on aurait dit que l'image était agitée par un vent soufflant du passé. Elle me la rendit précipitamment comme si elle avait hâte de s'en débarrasser.

— Il y a une vague ressemblance avec une personne que j'ai connue dans ma jeunesse.

— Quand exactement ?

— Avant la guerre. Mais je ne l'ai pas connue à proprement parler. En fait, je l'ai rencontrée à Santa Fe à l'occasion d'une soirée.

— Comment s'appelait-elle ?

— Franchement, je l'ignore. D'ailleurs, elle changeait souvent de nom. Je crois qu'elle prenait celui de son compagnon du moment — et il y en a eu plusieurs.

Elle leva brusquement les yeux.

— Non, mon mari ne faisait pas partie du nombre.

— Mais il doit forcément l'avoir connue s'il a peint ce tableau.

— Je me tue à vous dire que ce n'est pas lui qui l'a peint.

— Alors, qui est-ce, madame Chantry ?

— Je n'en ai pas la moindre idée.

Il y avait maintenant une note d'impatience dans sa voix. Elle tourna les yeux vers la porte. Rico y était adossé, une main dans la poche de sa robe de chambre. Une main qui tenait quelque chose. Quelque chose dont la forme ressemblait fort à celle d'un pistolet. Lentement, il s'approcha de moi.

— Rappelez votre gorille si vous ne voulez pas que le journal s'en donne à cœur joie, madame Chantry, l'avertis-je.

Elle décocha un regard venimeux à Betty Jo qui le

lui rendit avec usure, mais elle mit néanmoins les pouces.

— Laissez-nous, Rico, dit-elle à son chien de garde. Je peux me débrouiller toute seule.

Quand Rico eut à contrecœur battu en retraite dans le hall, je revins à la charge :

— Qu'est-ce qui vous fait dire que ce n'est pas votre mari qui a peint ce portrait ?

— Si ç'avait été lui, je le saurais. Je connais toutes les toiles par cœur, je vous le répète.

— Dois-je en conclure que vous êtes toujours en contact avec lui ?

— Quelle idée ! Bien sûr que non.

— En ce cas, comment pouvez-vous affirmer qu'il ne l'a pas réalisé à un moment quelconque après sa disparition — il y a vingt-cinq ans ?

Surprise par la question, elle hésita avant de répondre :

— La femme du portrait est trop jeune. Elle était plus âgée que ça quand je l'ai rencontrée en 1940 à Santa Fe. C'est maintenant une très vieille dame si elle vit toujours.

— Mais votre mari peut avoir fait n'importe quand son portrait de mémoire. S'il vit toujours, lui aussi.

— Oui, je vois ce que vous voulez dire, murmura-t-elle. Mais je persiste à penser qu'il n'en est pas l'auteur.

— Paul Grimes n'était pas de cet avis.

— Parce qu'il avait tout intérêt à prétendre que c'est bien un Chantry.

— Vraiment ? Eh bien, moi, je crois que c'est à cause de ce tableau qu'il est mort. Il connaissait la femme qui a servi de modèle et elle lui a dit que c'est votre mari qui l'avait peint. Or, pour une raison qui reste encore à découvrir, le fait que Grimes le savait constituait un danger. Pour lui, évidemment, mais aussi pour celui qui l'a tué.

— Seriez-vous en train d'accuser mon mari d'être son assassin ?

— Non, rien ne permet de soutenir une telle théorie. Je ne sais même pas s'il est encore en vie. Et vous, madame Chantry, le savez-vous ?

Elle prit une profonde inspiration, ce qui fit saillir ses seins sous sa robe de chambre.

— Je vous répète une fois de plus que je n'ai pas eu la moindre nouvelle de mon mari depuis le jour où il est parti. Il n'en reste pas moins que son souvenir est ma seule raison de vivre, et je vous avertis, monsieur Archer, que je suis prête à me battre pour défendre sa réputation, qu'il soit mort ou vivant. Et croyez bien que je ne serai pas la seule que vous trouverez sur votre chemin. Maintenant, je vous prierai de bien vouloir vous retirer.

Une invitation qui s'adressait aussi bien à Betty Jo qu'à moi. Rico nous reconduisit, et la porte claqua derrière nous.

Betty Jo courut se réfugier dans la voiture. Elle était blême.

— Elle n'a jamais fait de théâtre ? lui demandai-je.

— Francine ? Si, je crois. En amateur, tout au moins.

— Elle avait l'air d'une actrice qui récite son texte.

La jeune femme secoua la tête.

— Non, je crois qu'elle était sincère. Rien ne l'intéresse dans la vie en dehors de Chantry et de son œuvre. Et je m'en veux d'avoir agi comme je l'ai fait. Nous l'avons blessée et elle est furieuse, maintenant.

— Auriez-vous peur d'elle ?

— Non, mais je considérais que nous étions amies. Enfin, peut-être que j'ai quand même un peu peur, ajouta-t-elle, tandis que nous franchissions le portail. Mais je regrette surtout que nous l'ayons blessée.

— Sa blessure ne date pas d'aujourd'hui.

— Oui, je comprends ce que vous voulez dire.

C'était à Rico que je pensais.

Je regagnai mon motel. Betty Jo m'y accompagna pour que nous puissions faire le point après cette entrevue.

Mais nous ne nous bornâmes pas à comparer nos impressions.

La nuit fut merveilleusement courte. Quand nous nous endormîmes, l'aube qui envahissait lentement la chambre avait la fraîcheur de la jeunesse et un parfum presque oublié.

15

Quand je me réveillai, j'étais seul. Ce fut comme si mon cœur était soudain pris dans un étau. Mais le téléphone sonna presque aussitôt.

— Ici Betty Jo.

— Mais tu as l'air rudement joyeuse, dis donc !

— Tu y es peut-être pour quelque chose. Et puis, le grand chef m'a chargée de suivre l'affaire Chantry. Il me donne carte blanche. Le seul ennui, c'est qu'on ne publiera peut-être rien du tout.

— Pourquoi ?

— Mme Chantry a téléphoné aux aurores à Brailsford, le propriétaire du journal. Total, la conférence de rédaction est convoquée dans son bureau. En attendant, je suis censée continuer à creuser. A ma place, qu'est-ce que tu ferais ?

— J'irais faire un tour au musée avec la photographie du portrait. Il y a peut-être quelqu'un qui sera capable d'identifier le modèle. Et avec un peu — non, beaucoup — de chance, ledit modèle pourra nous dire qui a peint ce portrait.

— C'est exactement ce que j'avais l'intention de faire, figure-toi.

— Bravo. Tu as gagné une médaille.

— Lew ?

Sa voix avait baissé d'un ton.

— Oui ? Qu'est-ce qu'il y a ?

— Rien. Tu ne m'en veux pas de me poser la question, dis ? Je veux dire... enfin... de me dire que tu es plus âgé que moi et peut-être pas aussi décontracté.

— Allez, ne te laisse pas abattre. Je te verrai peut-être au musée. Tu me trouveras dans la salle des antiquités.

— Je ne t'ai pas vexé, dis ?

— Au contraire, je ne me suis jamais senti aussi bien dans ma peau. Mais il vaudrait peut-être mieux que je raccroche avant que tu réussisses à heurter ma susceptibilité.

Elle se mit à rire et coupa la communication.

Je me rasai et, après une bonne douche, je descendis prendre mon petit déjeuner.

Dehors soufflait une brise fraîche. Je jetai mon dévolu sur un bistrot qui me paraissait accueillant et m'installai à une table donnant sur le port. Le ballet saccadé que dansaient les mâts aux voiles carguées des bateaux à l'amarre me donnait l'impression d'être, moi aussi, le jouet de forces complexes qui échappaient à mon contrôle.

Je commandai des œufs au jambon avec des pommes de terre, des toasts et du café. Quand j'eus fini, je sautai dans la voiture, direction le musée.

Betty Jo arriva à l'instant où j'en franchissais les portes.

— On dirait que nous sommes synchrones, Betty Jo, m'exclamai-je à sa vue.

— Bof, grommela-t-elle.

— Qu'est-ce qui ne va pas ?
— Betty Jo. Pas moi. Mon nom. Je le déteste.
— Pourquoi ça ?
— Parce qu'il est idiot. Les noms doubles, c'est bon pour les enfants. Ça fait immature. Et je n'aime aucun des deux qui composent mon prénom. Betty, c'est d'une banalité à pleurer ; et Jo, ça fait garçon. Il faudrait quand même que je me décide à choisir un des deux pour limiter les dégâts. A moins que tu n'aies une meilleure suggestion à me faire.
— Que penses-tu de Lew ?
Elle ne sourit même pas.
— C'est ça, fiche-toi de moi, en plus ! Je parle sérieusement, tu sais.
Oui, c'était une fille sérieuse, et sans doute plus délicate que je ne l'avais imaginé. Cela ne me faisait certainement pas regretter d'avoir passé la nuit avec elle, mais cette constatation donnait une dimension supplémentaire à la chose. Tout ce que j'espérais, c'était qu'elle n'était pas en train de tomber amoureuse. Surtout de moi ! Ce qui ne m'empêcha pas de l'embrasser. Mais juste un baiser papillon. Un baiser à prétention strictement philanthropique.
Un blondinet à la taille de guêpe apparut à l'entrée de la salle consacrée à la sculpture classique, la photo en couleurs du fameux portrait à la main.
— Betty Jo ! la héla-t-il.
— A partir de maintenant, je m'appelle Betty tout court. A bon entendeur, salut.
— Comme tu voudras. Je suis seulement venu te dire que j'ai découvert dans les réserves un Lashman qui colle point par point avec ton tableau.
— Sans blague ? Formidable. Tu es un génie, Ralph !

Elle lui secoua la main à la lui arracher.

— Oh ! A propos, je te présente M. Archer.

— Enchanté de rencontrer un génie. Comment allez-vous ?

Ralph rougit.

— A vrai dire, ça a été simple comme bonjour. Le Lashman était posé bien en vue sur une table. On aurait dit que c'était lui qui me cherchait. Il m'a en quelque sorte sauté au cou, quoi.

Betty — puisque Betty il y avait, désormais — se tourna vers moi.

— Ralph a déniché un autre portrait de la fille. Mais qui est de la main d'un autre peintre.

— C'est ce que j'avais cru comprendre. Est-ce que je peux le voir ?

— Bien sûr, répondit Ralph. Mais il y a encore mieux : Simon Lashman pourra vous dire qui est le modèle.

— Il habite ici ?

— Non, à Tucson. On doit avoir son adresse quelque part. Le musée lui a acheté plusieurs toiles.

— Dans l'immédiat, j'aimerais voir celle que vous avez trouvée dans les réserves.

Ralph nous fit descendre un escalier aboutissant à un long couloir sans fenêtres qui me rappelait les prisons que j'avais eu l'occasion de visiter. Il donnait sur une vaste salle également dépourvue de fenêtres, mais brillamment éclairée par des rampes fluorescentes.

Le tableau — un nu — était posé bien en vue sur la table. C'était bien la même femme que celle du portrait des Biemeyer, mais elle était nettement plus âgée. Son visage était plus marqué. Elle avait des pattes-d'oie au coin des paupières, de fines rides prolongeaient les commissures de ses lèvres, ses seins, plus lourds, tombaient un peu et son port avait moins d'assurance.

— Quand cette toile a-t-elle été peinte ? s'enquit Betty qui me regardait la contempler d'un œil presque jaloux.

— Il y a plus de vingt ans, répondit Ralph. J'ai vérifié dans le fichier. A propos, Lashman l'a appelée *Pénélope*.

Betty se tourna vers moi.

— Elle doit être vraiment vieille, maintenant. Elle n'était déjà plus toute fraîche à l'époque.

— Moi non plus, ce n'est pas hier matin que je suis sorti de l'œuf, rétorquai-je.

Elle devint écarlate et détourna les yeux comme si je l'avais rembarrée.

— Mais comment se fait-il que vous ayez trouvé ce tableau là, Ralph ? Ce n'est sûrement pas sa place habituelle, non ?

— Évidemment. Quelqu'un a dû le sortir de la réserve.

— Ce matin ?

— Ça m'étonnerait. Ce matin, j'ai été le premier à descendre au sous-sol. La porte était encore fermée à clé.

— Et qui y est venu, hier ?

— Au moins une demi-douzaine de gens. Nous préparons une exposition.

— Dont ce tableau doit faire partie ?

— Non. Elle a pour thème le paysage californien.

— Fred Johnson est-il venu ici hier ?

— Oui, effectivement. Il est resté un bon moment à fouiller dans la réserve.

— Savez-vous ce qu'il cherchait ?

— Non. Un tableau, c'est tout ce qu'il m'a dit. Sans autres précisions.

— C'était celui-là ! s'écria brusquement Betty.

Si elle avait éprouvé la moindre jalousie à propos du modèle, cela lui était complètement sorti de la tête. Elle avait les joues en feu et ses yeux brillaient d'excitation. Elle ne tenait plus en place.

— Il est sûrement parti pour Tucson, reprit-elle. Si seulement M. Brailsford acceptait de me rembourser mes frais de voyage...

C'était exactement ce que j'étais en train de me dire, mais en pensant, moi, à Biemeyer. Cependant, essayer de passer un coup de fil à Lashman avant de lui poser la question de confiance s'imposait.

Ralph trouva dans son fichier le numéro et l'adresse du peintre à Tucson, puis il me conduisit dans son bureau et se retira discrètement. Je décrochai et composai le numéro.

— Simon Lashman, fit une voix enrouée et revêche.

— Bonjour, monsieur Lashman. Je me présente : Lew Archer. Je vous appelle de Santa Teresa où j'enquête au sujet du vol d'un tableau. Si je suis bien informé, le musée possède une toile de vous. Un nu intitulé *Pénélope*, je crois.

Il y eut un silence avant que la voix de mon interlocuteur vibre à nouveau dans l'écouteur, aussi grinçante qu'un gond de porte rouillé :

— Ça ne nous rajeunit pas. J'ai fait des progrès en peinture depuis ce temps-là. Vous n'allez quand même pas me dire que quelqu'un s'est donné la peine de voler cette antiquité ?

— Non, c'est un autre tableau qui a été volé. Un portrait de femme et il s'agit précisément de celle qui vous a servi de modèle pour votre *Pénélope*.

— Mildred Mead ? Elle est toujours de ce monde ?

— C'était justement ce que je voulais vous demander.

— Désolé, mais il y a des années que je ne l'ai pas revue. La pauvre ! Ce n'est plus une jeunesse, à présent. Il n'y a pas qu'elle, d'ailleurs... Si ça se trouve, elle est morte à l'heure qu'il est, ajouta-t-il d'une voix sourde.

— J'espère que non. C'était une femme superbe.

— Pour moi, Mildred était la plus belle femme de tout le Sud-Ouest.

Sa voix s'était brusquement raffermie comme si le seul souvenir de la belle Mildred l'avait ragaillardi.

— Qui a peint le portrait dont vous parlez ?

— Il est attribué à Richard Chantry.

— Vraiment ?

— Oui, mais d'après ce que j'ai entendu dire, il pourrait s'agir d'un faux.

— Je n'en serais pas autrement étonné. Mildred n'a jamais posé pour lui à ma connaissance.

Il y eut un nouveau silence à l'autre bout du fil.

— Vous pouvez me le décrire, ce tableau ?

— C'est un nu aux couleurs violentes, très dépouillé. On y décèle l'influence de la peinture indienne, m'a-t-on dit.

— Oui, c'est le cas de la plupart des Chantry de la période arizonienne. Dont aucun n'est un chef-d'œuvre, d'ailleurs. Et celui-là ? Il est bon ?

— Je ne suis pas qualifié pour en juger. Ce qui est sûr, en tout cas, c'est qu'il cause pas mal d'agitation.

— Il appartient au musée de Santa Teresa ?

— Non. Son propriétaire est un certain Biemeyer.

— Biemeyer ? Le magnat du cuivre ?

— Tout à fait. C'est lui qui m'a chargé de le retrouver.

— Alors, vous pouvez aller vous faire foutre.

Et Lashman me raccrocha au nez.

Je refis aussitôt le numéro.

— Qui est à l'appareil ?

— Archer. Mais ne raccrochez pas, s'il vous plaît. Il ne s'agit pas simplement du vol d'un tableau. L'affaire est beaucoup plus grave. Un homme a été assassiné, hier, à Santa Teresa, le propriétaire d'une galerie du nom de Paul Grimes. C'était à lui que les Biemeyer avaient acheté cette toile et il y a très certainement un rapport entre ce vol et le meurtre.

Il y eut une longue pause.

— Qui a commis ce vol ? finit par demander Lashman.

— Un étudiant de la section beaux-arts de l'université de Santa Teresa, Fred Johnson. Et j'ai tout lieu de croire qu'il est parti pour Tucson avec le tableau. Et qu'il risque d'un moment à l'autre de débarquer chez vous.

— Chez moi ? Et pourquoi donc ?

— Il veut retrouver Mildred et identifier l'artiste qui a peint ce portrait d'elle. Il a l'air d'être obsédé par ce tableau. J'ai bien peur qu'il n'ait plus sa tête à lui. Et il n'est pas seul : il y a une jeune fille avec lui.

Je m'abstins de préciser que c'était la propre fille de Biemeyer.

— Et à part ça ?

— Je vous ai dit l'essentiel.

— Bon. Alors, écoutez-moi. J'ai soixante-quinze ans. Je suis en train de peindre ma deux cent quatorzième toile. Si je me mettais à m'occuper des problèmes des autres, il ne me resterait plus assez de temps pour la finir. Alors, cessez de me bassiner avec vos histoires. Je vous salue bien, monsieur Machin-Chose.

— Archer, Lew Archer. L-E-W A-R-C-H-E-R. Si jamais vous voulez me joindre, vous pourrez toujours appeler le service des abonnés absents à Los Angeles. Ils vous donneront mon numéro.

Il coupa la communication.

16

Le vent était tombé et l'air était d'une limpidité de cristal. Comme lors de ma première visite, le faucon à queue rouge décrivait des cercles au-dessus de la maison, à croire qu'il faisait partie du décor.

Ruth et Jack Biemeyer vinrent à ma rencontre. Leur tenue à l'un comme à l'autre était si stricte qu'on aurait pu croire qu'ils se rendaient à un enterrement — à leur propre enterrement à en juger par la mine qu'ils tiraient. Son maquillage ne réussissait pas à dissimuler tout à fait les cernes que la femme avait sous les yeux.

Elle commença par me demander si j'avais des nouvelles de Doris.

— Je crois qu'elle est partie hier soir avec Fred Johnson, lui répondis-je.

— Pourquoi ne l'en avez-vous pas empêchée ?

— Elle ne m'a pas donné de préavis, vous savez. Et même si elle m'avait prévenu, je n'aurais pas pu m'opposer à son départ.

— Pourquoi ?

J'avais l'impression que la tête gracieuse de Ruth Biemeyer était un tomahawk pointé droit sur moi.

— Parce qu'à l'âge qu'elle a, elle n'a de comptes à rendre à personne. Elle est libre de faire ce qui lui plaît, même si c'est des bêtises.

— Et où sont-ils allés tous les deux ?

— Probablement en Arizona. D'après mes déductions, ils pourraient bien se rendre à Tucson. Mais j'ignore s'ils sont partis avec votre tableau. Fred prétend qu'il lui a été volé.

— Le petit fumier !

C'était la première contribution de Jack Biemeyer à la conversation. Je ne relevai pas le propos.

— Je peux aller faire un tour là-bas si vous voulez, mais je serai forcé de vous compter des frais supplémentaires, bien sûr.

— Bien sûr !

Le ton de Biemeyer s'était fait sarcastique. Il se tourna vers sa femme.

— Qu'est-ce que je t'avais dit ? Une fois qu'on a mis le petit doigt dans l'engrenage... C'est toujours comme ça.

Résistant à mon envie de lui flanquer mon poing dans la figure, je tournai les talons et m'éloignai. Mais une clôture grillagée me coupa bientôt la retraite. Le sol descendait en pente raide jusqu'au bord du ravin de l'autre côté duquel, rapetissée par la distance, se dressait la maison de Francine Chantry. A travers les panneaux de verre de la serre qui se trouvait derrière elle, on distinguait vaguement deux silhouettes qui s'agitaient.

— Revenez, je vous en prie, me dit à mi-voix Ruth Biemeyer qui m'avait rejoint. C'est vrai, Jack n'est pas toujours commode — je suis bien placée pour le savoir ! Mais nous avons vraiment besoin de vous.

Je suis sans force devant ce genre d'argument et je

m'avouai vaincu. Mais je lui demandai de patienter une minute, le temps d'aller chercher mes jumelles dans ma voiture.

L'œil à l'oculaire, je distinguais mieux ce qui se passait dans la serre. Une femme aux cheveux gris et un homme noir de poil, que j'identifiai comme étant respectivement Mme Chantry et Rico, étaient occupés à sabrer des massifs d'orchidées et autres plantations à grands coups de sécateur. Ils s'en donnaient visiblement à cœur joie.

— Qu'est-ce que vous regardez comme ça ? s'enquit Ruth Biemeyer.

Je lui passai les jumelles. Elle les porta à ses yeux en se dressant sur la pointe des pieds.

— Mais qu'est-ce qu'ils font ?

— Du jardinage, à ce qu'il semble. Est-ce un des passe-temps favoris de Mme Chantry ?

— C'est possible. Mais, en fait, c'est la première fois que je la vois jardiner.

Nous retournâmes auprès de son mari qui était resté pendant tout ce temps à ronger son frein, planté comme un piquet devant ma voiture.

— Est-ce que vous voulez, oui ou non, que je fasse un saut à Tucson, monsieur Biemeyer ? lui demandai-je.

— Je suppose. Je n'ai pas le choix, n'est-ce pas ?

— Bien sûr que si.

Ruth eut un geste d'agacement.

— Nous voulons que vous poursuiviez votre enquête, monsieur Archer.

Son regard allait de son mari à moi comme si elle arbitrait un match de tennis.

— Si vous avez besoin d'une avance, ce sera avec joie que je vous donnerai moi-même cet argent.

— Non, c'est moi qui m'en chargerai, protesta Biemeyer.

— Comme tu voudras, Jack.

— Il me faudrait cinq cents dollars, précisai-je.

Il émit une sorte de jappement. On l'eût dit frappé par la foudre. Mais, se ressaisissant, il m'assura qu'il allait me faire un chèque et, joignant le geste à la parole, il s'éloigna en direction de la maison.

— Comment se fait-il qu'il soit aussi pingre ? demandai-je à sa femme.

— Il est comme ça depuis qu'il a un peu d'argent. Dans le temps, quand il n'était encore qu'un petit ingénieur sans le sou, il était très différent.

Elle soupira.

— Sa façon d'être lui a d'ailleurs valu de se faire des tas d'ennemis.

— Y compris sa fille. (*Et sa propre femme.*) Et qu'en est-il de Simon Lashman ?

— Le peintre ? Que voulez-vous dire ?

— Je l'ai eu au téléphone ce matin. Au cours de la conversation, j'ai mentionné le nom de votre mari. Du coup, il m'a raccroché au nez.

— Je suis désolée.

— Personnellement, ça ne me fait ni chaud ni froid. Mais j'aurai peut-être besoin de sa coopération. Êtes-vous en bons termes avec lui ?

— Je ne le connais pas. Je sais qui il est, c'est tout.

— Et votre mari ? Il le connaît, lui ?

— Oui, je crois, répondit-elle d'une voix étranglée après une hésitation. Mais je préfère ne pas parler de ça.

— Là, vous ne m'aidez pas beaucoup.

— Cela m'est vraiment pénible.

— Pourquoi ?

— C'est de l'histoire ancienne...

Elle secoua la tête comme pour chasser de vieux souvenirs indésirables. Enfin, les yeux fixés sur la porte d'entrée par laquelle son mari venait de disparaître, elle reprit d'une voix sourde :

— A une certaine époque, Jack et M. Lashman ont été... rivaux. Ils se disputaient la même femme. Elle avait beau être plus âgée que lui... en fait, elle appartenait à la génération de Lashman... il la préférait à moi. Il l'a finalement emporté sur Lashman.

— C'est à Mildred Mead que vous faites allusion ?

— Vous avez entendu parler d'elle, bien sûr !

Son ton s'était fait sec et méprisant.

— Tout le monde la connaissait en Arizona !

— Tout ce que je sais, c'est que c'est elle que représente le tableau.

Elle parut déroutée.

— Quel tableau ?

— Celui qu'on vous a volé... le Chantry.

— Non.

— Mais si ! Vous ne saviez pas que c'était elle ?

Elle cacha ses yeux derrière sa main.

— Oui, je l'ai peut-être su. Mais si tel est le cas, je l'ai volontairement oublié. Ça a été un choc terrible pour moi quand Jack lui a offert une maison. Une maison superbe, bien plus belle que celle que nous habitions à l'époque.

Elle laissa retomber sa main et battit des paupières, éblouie par l'éclat brutal du soleil.

— Je ne sais quel coup de folie m'a fait acheter ce portrait et l'accrocher au mur. Jack savait forcément que c'était elle. Il n'a jamais rien dit, mais il a sûrement dû être abasourdi.

— Vous ne lui avez pas demandé ce qu'il en pensait ?

— Je n'aurais jamais osé. C'est un abcès qu'il vaut mieux ne pas chercher à crever.

Elle jeta un coup d'œil anxieux derrière elle comme si elle avait peur que son mari soit derrière son dos à écouter, mais il n'était toujours pas ressorti de la maison.

— C'est pourtant ce que vous avez fait en achetant le portrait et en l'exposant à tous les regards.

— C'est vrai. Je dois perdre la raison. Croyez-vous que je sois en train de devenir folle ?

— Vous êtes mieux placée que moi pour le savoir. C'est votre esprit qui est en cause, pas le mien. Mais si vous voulez mon avis, même si vous ne savez pas où vous allez, vous savez parfaitement ce que vous faites.

— Oui, vous avez peut-être raison.

Une note d'excitation perçait dans sa voix : elle était surprise par sa propre complexité.

— Avez-vous vu Mildred Mead ?

— Non, jamais. Quand elle a commencé à... à jouer un rôle dans ma vie, j'ai pris soin de l'éviter. J'avais peur.

— D'elle ?

— Non. De moi. J'aurais été capable de faire n'importe quoi. Elle avait au moins vingt ans de plus que moi. Et Jack, qui avait toujours été tellement grippe-sou avec moi, lui avait acheté une maison !

— Elle y demeure toujours ?

— Je ne sais pas. Peut-être.

— Où se trouve-t-elle, cette maison ?

— A Chantry Canyon, en Arizona. A la frontière du Nouveau-Mexique. Pas très loin de l'endroit où nous habitions. A l'origine, c'était la maison de Chantry.

— Le peintre ?

— De son père, Felix. Il était ingénieur et c'est lui qui a démarré l'exploitation de la mine. Il en a été le directeur jusqu'à sa mort. C'est pourquoi ça a été une gifle terrible que Jack lui achète sa maison pour en faire cadeau à cette femme.

— Je ne vous suis pas très bien.

— C'est pourtant simple. Quand Felix Chantry est mort, Jack lui a succédé à la tête de la mine. En fait, ils étaient apparentés : sa mère était une cousine de Chantry. Ce qui était à mes yeux une raison de plus pour que ce soit à moi qu'il fasse cadeau de la maison !

Elle avait dit cela sur le ton d'une enfant qui boude.

— Et c'est cela qui vous a poussée à acquérir le tableau ?

— Peut-être... Je n'ai jamais envisagé les choses sous cet angle. En fait, si j'en ai fait l'acquisition, c'est parce que je m'intéressais à l'homme qui l'avait peint. Mais ne me demandez pas pourquoi : c'est une question à laquelle je serais maintenant incapable de répondre.

— Est-ce que vous tenez toujours à ce que je le retrouve ?

— Je ne sais pas. Ce que je veux avant tout, c'est que vous me rameniez ma fille. Et je crois que nous sommes en train de perdre du temps.

— Vous avez raison. J'attends seulement que votre mari me donne mon chèque.

Elle me jeta un regard embarrassé et s'éloigna à son tour en direction de la maison.

J'avais toujours mes jumelles autour du cou et, comme son absence se prolongeait, je retournai devant le grillage pour observer ce qui se passait dans la serre. Francine Chantry et Rico étaient toujours en train de travailler du sécateur.

Des larmes de colère brillaient dans les yeux de Mme Biemeyer quand elle me rejoignit. Le chèque qu'elle me tendit portait sa signature, pas celle de son mari.

— Ce n'est plus possible, je vais le quitter, dit-elle. Dès que tout cela sera terminé.

17

De retour en ville, je commençai, toutes affaires cessantes, par passer à la banque encaisser mon chèque avant que le mari ou la femme ne fasse opposition — on n'est jamais trop prudent. Cela fait, je me rendis au journal qui était à deux pas. L'animation régnait à présent dans la salle de rédaction où une vingtaine de personnes jouaient de la machine à écrire.

Dès qu'elle me vit, Betty se leva de son bureau et s'approcha de moi avec un grand sourire.

— Je voudrais te parler, lui dis-je.

— J'en suis une autre.

— Te parler sérieusement, je veux dire.

— Ça tombe bien : moi aussi.

— Tu as l'air rudement joyeuse.

— C'est que je suis sérieusement joyeuse.

— Eh bien, pas moi. Je vais devoir faire un petit voyage.

Je lui expliquai le pourquoi du comment.

— Mais il y a quelque chose que tu peux faire pour moi pendant mon absence.

— J'aurais préféré faire quelque chose pour toi en ta présence.

Son sourire, s'il n'avait rien perdu de son éclat, s'était fait aguicheur.

— Si tu as des idées polissonnes en tête, on pourrait peut-être trouver un endroit où nous serions tranquilles, non ?

— Essayons toujours là.

Elle frappa à une porte. RÉDACTEUR EN CHEF, disait la plaque. N'obtenant pas de réponse, elle entra. Je la suivis et l'embrassai. Ma température monta d'un cran.

Et pas seulement ma température.

— Ouah-ou ! Il m'aime encore !

— C'est vrai, mais il faut quand même que je file. Fred Johnson doit être arrivé à Tucson à l'heure qu'il est.

Elle me tapota la poitrine du bout des doigts comme si elle pianotait encore sur son clavier.

— Prends garde à toi. Fred est un de ces charmants garçons qui peuvent devenir dangereux d'un seul coup.

— Ce n'est plus un gamin.

— C'est peut-être l'angelot du musée, mais c'est un angelot terriblement malheureux. Il s'est confié à moi, un jour. Il m'a raconté sa vie. On ne fait pas plus sinistre. Son père est un ivrogne incapable de travailler et sa mère un volcan en perpétuel état d'éruption. Fred essaie de s'en tirer comme il peut, mais, sous ses dehors calmes, il est désespéré. C'est pourquoi je te dis de faire attention.

— Je saurai le prendre.

— Oui, je n'en doute pas.

Elle posa ses mains sur mes épaules.

— Alors, dis-moi ce que tu attends de moi.

— Mme Chantry... tu la connais bien ?

— Je la connais depuis toujours.

— Mais est-ce que vous êtes amies ?

— Oui, je crois. Je lui ai été utile. Mais j'ignore si ce qui s'est passé cette nuit ne risque pas de jeter un froid entre nous.

— Pourrais-tu rester en contact avec elle ? J'aimerais savoir ce qu'elle va faire aujourd'hui et demain.

Elle haussa les sourcils.

— Je peux te demander pourquoi ?

— Tu peux toujours me le demander, mais, moi, je ne peux pas te répondre. Pour la bonne raison que je ne sais pas.

— Tu la soupçonnes de quelque chose ?

— Je me méfie de tout le monde.

— Pas de moi, j'espère ?

Son sourire était grave. Elle ne plaisantait pas.

— De tout le monde sauf de toi et moi. Alors, d'accord ? Tu gardes l'œil sur elle ?

— D'accord, bien sûr. De toute manière, j'avais l'intention de lui téléphoner.

Je laissai ma voiture au parking de l'aéroport et m'envolai pour Los Angeles. Là, je pris un billet à destination de Tucson. Comme j'avais quarante minutes d'attente avant le décollage, j'en profitai pour avaler un sandwich et boire une bière, après quoi j'interrogeai les abonnés absents. Simon Lashman m'avait appelé. J'avais le temps de le rappeler.

Je lui dis qui j'étais et le remerciai de m'avoir téléphoné.

— Laissez tomber les politesses, m'interrompit-il sans prendre de gants.

Sa voix était encore plus revêche que lors de notre première conversation. Et je la trouvai vieillie.

— Ne vous attendez pas à ce que je m'excuse de vous avoir envoyé sur les roses. J'avais toutes les raisons pour cela. Le père de la jeune fille en question m'a jadis joué un tour de cochon et je ne suis pas près de l'oublier. Tel père, telle fille.

— Je ne travaille pas pour Biemeyer.

— Ah bon ? Pourtant, je croyais. Alors, pour qui travaillez-vous ?

— Pour sa femme. Elle est très inquiète pour sa fille.

— Il y a de quoi. Elle a tout d'une droguée, cette petite.

— Vous l'avez vue ?

— Oui. J'ai eu la visite de Fred Johnson et elle était avec lui.

— Est-ce que je peux passer vous voir dans l'après-midi ?

— Je croyais que vous étiez à Los Angeles ?

— J'y suis juste en transit. Je prends l'avion pour Tucson. Il décolle dans quelques minutes.

— Bon. Dans ce cas, vous n'aurez qu'à passer. J'aime encore mieux ça que de parler au téléphone. Quand j'étais à Taos, je n'en avais même pas — et je n'ai jamais été aussi heureux de ma vie. Allons bon ! Voilà que je commence à radoter, maintenant ! Il n'y a rien que je déteste autant que les petits vieux qui gâtifient ! Il est temps que je raccroche. Salut.

18

Il habitait en bordure du désert au pied d'une montagne et sa maison s'était imposée à ma vue bien avant que l'avion eût atterri. C'était une bâtisse de plain-pied entourée d'une clôture de bois. Bien que la journée fût assez avancée, il faisait encore chaud.

Lashman poussa la barrière et vint à ma rencontre. Son visage était creusé de rides profondes et ses cheveux blancs en désordre flottaient sur ses épaules. Il portait un blue-jean délavé et était chaussé de mocassins en cuir. Ses yeux, brûlés par le soleil, étaient du même bleu délavé que son denim.

— Vous êtes monsieur Archer ?

— Lui-même. C'est très aimable à vous d'accepter de me recevoir.

Malgré son attitude décontractée, il y avait quelque chose en lui qui forçait la politesse. La main pleine de taches de peinture qu'il me tendait était déformée par l'arthrite.

— Dans quel état était Fred Johnson ? lui demandai-je.

— Il m'a paru très fatigué, mais terriblement surexcité.

— Pourquoi était-il dans cet état ?

— Il avait follement envie de parler de Mildred Mead. A propos d'une toile dont il serait chargé d'identifier l'auteur. Il m'a dit qu'il travaille au musée de Santa Teresa. C'est vrai ?

— Oui, c'est vrai. Et la jeune fille ?

— Oh ! Elle, c'était le calme plat, au contraire. Je ne me rappelle pas avoir entendu le son de sa voix.

Il me lança un coup d'œil interrogateur que je fis mine d'ignorer.

— Mais entrez donc.

Il me fit traverser la cour intérieure sur laquelle s'ouvrait son atelier, qu'éclairait une vaste fenêtre d'où l'on avait une vue imprenable sur le désert. Sur le chevalet était posé un tableau — un portrait de femme — en cours d'exécution. Ce n'était encore qu'une ébauche. La peinture donnait l'impression d'être fraîche. Le visage dont les traits commençaient tout juste à se dégager était celui de Mildred Mead. Une Mildred Mead s'efforçant d'émerger des brumes du passé.

Lashman se planta à côté de moi tandis que j'examinais la toile.

— Oui, c'est Mildred. Je m'y suis mis après votre coup de téléphone. J'ai eu brusquement besoin de la peindre encore une fois. Et quand, à mon âge, on éprouve ce genre d'envie, il faut foncer sans hésiter.

— Vous la peignez sur le vif ou de mémoire ?

Il me décocha un regard aigu.

— Elle n'est pas là, si c'est ce que vous voulez savoir. Cela fait près de vingt ans que je ne l'ai pas revue. Je crois d'ailleurs vous l'avoir dit au téléphone.

— Vous l'avez peinte bien souvent, j'imagine ?

— Elle était mon modèle préféré. Nous avons vécu

plus ou moins ensemble pendant un bon bout de temps. Et puis, elle est allée s'installer à l'autre bout de l'État et je ne l'ai plus revue.

Il y avait à la fois de la fierté et du regret dans sa voix.

— Quelqu'un d'autre lui avait fait une proposition qu'elle avait jugée plus avantageuse. Je ne lui en veux pas. Elle commençait à ne plus être toute jeune. Et je dois avouer qu'il y avait des moments où je lui en faisais baver.

Ces mots éveillèrent une résonance dans mon esprit. Comme lui, il y avait eu dans ma vie une femme que j'avais perdue. Mais ce n'était pas un autre qui me l'avait prise. C'était moi qui l'avais quittée.

— Elle vit toujours en Arizona ?

— Oui, je crois. Elle m'a envoyé une carte pour Noël. C'est la dernière fois que j'ai eu de ses nouvelles.

Son regard se perdit au loin dans le désert.

— A vrai dire, j'aimerais bien renouer avec elle, même si nous sommes tous les deux aussi vieux que ces collines.

— Où habite-t-elle à présent ?

— A Chantry Canyon, dans les monts Chiricahua. C'est près de la frontière du Nouveau-Mexique.

Prenant un fusain, il dessina une carte schématique de l'Arizona pour me montrer où se trouvait Chantry Canyon, c'est-à-dire à la pointe sud-est de l'État.

— C'est là qu'elle réside depuis que Biemeyer lui a fait cadeau de la propriété de Chantry, il y a vingt ans. Elle en avait toujours eu envie. Elle l'intéressait plus que l'homme.

— Plus que Jack Biemeyer, vous voulez dire ?

— Et plus que Felix Chantry qui avait fait construire cette maison et avait mis la mine en valeur. Elle était tombée amoureuse de l'une et de l'autre bien avant de tomber amoureuse de Felix. Elle m'a dit qu'habiter la maison de Chantry avait toujours été le rêve de sa vie. C'est pour le réaliser qu'elle est devenue sa maîtresse et qu'elle lui a même donné un fils de la main gauche. Mais, de son vivant, il n'a jamais accepté qu'elle s'y installe. Il s'est toujours refusé à quitter sa femme et son fils légitime.

— Richard ?

Il hocha la tête.

— Oui, Richard. Il est devenu un assez bon peintre, je dois le reconnaître, bien que j'aie toujours détesté son père. Il avait des dons indiscutables, mais il n'a pas poussé son talent jusqu'au bout. Il n'avait pas suffisamment de volonté et, dans ce métier, la volonté est essentielle.

Le soleil qui entrait à flots par la fenêtre donnait un éclat métallique à son visage buriné, et il semblait être une statue érigée à la gloire de cette vertu.

— Pensez-vous qu'il soit toujours en vie ?

— Le petit Johnson m'a posé la même question. Je vous donnerai la même réponse qu'à lui : pour moi, Richard est probablement mort — tout aussi mort que son frère —, mais c'est sans grande importance. Un peintre qui raccroche ses pinceaux au beau milieu de sa carrière, comme Richard semble l'avoir fait, peut aussi bien être mort. Je sais que, moi, je mourrai le jour où je cesserai de peindre.

L'idée obsédante de la mort semblait à la fois le fasciner et le déprimer.

— Et ce sera un bon débarras. A la poubelle, les vieux débris, comme je disais quand je n'étais encore qu'un jeune morveux.

— Qu'est devenu son demi-frère... le fils de Mildred ?

— William ? Il est mort jeune. Je le connaissais et je m'intéressais à lui. Pendant plusieurs années, il a vécu épisodiquement ici avec Mildred. C'est même sous mon nom qu'il s'est inscrit à l'école des beaux-arts de Tucson, mais il a repris celui de sa mère quand il a été mobilisé. Et c'est sous le nom de William Mead qu'il est mort.

— Il est mort à la guerre ?

— Il est mort sous l'uniforme, oui, mais c'est arrivé alors qu'il était en permission. On a retrouvé son corps roué de coups dans le désert, pas très loin de l'endroit où réside maintenant sa mère.

— Qui l'a tué ?

— Ça, c'est resté un mystère. Si vous voulez davantage de précisions, adressez-vous donc au shérif Brotherton à Copper City. C'est lui qui a mené — je devrais peut-être dire malmené — l'enquête. En ce qui me concerne, pour ce qui est des détails, je suis toujours resté sur ma faim. Mildred est allée identifier le corps. A son retour, elle n'a pas prononcé un mot pendant plus d'une semaine. Je comprenais parfaitement ce qu'elle ressentait. Cela faisait longtemps que je n'avais pas revu William, mais je l'aimais comme un fils.

Il resta silencieux quelques instants.

— Je voulais faire de lui un peintre. Il peignait déjà mieux que son frère qui devait en être conscient puisqu'il l'imitait. Mais c'est William qui est mort.

Il tourna brusquement la tête vers moi et me considéra d'un air hostile comme si j'avais ramené la mort dans sa maison.

— Et ça ne tardera pas à être mon tour. Mais j'ai

l'intention de faire un dernier portrait de Mildred avant de claquer. Et j'aimerais bien que vous le lui disiez.

— Il vaudrait mieux que vous le lui disiez vous-même.

— Oui... C'est peut-être ce que je ferai.

Il avait maintenant l'air d'avoir hâte que je m'en aille pour profiter de la lumière pendant qu'il y en avait encore. Il ne cessait de regarder la fenêtre. Mais avant de partir, je lui montrai la reproduction du tableau des Biemeyer.

— C'est bien Mildred ? lui demandai-je.

— Oui, c'est elle.

— Pouvez-vous me dire qui a peint ce portrait ?

— Vous m'en demandez trop. Comment voulez-vous qu'on puisse se prononcer à partir d'une malheureuse photo en noir et blanc ?

— Pensez-vous qu'on y retrouve la patte de Chantry ?

— Oui, c'est possible. C'est drôle, ça ressemble un peu à ce que je faisais moi-même à mes débuts.

Il eut un demi-sourire amusé.

— Je ne m'étais encore jamais rendu compte que j'avais pu influencer Chantry. En tout cas, celui qui a peint ce tableau a dû voir mes premiers portraits de Mildred, c'est sûr.

Il regarda la toile posée sur le chevalet comme pour qu'elle confirme son jugement.

— Vous êtes certain que ce n'est pas vous qui en êtes l'auteur ?

— Absolument. Figurez-vous que je peins mieux que ça.

— Mieux que Chantry ?

— Je crois, oui. Évidemment, moi, je ne suis pas

mort. J'ai continué à peindre. Mon nom est peut-être moins connu que le sien, mais mon œuvre survivra à la sienne. La toile que je viens de commencer vaudra cinquante fois celle-là.

Lashman était écarlate et sa colère contenue rendait toute sa jeunesse à sa voix. On aurait juré que, malgré son âge, il poursuivait avec les Chantry l'ancienne rivalité dont Mildred Mead avait été l'enjeu.

Il s'empara d'un pinceau comme s'il empoignait une épée et se pencha résolument sur la toile inachevée.

19

J'avais pris la route qui s'enfonçait plein sud dans le désert. La circulation était relativement fluide de sorte que je roulai à une bonne moyenne. J'atteignis Copper City vers les neuf heures. Le jour sombrait, et, dans la lumière avare du crépuscule, la gigantesque excavation qu'était la mine de Biemeyer ressemblait à un terrain de jeu abandonné conçu par une race de géants.

Au commissariat, l'officier de permanence me dit que je trouverai le shérif Brotherton au poste auxiliaire situé au nord de Copper City. Suivant l'itinéraire qu'il m'avait montré sur la carte, je pris la direction des montagnes. Les géants qui les avaient édifiées étaient encore plus grands que ceux qui avaient creusé le gros trou de Biemeyer. A la sortie de la ville, la route serpentait entre le pied des montagnes et le désert. La circulation était maintenant nulle et je commençais à me demander si je n'étais pas perdu quand je distinguai un groupe de bâtiments éclairés.

L'un d'eux, pris en sandwich entre un petit motel et une épicerie-buvette qui s'enorgueillissait de sa pompe à essence, était le poste de police. Je me garai sur le parking où stationnaient deux voitures de service et y entrai. Après avoir examiné mes papiers à la loupe, l'adjoint de garde finit par me dire que le shérif était à la buvette. Je m'y rendis aussitôt.

C'était un local enfumé occupant le fond de l'épicerie. Quelques consommateurs coiffés de chapeaux à large bord et visiblement amateurs de bière jouaient au billard. Le tapis vert faisait des plis et avait des reprises. La chaleur était étouffante.

Un bonhomme au crâne chauve, ruisselant de sueur et ceint d'un tablier qui avait sûrement dû être propre à une époque indéterminée, s'avança vers moi.

— Si c'est pour l'épicerie, elle est fermée.

— Je voudrais juste une bière. Avec un peu de fromage... c'est possible ?

— Si c'est que ça, ça peut aller. Combien que vous en voulez, de fromage ?

— Une demi-livre.

— Ça vous fera un demi-dollar, me dit-il quand il m'eut servi.

— Est-ce que Chantry Canyon est loin d'ici ? lui demandai-je après l'avoir réglé.

Il hocha le menton.

— Deuxième à gauche, à peu près à deux kilomètres. Vous faites six kilomètres et vous arrivez à un carrefour. Là, vous tournez encore à gauche, vous roulez pendant trois kilomètres et vous y êtes. Vous faites partie de la bande ?

— Quelle bande ?

— J'ai oublié comment qu'ils s'appellent. Les ceusses qui rafistolent la vieille maison pour en faire j'sais pas trop quelle communauté religieuse.

Il se tourna vers le fond de la salle.

— Eh ! Shérif ! Comment qu'ils s'appellent, déjà, ceux qu'ont acheté Chantry Canyon ?

L'un des joueurs posa sa queue de billard contre le mur et s'avança vers nous. Pas loin de la soixantaine, des bottes étincelantes, une moustache grise de style militaire et des yeux dont l'éclat rivalisait avec celui de l'étoile qui ornait sa poitrine.

— La Société d'Amour mutuel, me dit-il. C'est elle que vous cherchez ?

— Non, pas du tout. Je voudrais seulement voir Mildred Mead.

Je lui montrai ma licence.

— Mais elle n'est plus là, monsieur. Elle a vendu, il y a trois mois. Maintenant, elle est en Californie. Elle ne supportait plus la solitude, qu'elle m'a dit. Pourtant, elle avait des amis ici, que je lui ai répondu, et c'était la vérité. Mais rien à faire : elle voulait finir ses jours en Californie en famille, il n'y avait pas à sortir de là.

— Où ça, en Californie ?

— Ça, elle ne me l'a pas dit.

Le shérif avait soudain l'air mal à l'aise.

— Comment s'appellent les membres de sa famille ?

— Je ne sais pas.

— Ce sont des parents proches ?

— Mildred ne l'a pas précisé. Jamais elle ne causait de sa famille. C'est ce que j'ai déjà expliqué aux deux jeunes qui sont passés dans la journée.

— Un garçon et une fille dans une vieille Ford bleue ?

Il confirma d'un coup de menton.

— Oui, c'est ça. Vous êtes avec eux ?

— C'est-à-dire que j'aimerais les retrouver.

— Alors, vous les retrouverez sûrement au canyon. Ils sont partis pour s'y rendre à la tombée de la nuit.

Je les ai prévenus qu'ils risquaient de se faire mettre le grappin dessus par les autres illuminés. Je ne sais pas trop en quoi ils croient, ces gens-là, mais leur foi, c'est du béton. Il y en a un qui m'a dit qu'il avait fait don de tout ce qu'il possédait à la communauté. D'ailleurs, elle est pleine aux as, leur espèce de secte. C'est à se demander s'ils ne fabriquent pas de la fausse monnaie ! Je sais qu'ils ont versé plus de cent mille dollars à Mildred pour la maison. C'est vrai que ça comprenait toute la propriété, terres y comprises. Mais quand même... Alors, gardez l'œil sur votre portefeuille, si je peux me permettre de vous donner un conseil.

— J'y veillerai, shérif.

— A propos, mon nom, c'est Brotherton.

— Lew Archer.

Nous échangeâmes une poignée de main et quand je me dirigeai vers la porte, il me suivit. Dehors, la nuit était claire et fraîche, et ce fut avec volupté que je remplis mes poumons une fois sorti de cette salle enfumée. Nous restâmes quelques instants à contempler le ciel sans mot dire. Au fond, le shérif ne m'était pas antipathique malgré son côté faussement folklo.

Ce fut lui qui rompit le silence :

— Je ne voudrais pas être indiscret, monsieur Archer, mais j'ai comme qui dirait un faible pour Mildred. Je suis d'ailleurs loin d'être le seul. Elle a toujours été généreuse — avec son argent comme avec ses faveurs ! Peut-être même un peu trop... je ne sais pas. J'espère qu'elle n'a pas d'ennuis en Californie ?

— Je l'espère aussi.

— C'est une enquête qui vous amène ici ?

— En effet.

— Est-ce que je peux vous demander ce qu'elle a à voir avec l'affaire dont vous vous occupez ?

— A vrai dire, ce n'est pas pour la rencontrer que je suis venu. Ce sont le garçon et la fille à la Ford bleue qui m'intéressent. Ils ne sont pas repartis ?

— Je ne crois pas.

— Cette route est la seule qui mène à Chantry Canyon ?

— Non, il y en a une autre sur l'autre versant, celle qui passe par Tombstone. Mais je leur ai dit qu'elle était dangereuse, surtout de nuit. Ils sont à la recherche de quelque chose ?

— Je serai mieux à même de vous répondre quand je les aurai vus.

Le regard de Brotherton se durcit.

— Vous n'êtes pas très bavard, monsieur Archer.

— Ce sont les parents de la jeune fille qui m'ont engagé.

— Ah bon ? Je me suis justement demandé si elle n'était pas en train de faire une fugue.

— Ce serait trop dire. Mais j'espère la ramener chez elle.

Enfin, il me lâcha et je repris la route en suivant les indications du patron de l'épicerie. Elle me mena à l'entrée du canyon, à l'autre extrémité duquel brillaient les lumières de Copper City. Quelques bâtiments éclairés y étaient disséminés, dont le plus imposant était une vaste demeure en pierre au toit en pente recouvert de bardeaux et que prolongeait une large terrasse.

Une grille de fer coupait le chemin qui y conduisait. Lorsque je mis pied à terre pour aller l'ouvrir, j'entendis, venant de la terrasse, des voix qui psalmodiaient un chant bizarre dont le refrain parlait d'Armageddon et de fin du monde. On aurait dit le dernier hymne entonné par les passagers d'un navire en train de faire naufrage.

La vieille Ford bleue stationnait au bord de l'allée gravillonnée. De l'huile coulait de son moteur comme le sang d'une blessure. Comme je m'avançais, je vis soudain Fred surgir dans la lumière de mes phares. Il avait le visage en sang. Il ne me reconnut pas.

— Vous avez des ennuis ? lui demandai-je.

Ses lèvres tuméfiées s'entrouvrirent.

— Ouais. Ils ont gardé mon amie. Ils veulent la convertir.

L'hymne s'interrompit au milieu d'une phrase comme si le navire en détresse avait été subitement englouti par les flots. Le groupe des chanteurs venait dans notre direction. Un cri — de peur ? — retentit soudain, venant de la maison.

Fred leva vivement la tête.

— Vous avez entendu ? C'est elle !

J'étais sur le point de m'élancer pour prendre mon flingue dans la boîte à gants quand je me rappelai que ce n'était pas ma voiture que je conduisais, mais une voiture de location. Déjà, une demi-douzaine de barbus en salopette nous entouraient, Fred et moi. Un peu à l'écart du groupe, plusieurs femmes vêtues de jupes longues observaient la scène, le regard dur.

— Vous troublez notre service du soir, me dit d'une voix monocorde le plus âgé des hommes — il devait avoir la quarantaine.

— Vous m'en voyez navré, mais je viens chercher Mlle Biemeyer. Je suis détective privé et ses parents m'ont chargé de la ramener. Le shérif du comté sait que je suis ici.

— Nous ne reconnaissons pas son autorité. Ce domaine est un lieu saint, consacré par notre chef. La seule autorité devant laquelle nous nous inclinons est la voix des montagnes, du ciel et de nos consciences.

— Eh bien, dites à votre conscience de vous ordonner d'aller chercher votre chef.

— Je vous prie de vous montrer plus respectueux. Notre chef est occupé à célébrer une cérémonie importante.

Le même cri lointain s'éleva à nouveau. Fred et moi bondîmes en direction de la maison, mais les barbus se massèrent devant nous pour nous barrer le chemin. Alors, je reculai d'un pas et hurlai à pleins poumons :

— Eh ! Le chef ! Amenez-vous donc un peu !

Un homme aux cheveux blancs revêtu d'une robe noire apparut presque aussitôt sur la terrasse. Il s'avança, un sourire froid plaqué sur les lèvres.

— La bénédiction soit sur vous, dit-il à ses disciples qui s'écartaient pour le laisser passer. Qui êtes-vous ? poursuivit-il en me regardant. J'ai entendu les injures que vous avez proférées. A travers moi, c'est la Puissance que je représente que vous insultez.

A ces mots, l'une des femmes poussa un gémissement de terreur et d'adoration mêlées et, tombant à genoux, baisa la main du maître.

— Je viens chercher Mlle Biemeyer, dis-je à celui-ci. Je suis délégué par son père à qui cette maison appartenait autrefois.

— Autrefois, peut-être. Maintenant, c'est à moi qu'elle appartient. A *nous*, rectifia-t-il précipitamment. Votre intrusion constitue un viol de propriété privée.

Un murmure d'approbation monta du groupe des barbus.

— Ce domaine, nous l'avons payé de notre poche, intervint celui qui, tout à l'heure, s'était fait leur porte-parole. Il est le refuge de ceux qui ont besoin de paix. Nous ne voulons pas que cette terre d'asile soit profanée par les cohortes du démon.

— Nous nous retirerons quand Mlle Biemeyer nous aura rejoints.

— La malheureuse enfant a besoin de mon aide, rétorqua le chef. Elle se drogue. Elle est en train de se noyer. C'est la troisième fois qu'elle sombre.

— Je ne partirai pas sans elle.

Fred laissa échapper un semblant de sanglot qui trahissait tout à la fois sa frustration, sa peine et sa colère et s'exclama :

— Je leur ai tenu le même langage. Alors, ils me sont tombés dessus.

— Vous lui fournissiez sa drogue, répliqua le gourou. Elle me l'a dit. Il est de mon devoir de la guérir de cette habitude. Presque tous mes fidèles étaient naguère des drogués. Moi aussi, même si je n'étais pas toxicomane, j'étais jadis un pécheur.

— Eh bien, vous n'avez pas changé. A moins que vous ne considériez qu'enlever une jeune fille soit un acte méritoire !

— Elle est venue ici de son plein gré.

— Je le croirai quand elle me l'aura dit elle-même.

— Fort bien.

Il se tourna vers les adeptes.

— Qu'on les laisse passer.

Nous nous mîmes en marche en direction de la maison. Les barbus nous encadraient de si près, Fred et moi, que je pouvais sentir l'odeur d'espoirs déçus, de peurs empoisonnées et d'aisselles mal lavées qui émanait d'eux.

Mais nous n'eûmes pas le droit d'aller plus loin que la terrasse. La porte de la maison était ouverte et je vis que des travaux de réfection étaient en cours à l'intérieur. On était en train de transformer le hall central en dortoir. A la vue des couchettes superposées qui s'alignaient le long des murs, je me demandai combien le maître de la secte comptait rassembler de fidèles — et combien il leur faisait payer leur lit, leur salopette et leur salut.

On amena Doris devant le seuil et nous restâmes plantés l'un en face de l'autre. Elle était pâle et paraissait terrifiée, mais elle avait manifestement tous ses esprits.

— Je suis censée vous connaître ? me demanda-t-elle.

— Je m'appelle Archer. Nous nous sommes vus hier dans votre studio.

— Je regrette, mais je ne m'en souviens pas. Hier, je crois que j'étais en pleine défonce.

— Je le crois aussi, Doris. Comment vous sentez-vous, à présent ?

— Un peu dans les vapes. Je n'ai pratiquement pas dormi cette nuit pendant le voyage. Et depuis que nous avons mis les pieds ici, ils ne m'ont pas lâché les baskets un instant.

Elle bâilla bruyamment.

— Comment cela ?

— Ils n'arrêtent pas de dire des prières pour moi. Ils veulent que je reste avec eux. Gratuitement, en plus. Ne plus avoir un sou à payer pour moi... ça, mon père serait ravi, ajouta-t-elle avec un sourire morne.

— Je ne crois pas que votre père pense ça.

— On voit que vous ne le connaissez pas.

— Mais si, justement.

Son regard se fit méfiant.

— C'est lui qui vous a demandé de venir me chercher ?

— Non. Il s'agit d'une initiative personnelle, en quelque sorte. Mais votre mère prend tous les frais à sa charge. Elle veut que vous reveniez. Et votre père également.

— Ça m'étonnerait. Possible qu'ils le croient, mais, au fond, ils n'en ont pas vraiment envie.

— Moi si, Doris, dit Fred derrière mon dos.

— Peut-être que oui, peut-être que non. Et peut-être aussi que, moi, je n'ai aucune envie de rentrer.

Il y avait à la fois de la coquetterie et de l'hostilité dans le regard froid qu'elle décocha au jeune homme.

— D'ailleurs, ce n'est pas moi qui t'intéresse : c'est le tableau.

Fred se perdit dans la contemplation de ses chaussures.

Le grand chef vint s'interposer entre Doris et nous. Son expression était à la fois celle d'un mystique et celle d'un marchand à la sauvette. Ses mains étaient agitées de tremblements nerveux.

— Alors, vous me croyez, maintenant ? me demanda-t-il. Elle veut rester avec nous. Ses parents l'ont négligée et rejetée. Son ami est un faux ami. Elle sait qui sont les vrais. Elle veut vivre avec nous dans la fraternité de l'amour spirituel.

— C'est vrai, Doris ?

— Je crois, oui, répondit-elle avec une moue à demi dubitative. A tant faire, qu'est-ce que je risque à tenter le coup ? Je suis déjà venue ici, vous savez. Quand j'étais petite, mon père m'a amenée dans cette maison pour rendre visite à Mme Mead. Tous les deux, ils...

Elle s'interrompit net au milieu de sa phrase en mettant la main devant sa bouche.

— « Ils » quoi, Doris ?

— Rien. Je ne veux pas parler de mon père. Je veux rester avec eux pour qu'ils me remettent d'aplomb. Sur le plan spirituel, je suis malade.

Elle avait l'air de répéter comme un perroquet une leçon qu'on venait tout juste de lui fourrer dans la tête. Mais, hélas, le diagnostic semblait exact.

J'avais plus envie que jamais de l'arracher à cette confrérie. Les membres de la secte, le gourou, en particulier, m'étaient foncièrement antipathiques et je n'avais aucune confiance dans le jugement de Doris. Mais je n'étais pas en mesure de l'aider à conduire sa vie — même s'il était évident que la façon dont elle la menait de sa propre initiative avait abouti à l'échec.

— Bon. Mais rappelez-vous que vous pouvez toujours changer d'avis. Dans la minute qui vient si vous voulez.

— Je n'en ai pas envie. Pas dans l'immédiat, en tout cas. Pourquoi est-ce que j'en changerais, d'abord ? ajouta-t-elle sur un ton morne. Après tout, c'est la première fois depuis une semaine que je sais ce que je fais.

— Soyez bénie, mon enfant ! s'exclama le grand chef.

Il me dévisagea.

— Ne vous inquiétez pas : nous prendrons le plus grand soin d'elle.

Je l'aurais volontiers étranglé, mais j'aurais été bien avancé après ! Je regagnai la voiture. Je me sentais petit, très petit, comme écrasé par les montagnes qui me cernaient.

20

Je verrouillai la Ford et la laissai où elle était. Fred n'était visiblement pas en état de conduire, et même s'il en avait été capable, je ne l'aurais pas laissé prendre le volant dans la crainte de le voir me brûler la politesse. Il monta dans ma voiture comme un automate dont le mécanisme aurait eu besoin d'une bonne révision et s'assit, la tête ballante sur sa chemise tachée de sang.

— Où allons-nous ? demanda-t-il, sortant de sa léthargie, quand nous eûmes quitté la propriété.

— On redescend. On va trouver le shérif.

— Non !

Comme il faisait mine d'ouvrir la portière, je l'empoignai par le col et l'obligeai à se rasseoir au milieu de la banquette.

— Je n'ai pas l'intention de vous livrer à lui, Fred, lui dis-je pour le rassurer. A condition, du moins, que vous répondiez à quelques questions. J'ai fait une sacrée trotte pour vous les poser, vous savez.

— Moi aussi, j'ai fait un bon bout de chemin, dit-il au bout d'un instant.

— Pour quoi faire ?

Nouvelle pause.

— Pour poser, moi aussi, certaines questions à certaines personnes.

— Cessez de jouer à ce petit jeu, Fred. Doris m'a dit que vous avez volé le tableau à ses parents et vous l'avez reconnu vous-même.

— Je ne vous ai jamais dit que je l'avais volé.

— Vous l'avez pris sans en demander la permission aux Biemeyer. Je ne vois pas la différence.

— Je vous ai expliqué hier que je l'ai simplement emprunté dans l'intention d'essayer de l'authentifier. Je l'ai amené au musée pour le comparer aux Chantry qui font partie de son fonds. Je l'y ai laissé pour la nuit et c'est là qu'on l'a piqué.

— Parce que c'est au musée lui-même qu'il a été volé ?

— Oui. J'aurais dû le mettre sous clé, c'est vrai, au lieu de le laisser dans un simple casier. Mais je n'ai pas pensé que quelqu'un remarquerait qu'il était là.

— Et qui peut être ce quelqu'un ?

— Comment voulez-vous que je le sache ? Je n'en ai parlé à personne. Il faut que vous me croyiez.

Il tourna vers moi un visage défait.

— C'est la vérité, je ne mens pas.

— Alors, c'est hier que vous avez menti en prétendant que c'était de votre chambre que le tableau s'était envolé.

— Je me trompais. J'étais tellement bouleversé que j'avais complètement oublié que je l'avais déposé au musée.

— Et c'est là votre version définitive ?

— Mais c'est la vérité, je vous dis ! Je ne peux pas la changer.

Je n'en croyais pas un mot. Nous continuâmes de

rouler un moment dans un silence hostile, rompu seulement par les ululements d'une chouette qui nous suivait avec obstination.

— Pourquoi êtes-vous venu en Arizona, Fred ?

Il parut peser ses mots avant de répondre.

— Dans l'espoir de retrouver la trace du tableau.

— Celui des Biemeyer ?

— Oui.

Il baissa la tête.

— Qu'est-ce qui vous fait penser qu'il est maintenant en Arizona ?

— Je ne crois pas qu'il y soit. Enfin, c'est-à-dire que je ne sais pas s'il y est ou s'il n'y est pas. Ce que j'essaie de savoir, c'est qui l'a peint, voilà tout.

— Ce n'est pas Richard Chantry ?

— Si, je pense, mais je ne sais pas quand. Et je ne sais ni qui est Richard Chantry, ni où il se trouve. L'idée m'est venue que Mildred Mead pourrait peut-être éclairer ma lanterne. D'après M. Lasham, c'est elle qui a servi de modèle au peintre. Mais elle est partie, maintenant.

— Pour s'installer en Californie.

Il se redressa sur son siège.

— Où ça ?

— Je l'ignore. Mais on pourra peut-être nous renseigner ici.

Le shérif Brotherton attendait dans sa voiture devant le poste de police. Je me rangeai à côté d'elle et nous mîmes pied à terre tous les trois. Fred, qui se demandait anxieusement ce que j'allais raconter aux représentants de la loi, gardait les yeux rivés sur moi.

— Où est la jeune personne ? s'enquit Brotherton.

— Elle a décidé de rester là-haut avec les autres pour la nuit. Peut-être même pour plus longtemps.

— Espérons qu'elle sait ce qu'elle fait. Leur communauté compte aussi des femmes ?

— J'en ai vu quelques-unes. Je vous présente Fred Johnson, shérif.

Le shérif lui secoua la main en l'examinant attentivement.

— Vous avez été maltraité ?

— Il y en a un qui m'a flanqué son poing dans la figure. Je lui ai rendu la monnaie de sa pièce.

Cela avait l'air de le remplir de fierté.

— Ça n'a pas été plus loin.

Brotherton parut déçu.

— Vous ne voulez pas porter plainte ?

Fred me lança un coup d'œil interrogateur. Je demeurai imperturbable.

— Non, shérif.

— Réfléchissez quand même. Votre nez continue de saigner. Et puisque vous êtes là, autant que vous entriez. Mon collègue vous soignera.

Fred se dirigea vers le poste de police comme si, une fois qu'il y serait entré, il ne devait plus jamais en sortir.

Quand la porte se fut refermée derrière lui, je me tournai vers Brotherton.

— Mildred Mead... vous la connaissiez bien ?

Il garda quelques instants un visage de bois, puis ses yeux commencèrent à pétiller.

— Mieux que vous ne le pensez.

— Est-ce que ça veut dire ce que j'ai l'impression que ça veut dire ?

Il sourit.

— Oui. Elle a même été la première. Ça remonte maintenant à quelque chose comme quarante ans. Je n'étais encore qu'un gamin. C'est une grande faveur qu'elle m'a faite. Et depuis, on a toujours été amis.

— Mais vous ne savez pas où elle s'est retirée ?

— Non. Et je me fais du souci pour elle. Sa santé n'est pas tellement bonne et elle ne rajeunit pas. Il faut dire aussi que la vie ne l'a pas ménagée. Ça me plaît pas qu'elle soit là-bas toute seule.

Il me dévisagea longuement.

— Vous vous rendez demain en Californie ?

— Oui, j'en ai l'intention.

— Si vous pouviez faire un saut chez elle, histoire de voir comment elle se débrouille, vous me feriez plaisir.

— C'est que c'est grand, la Californie, shérif.

— Je sais bien. Mais je pourrais mener ma petite enquête pour savoir s'il n'y a pas des gens du coin à qui elle aurait peut-être fait signe.

— Je croyais qu'elle était allée rejoindre sa famille ?

— Oui, c'est ce qu'elle m'a dit avant son départ. Je ne savais pas qu'elle avait des parents, pas plus en Californie qu'ailleurs. A part William, son fils, évidemment.

Il avait tellement baissé la voix qu'on aurait dit qu'il se parlait à lui-même.

— Et William a été assassiné en 1943, enchaînai-je.

Le shérif balança un jet de salive par terre et s'abîma dans le silence. Du poste de police nous parvenaient des murmures de voix et on entendait au loin le ululement de la chouette semblable au ricanement cassé d'une vieille femme.

— Vous avez enquêté sur la vie de Mildred, finit-il par dire.

— Pas vraiment. Elle était le modèle du portrait qu'on m'a chargé de retrouver. Mais cette affaire en a déclenché d'autres. Plutôt dramatiques.

— Par exemple ?

— La disparition de Richard Chantry. Il s'est volatilisé en 1950, laissant derrière lui quelques peintures qui ont rendu son nom célèbre.

— Oui, je sais. Je l'ai connu enfant. Son père, Felix, était l'ingénieur en chef de la mine de Copper City. Richard est revenu ici après son mariage. Il vivait avec sa jeune femme là-haut, dans la montagne. C'est là qu'il a commencé à peindre. Ça remonte au début des années 40.

— Avant ou après l'assassinat de son demi-frère ?

Brotherton s'éloigna de quelques pas, puis revint devant moi.

— Comment savez-vous que William était le demi-frère de Richard ?

— Je l'ai appris comme ça... au hasard d'une conversation.

— Curieux hasard.

Il resta un instant parfaitement immobile.

— Vous ne soupçonnez quand même pas Richard Chantry de l'avoir tué ?

— Cette hypothèse ne m'était même pas venue à l'esprit, shérif. Ce matin encore, j'ignorais tout de la mort de William.

— En ce cas, pourquoi est-ce qu'elle vous intéresse tant ?

— Les morts violentes m'intéressent toujours. Un autre assassinat a eu lieu hier à Santa Teresa. Qui touche aussi la famille Chantry. Avez-vous entendu parler d'un certain Paul Grimes ?

— Je l'ai même bien connu. Richard Chantry était son élève. Il a vécu pas mal de temps avec lui et sa femme. Je n'ai jamais pensé grand bien de lui. Il a été en poste au lycée de Copper City jusqu'au moment où on l'a licencié. Après, il a épousé une métisse.

Il détourna la tête et cracha à nouveau par terre.

— Ça vous intéresse de savoir comment il a été assassiné ?

— Ce n'est pas mon affaire, répondit-il avec une hargne inattendue. Santa Teresa ne dépend pas de ma juridiction.

— Il a été frappé à mort par un instrument contondant. Tout comme William Mead si je suis bien informé. Voilà donc deux meurtres commis dans deux États différents à trente ans d'intervalle — mais selon la même technique.

— Des éléments aussi peu consistants ne peuvent vous mener nulle part.

— Eh bien, aidez-moi à leur donner de la consistance. Est-ce que Grimes habitait chez les Chantry à l'époque où William Mead a été assassiné ?

— C'est possible. Oui, je crois, en effet. C'était en 1943, pendant la guerre.

— Pourquoi Richard Chantry n'était-il pas sous les drapeaux ?

— Il était mobilisé sur place au titre d'affecté spécial pour s'occuper de l'entreprise familiale. Mais je serais étonné qu'il ait jamais mis les pieds à la mine. Il restait tranquillement chez lui avec sa jolie petite femme à peindre de jolis petits tableaux.

— Et William ?

— Il était à l'armée, lui. Un jour, il est venu en permission pour rendre visite à son frère. Il était en uniforme lorsqu'il a été tué.

— Est-ce que Richard a été interrogé par les enquêteurs ?

La réponse à ma question se fit attendre.

— Pas à ma connaissance, se décida-t-il finalement à dire — et je discernai une certaine gêne dans sa voix. A l'époque, je n'avais pas de fonctions de responsabilité, vous comprenez ? J'étais encore un tout jeune flic.

— Qui a mené les investigations ?

— Moi, en grande partie. C'est moi qui avais découvert le corps. Pas très loin d'ici, d'ailleurs.

Il pointa le doigt vers l'est en direction du désert.

— On ne l'a pas trouvé tout de suite et la mort remontait à plusieurs jours. La décomposition avait déjà commencé. Il ne restait plus grand-chose de son visage. On n'était même pas sûr qu'il n'était pas mort de mort naturelle. Il a fallu faire appel à un médecin légiste pour l'autopsier. Quand on a su que c'était bien un meurtre, il était trop tard pour faire quelque chose.

— Et si cela s'était passé différemment, qu'auriez-vous fait ?

A nouveau, il se figea sur place, les yeux fixes, comme s'il écoutait des voix lointaines, trop lointaines pour être audibles. Et quand il reprit enfin la parole, ce fut sur un ton aussi agressif qu'assuré :

— J'aurais agi exactement de la même façon. Je ne vois pas ce que vous essayez de prouver et je commence à me demander pourquoi je poursuis cette conversation.

— Parce que vous êtes un type honnête. Et que vous êtes inquiet.

— Moi ? Pourquoi voulez-vous que je sois inquiet ?

— A cause de Mildred Mead, d'abord. Vous craignez qu'il ne lui arrive quelque chose.

Il prit une profonde inspiration.

— Là, je dis pas le contraire.

— Et je crois que vous vous tracassez encore pour ce corps que vous avez retrouvé dans le désert.

Il me lança un regard aigu, mais ne fit pas de commentaire.

— Êtes-vous vraiment tout à fait certain que c'était bien celui de son fils... celui de William ?

— Absolument.

— Vous le connaissiez ?

— On ne peut pas dire. Mais il avait ses papiers sur lui et j'étais présent quand Mildred est venue l'identifier.

Il se tut.

— A-t-elle ramené la dépouille à Tucson ?

— C'était son intention, mais l'autorité militaire a estimé qu'il convenait que le corps revienne à sa veuve et il a été expédié en Californie dans un cercueil plombé. Jusque-là, on ne savait même pas que William Mead avait une femme. Il n'y avait pas très longtemps qu'il était marié. Il l'avait épousée après avoir été mobilisé. C'est, du moins, ce que m'a dit un ami à lui.

— Un ami d'ici ?

— Non, un camarade de régiment. Je ne me rappelle plus son nom — quelque chose comme Wilson ou Jackson. Ce qui est sûr, c'est qu'il avait beaucoup d'amitié pour Mead. Il a réussi à avoir une permission rien que pour venir ici me parler. Mais il ne m'a pas appris grand-chose, sinon que Mead était marié et avait un petit garçon en Californie. J'aurais bien voulu voir sa femme, mais le comté a refusé de me payer mes frais de voyage. Son copain n'a fait qu'un passage éclair. Il a rejoint son unité et je ne l'ai jamais revu. Il m'a quand même envoyé une carte postale après la guerre. Il était alors dans un hôpital militaire en Californie. Je n'ai rien pu faire d'autre.

C'était presque sur un ton d'excuse que Brotherton avait prononcé ces derniers mots.

— Je ne comprends pas pourquoi Richard Chantry n'a pas été interrogé.

— Ce n'est pas bien compliqué. Il avait quitté l'État au moment où le corps a été retrouvé. J'ai fait tout ce que j'ai pu pour qu'il soit convoqué — pas parce que j'avais des doutes sur son innocence, comprenez-moi bien : c'était juste une question de routine —, mais je me suis heurté à un mur. Les Chantry avaient encore beaucoup d'influence en haut lieu et on a fait en sorte que leur nom ne soit pas mêlé à l'affaire. On s'est même bien gardé ne serait-ce que de laisser entendre que Mildred Mead était la mère de William.

— Chantry père était-il encore en vie à l'époque ?

— Non. Il est mort en 1942.

— Qui lui avait succédé à la direction de la mine ?

— Un certain Biemeyer. Il n'avait pas officiellement le titre de directeur, mais c'était lui qui prenait les décisions.

— Et c'est lui qui est intervenu en haut lieu pour que Richard Chantry ne soit pas appelé à témoigner ?

— Ça, je n'en sais rien.

La voix de Brotherton n'avait plus la même intonation. Maintenant, il mentait — ou, du moins, il cherchait à dissimuler la vérité. Comme n'importe quel shérif de n'importe quel comté, les dettes politiques qu'il avait forcément contractées lui mettaient un bœuf sur la langue et il portait sa part de secrets inavouables.

Je brûlais d'envie de lui demander qui il cherchait à protéger, mais je n'en fis rien. Ici, j'étais un étranger, je ne connaissais pas les gens du pays ou, au mieux, je les comprenais mal. Il fallait éviter le moindre faux pas : je marchais sur la corde raide.

21

Le shérif inclinait légèrement la tête vers moi comme s'il écoutait mes pensées. Il avait un peu l'air inquiétant d'un faucon aux aguets.

— J'ai été franc avec vous, monsieur Archer, dit-il, mais vous ne m'avez pas rendu la pareille. Vous ne m'avez même pas dit pour qui vous travaillez.

— Pour Biemeyer.

Le large sourire qui lui fendit la figure révéla qu'il n'avait plus une seule dent dans la bouche.

— Vous vous fichez de moi ?

— Pas du tout. La jeune fille n'est autre que Mlle Biemeyer.

Il continuait de sourire, mais son sourire s'était soudain figé en une grimace où se lisaient à la fois la surprise et l'inquiétude. Mais il dut se rendre compte qu'il se découvrait car, comme un poing crispé qui se dénoue, son expression recouvra sa bonhomie première. Seuls ses yeux demeuraient hostiles et méfiants. Du pouce, il désigna les montagnes derrière lui.

— Celle qui est restée là-haut ?

— Oui.

— Est-ce que vous savez que Biemeyer est l'actionnaire majoritaire de la mine ?

— Il n'en fait pas secret.

— Mais pourquoi vous ne me l'avez pas dit plus tôt ?

C'était une question à laquelle il ne m'était pas facile de répondre. Je m'étais peut-être figuré que vivre, au moins pour un temps, dans un monde entièrement différent de celui de ses parents serait salutaire pour Doris. Mais ce monde-là appartenait aussi à Biemeyer.

— La mine est le plus gros employeur de la région, poursuivit le shérif.

— Alors, c'est parfait. Il n'y a qu'à embaucher la fille.

Il se raidit.

— Qu'est-ce que vous voulez dire par là ? Personne n'a jamais parler de la faire travailler.

— Ce n'était qu'une plaisanterie.

— Eh bien, elle n'est pas drôle. Bon, il faut la sortir de là avant que les choses ne se gâtent. Nous pourrons l'héberger pour cette nuit, ma femme et moi. Nous avons une chambre qui ne sert plus. Celle de notre fille. Vous venez ?

Après avoir confié Fred à la garde de son adjoint, il me fit monter dans sa voiture de service et se lança à l'assaut de la route en épingles à cheveux. Une lune ébréchée s'était levée derrière la montagne. Une fois arrivé à Chantry Canyon, il se rangea en bordure de l'allée derrière la vieille Ford bleue.

La vaste maison était plongée dans les ténèbres et le silence — un silence que seuls troublaient quelques ronflements et de vagues sanglots. Il s'avéra que c'était Doris qui pleurait ainsi. Elle vint à la porte dès que je l'eus appelée. Une chemise de nuit de flanelle l'enveloppait de la tête aux pieds — on aurait dit une tente. Elle avait le regard sombre et ses joues étaient trempées de larmes.

— Habillez-vous, ma mignonne, lui dit le shérif. On vous emmène.

— Mais je suis très bien ici.

— Vous changeriez vite d'avis si vous y restiez plus longtemps. Ce n'est pas un endroit pour une jeune fille comme vous, mademoiselle Biemeyer.

Doris se raidit et elle leva le menton.

— Vous n'avez pas le droit de m'obliger à partir.

Le gourou surgit soudain derrière elle, mais il se tint à distance et n'ouvrit pas la bouche. Il observait le shérif avec le détachement d'un spectateur qui voit passer le cortège funèbre d'un inconnu.

— Allons, allons, il ne faut pas le prendre sur ce ton, mademoiselle Biemeyer, dit Brotherton. Je sais ce que c'est. J'ai une fille, moi aussi. Tâter de l'aventure, tout le monde en a envie un jour ou l'autre. Mais il arrive un moment où la vie normale doit reprendre son cours.

— Je ne suis pas normale.

— Mais si, mais si, mon petit. Ne vous inquiétez pas. Vous avez seulement besoin de trouver le gentil garçon qu'il vous faut. Ma fille a fait comme vous, vous savez. Elle est partie un beau matin et elle a vécu pendant un an dans une communauté à Seattle. Et puis, elle est rentrée à la maison et elle a trouvé l'homme de sa vie. Maintenant, ils ont deux enfants et tout le monde est heureux.

— Des enfants, je n'en aurai jamais.

Cependant, elle alla s'habiller et suivit le shérif jusqu'à sa voiture. Comme je m'attardais, le gourou sortit sur la terrasse d'un pas hésitant. Ses yeux et ses cheveux blancs avaient un éclat presque phosphorescent au clair de lune.

— Elle aurait été la bienvenue parmi nous, me dit-il.

— Et à combien se serait élevée sa pension ?

— Chacun d'entre nous participe aux frais dans la mesure de ses possibilités. En ce qui me concerne, ma contribution est essentiellement spirituelle, mais certains de nos fidèles s'adonnent aux tâches les plus humbles pour subvenir aux besoins de la communauté.

— Où avez-vous étudié la théologie ?

— Ici et là... un peu partout. A Bénarès, à Camarillo, à Lompoc. Je n'ai pas de diplômes, je vous l'avoue, mais cela ne m'empêche nullement d'exercer efficacement mes fonctions de directeur de conscience. Je me crois capable d'apporter mon aide aux gens. J'aurais pu aider Mlle Biemeyer et je doute que le shérif puisse en dire autant.

Il tendit la main et ses doigts effilés m'effleurèrent le bras.

— Et je crois que je pourrais vous aider également.

— M'aider à faire quoi ?

— Peut-être à ne rien faire, justement.

Il écarta les bras d'un geste théâtral.

— Vous avez l'air d'un homme engagé dans un combat sans fin, dans une quête sans fin. Ne vous est-il jamais venu à l'esprit que vous êtes peut-être simplement à la recherche de vous-même ? Et que vous ne vous trouverez que dans la contemplation et le silence, le silence et la contemplation ?

Ses bras retombèrent le long de son corps.

Peut-être y avait-il une part de vrai là-dedans, mais tout en pesant le pour et le contre de sa suggestion, les yeux fixés sur les lumières de Copper City qui brillaient au loin, je m'interrogeai sur ce que j'allais y faire demain.

— Je n'ai pas d'argent.

— Moi non plus, répliqua-t-il. Mais nous en avons suffisamment pour tout le monde. L'argent est le dernier de nos soucis.

— Vous avez bien de la chance.

Il demeura insensible à l'ironie de ma réponse.

— Je suis heureux que vous vous en rendiez compte. Oui, très heureux.

— Mais comment avez-vous trouvé les fonds nécessaires à l'achat de cette propriété ?

— Certains de nos membres ont des revenus personnels.

Cette idée parut l'amuser : il sourit.

— Si faire un étalage ostentatoire des biens de ce monde ne fait pas partie de nos préoccupations, cette demeure n'est certainement pas un asile pour sans-abri. Bien sûr, elle n'est pas encore entièrement payée.

— Ça ne m'étonne pas. D'après ce que je sais, elle vous coûte plus de cent mille dollars.

Son sourire s'évanouit.

— Parce que vous enquêtez sur nous ?

— Maintenant que la jeune fille vous a tiré sa révérence, vous ne m'intéressez plus le moins du monde.

— Nous ne lui avons fait aucun mal, fit-il vivement.

— Je n'ai jamais prétendu le contraire.

— Mais je suppose que le shérif va maintenant nous chercher des poux dans la tête. Et cela simplement parce que nous avons donné asile à la fille de Biemeyer !

— J'espère qu'il n'en sera rien. Je pourrais lui en toucher un mot, si vous voulez.

— Je vous en serais infiniment reconnaissant.

Il poussa un profond soupir : il était visiblement soulagé par ma proposition.

— En contrepartie, ajoutai-je, il y a quelque chose que vous pourriez faire pour moi.

— Quoi donc ? demanda-t-il, toute sa méfiance revenue.

— M'aider à joindre Mildred Mead.

Il leva les mains au ciel.

— Je ne vois pas comment. Je n'ai pas son adresse.

— Pourtant, vous continuez à lui verser des mensualités régulières pour finir de payer la propriété, j'imagine ?

— Oui, mais pas à elle directement. Cela se passe par l'intermédiaire d'une banque. Elle, je ne l'ai pas revue depuis qu'elle est partie pour la Californie, il y a plusieurs mois de ça.

— Quelle est la banque qui gère son compte ?

— La succursale locale de la Southwestern Savings. Ils pourront vous dire que je ne suis pas un escroc. Parce que je n'en suis pas un, vous pouvez me croire.

Je le croyais — jusqu'à plus ample informé. Pourtant, il pratiquait le double langage. Côté pile, c'était un homme qui cherchait à prendre pied dans le royaume du spirituel. Et, côté face, il était en train d'acquérir une propriété terrienne tout ce qu'il y avait de matérielle avec l'argent d'autrui. De cette combinaison instable pouvait aussi bien sortir un escroc qu'un prédicateur radio à succès ou un tenancier de Fresno ayant charge des âmes de ses clients. Peut-être avait-il même déjà tâté un peu de tout ça.

Je décidai néanmoins de lui faire confiance — au moins, jusqu'à un certain point : je lui remis les clés de la Ford bleue au cas où Fred viendrait la chercher.

22

Nous regagnâmes notre point de départ — le poste de police, en l'occurrence. Fred était toujours là avec l'adjoint du shérif. Avec le sparadrap qu'il avait sur le nez et les bouts de coton qui lui sortaient des narines, on pouvait se demander si c'était un suspect maintenu en garde à vue ou un malade dans un dispensaire. En tout cas, il avait tout de l'éternel perdant.

Le shérif, qui, lui, arborait plutôt la mine d'un battant à la petite semaine, alla dans le bureau passer un coup de téléphone.

Quand, d'une voix aussi assurée que respectueuse, il eut pris avec son interlocuteur les dispositions voulues pour qu'un avion de la compagnie minière ramène Doris chez elle, il leva la tête et me tendit l'appareil, les yeux brillants et le feu aux joues.

— M. Biemeyer veut vous parler.

Moi, je n'en avais aucune envie, ni maintenant ni plus tard, mais je pris quand même le bigophone.

— Lew Archer. J'écoute.

— J'attendais de recevoir des nouvelles de vous, monsieur Archer. Après tout, c'est moi qui vous paie.

— Eh bien, ça y est, vous en avez, répondis-je en

m'abstenant de lui rappeler que c'était sa femme qui m'avait remis le chèque.

— Grâce au shérif Brotherton. Je connais vos méthodes, à vous autres privés. Vous laissez les vrais flics en uniforme faire le travail et, après, vous encaissez la monnaie.

Il s'en fallut de peu que je lui raccroche au nez. Mais je me rappelai à temps que l'affaire était loin d'être terminée. On n'avait toujours pas retrouvé le tableau et il restait encore deux meurtres non élucidés — celui de Paul Grimes et, maintenant, celui de William Mead.

— Il faut bien que tout le monde gagne sa vie. On a récupéré votre fille et elle est en bonne forme. Si j'ai bien compris, un de vos avions doit la ramener demain à Santa Teresa ?

— Oui, il décollera à la première heure. Je viens de mettre ça au point avec le shérif Brotherton.

— Il ne serait pas possible de retarder le départ jusqu'à la fin de la matinée ? J'ai encore une ou deux choses à faire à Copper City et je crois qu'il vaudrait mieux que votre fille ne voyage pas seule.

— Je ne tiens pas à retarder son départ. Ma femme et moi avons hâte de la retrouver.

— Je pourrais parler à Mme Biemeyer ?

— Je suppose.

Il manquait franchement d'enthousiasme.

— Elle est à côté de moi.

Il y eut des palabres indistinctes à l'autre bout du fil, puis la voix de Ruth Biemeyer retentit dans l'écouteur :

— Monsieur Archer ? Je suis si contente de vous entendre. Doris n'est pas en état d'arrestation, j'espère ?

— Non. Et Fred non plus. J'ai l'intention de prendre l'avion avec eux demain. Mais je crains qu'il ne me soit guère possible de quitter Copper City avant midi. Cela ne vous ennuie pas trop ?

— Non, pas du tout.

— Alors, c'est parfait. Merci. Et bonne nuit, madame Biemeyer.

Après avoir raccroché, j'annonçai au shérif que l'avion décollerait le lendemain à midi et que j'accompagnerais Doris et Fred. Il ne souleva pas la moindre objection. Grâce à ma conversation téléphonique, un peu du charisme biemeyerien avait déteint sur moi. Profitant de ses bonnes dispositions et fidèle à mes engagements, je lui dis quelques mots en faveur de l'ashram de Chantry Canyon et lui proposai de prendre Fred sous ma responsabilité. Il accepta et renouvela la promesse qu'il avait faite à Doris de l'héberger pour la nuit.

Nous prîmes, Fred et moi, une chambre pour deux personnes au motel. J'aurais eu bien besoin d'un verre, mais le bar-boutique était fermé et il n'y avait même pas moyen d'avoir une canette de bière. Je n'avais ni rasoir ni brosse à dents. Et j'étais mort de fatigue.

Fred s'était allongé sur son lit. Il me tournait le dos. De temps à autre, un hoquet lui échappait et, voyant ses épaules secouées de mouvements spasmodiques, je me rendis compte qu'il pleurait.

— Qu'est-ce qui ne va pas, Fred ? lui demandai-je.

— Comme si vous ne le saviez pas ! Ma carrière est foutue avant même d'avoir commencé. Je vais perdre mon boulot au musée et on va probablement m'envoyer en taule. Pas besoin d'être sorcier pour deviner la suite.

Le coton qu'il avait dans les narines rendait sa voix nasillarde.

— Vous avez un casier judiciaire ?

— Moi ? Jamais de la vie !

Ma question semblait véritablement le choquer.

— Je n'ai jamais eu d'histoires avec la justice.

— Alors, les choses devraient pouvoir s'arranger sans que vous fassiez de la prison.

— Vous croyez ?

Il se redressa et me dévisagea. Il avait les yeux rouges et gonflés.

— A moins que vous ne m'ayez caché quelque chose. Je ne comprends toujours pas pourquoi vous avez subtilisé ce tableau chez les Biemeyer.

— C'était pour l'examiner, je vous l'ai déjà dit. C'est Doris elle-même qui me l'a suggéré. Cela l'intéressait tout autant que moi.

— Mais qu'est-ce qui vous intéressait, au juste ?

— De savoir si c'était ou non un Chantry. Je me sentais tout à fait capable de l'expertiser. Et je voulais leur montrer que j'étais bon à quelque chose, ajouta-t-il d'une voix sourde.

Il s'était assis au bord du lit. Il avait dépassé le cap de la trentaine, mais faisait jeune pour son âge. Il avait encore quelque chose de l'adolescence et, si intelligent qu'il fût, il avait un côté jeune chien. Apparemment, la sinistre demeure d'Olive Street l'avait mal préparé à affronter la vie quotidienne.

Et puis, je me rappelai que je n'avais pas trop intérêt à croire les yeux fermés à sa petite histoire. Il avait lui-même reconnu qu'il avait menti.

— J'aimerais avoir votre opinion d'expert en ce qui concerne ce tableau.

— Je ne suis pas un véritable expert.

— Mais votre avis a néanmoins son poids. Vous qui avez étudié de près l'œuvre de Chantry, est-ce que vous pensez que c'est lui qui a peint ce portrait ?

— Oui, j'en suis convaincu. Mais pour des raisons qui ont besoin d'être précisées.

— Lesquelles ?

— Tout d'abord, cette toile n'est certainement pas vieille de vingt-cinq ans. La peinture est beaucoup trop fraîche. Elle date peut-être de cette année même. Et le style a changé, naturellement. Je crois que c'est bien celui de Chantry, mais épanoui. Seulement, je ne peux pas en mettre ma main au feu tant que je n'aurai pas vu d'autres spécimens de sa production tardive. Il est impossible d'édifier une théorie sur la base d'un unique tableau.

Son langage était apparemment celui d'un expert ou, tout au moins, d'un connaisseur. Il semblait sincère et, pour une fois, paraissait s'oublier lui-même. Je décidai de lui poser une question plus délicate.

— Pourquoi avez-vous commencé par dire qu'on avait volé le tableau dans votre chambre ?

— Je... je ne sais pas ce qui m'a pris.

Il avait baissé les yeux sur ses chaussures poussiéreuses.

— Sans doute parce que j'avais peur de mêler le musée à cette affaire.

— Comment ça ?

— Dame ! Ils m'auraient flanqué à la porte s'ils avaient su comment je me l'étais procuré. Maintenant, je vais me faire vider, c'est sûr. Je n'ai pas d'avenir.

— Tout le monde a un avenir, Fred.

Une formule qui manquait de conviction, même à mes propres oreilles. Il y avait des masses d'avenirs qui s'avéraient des désastres, et celui de Fred semblait bien relever de cette catégorie. C'était comme une épée de Damoclès sous laquelle il ployait déjà les épaules.

— Le pire, c'est d'avoir emmené Doris avec vous, repris-je.

— Je sais. Mais elle a absolument voulu venir.

— Pourquoi ?

— Pour voir Mildred Mead si jamais je la retrouvais. Mildred Mead a été à l'origine de presque toutes les complications où se débat la famille Biemeyer, vous savez, et j'ai pensé que mettre Doris en rapport avec elle pourrait être une bonne idée, vous comprenez ?

Oh oui ! Pour comprendre, je comprenais. Comme tant d'autres paumés, quelque chose poussait irrésistiblement Fred à tenter d'apporter de l'aide aux autres, quitte à leur faire plus de mal que de bien — même si c'était probablement lui qui avait d'abord et avant tout besoin d'être aidé. Fais gaffe à ne pas céder toi-même à la tentation de jouer les psys avec ce garçon, me dis-je. Regarde ta propre vie, mon petit vieux.

Mais je préférais n'en rien faire. C'était plus fort que moi : ceux qui m'intéressaient, c'étaient les autres, les hommes traqués qui se réfugient dans les garnis, ceux qui passent directement de l'enfance à la vieillesse sans jamais s'ancrer dans la maturité. Soigner autrui est encore le meilleur moyen d'oublier qu'on est soi-même malade. Comment peut-on être traqué si on est le chasseur ? Encore que...

— Doris traverse actuellement une sale période, reprit Fred. Je trouve normal d'essayer de l'aider à s'en sortir.

— En lui faisant faire ce long voyage à destination de nulle part ?

— Elle a voulu venir, je vous répète. Elle a insisté tant et plus. Et j'ai pensé que ça valait mieux pour elle que rester cloîtrée dans son appart à s'envoyer en l'air avec Dieu sait quelles cochonneries.

— Là, vous n'avez peut-être pas tort.

Je devinai l'ébauche d'un sourire dans l'ombre de sa moustache.

— Et puis, ici, ce n'est pas nulle part pour elle, enchaîna-t-il. Elle est née à Copper City et elle a passé la moitié de sa vie en Arizona. Dans ce bled, elle est chez elle.

— Comme retour aux sources, ce n'est pas très réussi.

— Le fait est. Elle a été terriblement déçue. De toute façon, on ne peut jamais retrouver son enfance. Thomas Wolfe a dit quelque chose comme ça.

Qui voudrait la retrouver ? me demandai-je en me remémorant la baraque à pignons où Fred demeurait avec son père et sa mère.

— Et vous ? Vous avez toujours vécu à Santa Teresa ?

— Nous habitions déjà Olive Street quand j'étais petit, répondit-il après un silence. En ce temps-là, la maison n'était pas encore partie à vau-l'eau comme c'est le cas maintenant. Ma mère l'entretenait autrement mieux — je l'aidais, d'ailleurs. Et nous avions des pensionnaires... des infirmières de l'hôpital, notamment.

On aurait dit, à l'entendre, que le fait d'avoir des pensionnaires tenait du privilège.

— Les choses ont changé à partir du moment où mon père est revenu du Canada.

— Qu'est-ce qu'il faisait au Canada ?

— Toutes sortes de boulots. Il a surtout vécu en

Colombie-Britannique. Il se plaisait, là-bas. Même à l'époque, je crois que ça ne marchait pas trop bien entre ma mère et lui, et j'ai compris depuis que c'était sans doute pour cette raison qu'il préférait s'éloigner d'elle. Mais, moi, j'en ai souffert. Je ne me rappelle pas avoir vu mon père avant l'âge de six ou sept ans.

— Quel âge avez-vous maintenant ?

— Trente-deux ans.

Il avait répondu du bout des lèvres.

— Vous avez eu largement le temps de guérir de ce traumatisme.

— Ce n'est pas du tout ça que je voulais dire ! s'exclama-t-il avec agacement, visiblement déçu par l'incompréhension dont je faisais preuve. Ce n'était pas pour me chercher des excuses que je faisais allusion à l'absence de mon père.

— Je n'ai jamais pensé cela.

— De toute façon, il a été un bon père... Enfin, au début lorsqu'il est revenu du Canada. Avant qu'il se mette à boire. Oui, je l'aimais beaucoup alors. Et je crois qu'il y a des moments où je l'aime encore malgré sa façon épouvantable de se conduire.

— C'est-à-dire ?

— Ses crises de colère, ses cris, ses menaces, ses scènes où il casse tout. Tout ce qu'il sait faire, maintenant, c'est de boire sa piquette dans un coin. Il n'est plus bon qu'à ça.

Sa voix avait pris un timbre aigu. On aurait dit le glapissement rageur d'une femme en colère, et je me demandai si, inconsciemment, il n'imitait pas celle de sa mère.

— Et qui la lui fournit, sa piquette ?

— Ma mère. Je ne sais pas pourquoi, mais c'est elle qui le ravitaille. Il y a des moments — à présent, sa voix s'était faite si basse que c'était à peine si je l'entendais —, il y a des moments où j'ai l'impression que c'est pour se venger qu'elle agit comme ça.

— Se venger de quoi ?

— De ce qu'il a ruiné leur vie — sa vie à lui et sa vie à elle. Parfois, quand il est saoul au point de ne plus pouvoir marcher ou presque, je l'ai vue l'observer comme si elle prenait plaisir au spectacle de sa dégradation. En même temps, elle se conduit comme si elle ne demandait pas mieux que de jouer les esclaves consentantes et de l'abreuver d'alcool. C'est une autre façon, une façon subtile, de se venger. Elle refuse de s'affirmer en face de lui.

Fred m'étonnait. Maintenant que, oubliant ses ennuis actuels, il avait pris du recul pour aller au fond des choses, il n'était plus le même. Il avait gagné en assurance. Je commençais à éprouver un semblant de respect pour lui. Et à espérer qu'il pouvait peut-être se comporter comme un homme.

— C'est une femme qui se tourmente, lui dis-je.

— Je sais. Lui aussi, il se ronge. C'est pour cela qu'entre eux ça ne peut pas marcher. Il est dommage qu'ils se soient rencontrés — dommage pour tous les deux. Je suis sûr qu'avant d'être la loque qu'il est devenu, mon père était quelqu'un de brillant. Intellectuellement parlant, ma mère n'est pas à sa hauteur, c'est évident, et je crois qu'elle en est consciente, mais ce n'est pas pour autant qu'elle est quantité négligeable. C'est une excellente infirmière et, en plus de son travail, elle s'occupe de son mari. Ce n'est pas rien.

— Elle fait son devoir comme la plupart des gens.

— Non, elle fait bien davantage. Elle m'a aidé tout au long de mes études. Je ne sais pas comment elle s'est débrouillée pour joindre les deux bouts.

— Elle n'a pas de revenus en dehors de son salaire ?

— Pas depuis que nous n'avons plus de locataires. Et ça fait un bon moment.

— J'ai appris hier qu'elle avait été mise à la porte de l'hôpital.

— Non, c'est faux. C'est elle qui a rendu son tablier.

Sa voix avait retrouvé son timbre aigu et perdu ses intonations viriles.

— La Paloma, une maison de repos, lui proposait une bien meilleure situation.

— Cela me paraît peu vraisemblable, Fred.

— C'est pourtant vrai.

La moustache en bataille, les yeux trop brillants, il se défendait comme un petit garçon.

— Vous n'allez quand même pas dire que ma mère est une menteuse !

— Chacun peut commettre des erreurs.

— Vous êtes en train d'en commettre une en la calomniant comme ça. Retirez immédiatement ce que vous avez dit.

— Qu'est-ce que j'ai dit ?

— Qu'elle fait du trafic de drogue.

— Je n'ai jamais dit ça, Fred.

— Mais c'était sous-entendu. Vous insinuez que l'hôpital l'a flanquée dehors parce qu'elle volait de la drogue pour la revendre.

— C'est ce dont on l'accuse ?

— Oui. Tous des menteurs et des salauds ! Jamais elle n'aurait fait une chose pareille. Ça a toujours été quelqu'un de bien, ma mère !

Il avait maintenant les larmes aux yeux.

— Ce n'est pas comme moi. Je n'avais pas les pieds sur terre. Je m'en rends compte, maintenant.

— Que voulez-vous dire ?

— Je rêvais, quoi. Je rêvais de faire un coup d'éclat pour qu'on parle de moi dans les milieux artistiques. Je pensais que si j'arrivais à entrer en contact avec Mildred Mead, elle pourrait m'aider à retrouver Richard Chantry. Mais tout ce que j'ai réussi à faire, c'est de passer pour un imbécile et d'attirer les pires ennuis à ma famille.

— Ce n'était pas une si mauvaise idée, Fred.

— Allons donc ! Je suis le roi des cons.

Sur ce, il me tourna le dos. Peu à peu, sa respiration changea de rythme et se ralentit. La mienne aussi. Juste avant de sombrer dans le sommeil, je songeai que je commençais à le trouver sympathique.

Je me réveillai en sursaut au beau milieu de la nuit avec l'impression d'être écrasé sous le poids d'une enclume. J'allumai. Les vieilles taches d'humidité qui marquaient les murs de la chambre étaient comme les traces indistinctes laissées par de mauvais rêves. Je n'essayai pas de les décrypter. J'éteignis la lampe et me rendormis, ma respiration à l'unisson de celle de mon fantasque pseudo-fils.

23

Le lendemain matin, lorsque je me levai, Fred dormait encore, un bras replié sur les yeux comme s'il redoutait la lumière du jour nouveau. J'appelai le shérif adjoint pour lui demander de garder l'œil sur lui avant de descendre, montai dans la voiture et pris la route de Copper City.

Je commençai par faire des frais : trois dollars pour me faire faire la barbe et une somme équivalente en échange d'un petit déjeuner format réduit avec, en prime, les renseignements nécessaires pour trouver le chemin de la Southwestern Savings.

La banque en question était installée dans un quartier commerçant qui ressemblait à un coin de Californie du Sud que le vent aurait emporté et déposé de l'autre côté du désert. L'énorme balafre de la mine de cuivre qu'elle portait au flanc semblait avoir pompé toute l'énergie de la petite ville au-dessus de laquelle l'épais nuage de fumée craché par la fonderie flottait comme un drapeau narquois.

L'écriteau apposé derrière la porte m'apprit que la banque n'ouvrait qu'à dix heures. Je jetai un coup d'œil à ma montre. Il n'était pas encore tout à fait neuf heures. Et il commençait déjà à faire rudement chaud.

Avisant une cabine téléphonique, j'allai consulter l'annuaire. Le nom de Paul Grimes n'y figurait pas, mais je trouvai en revanche le numéro personnel d'une Mme Paul Grimes et celui d'un magasin de fournitures pour peintres sous la rubrique Grimes Art & School Supplies.

Ce n'était pas bien loin : je m'y rendis à pied.

C'était une petite boutique située dans une rue latérale. Étroite et sombre, elle me fit penser à une caverne préhistorique, encore que les reproductions d'œuvres modernes dont ses murs étaient couverts fussent nettement moins vivantes que les fresques de Lascaux. Il n'y avait pas un chat.

Une femme émergea de la porte du fond. Elle aurait pu être la sœur de Paola. Aussi large d'épaules, elle avait la même poitrine opulente, le même teint basané, les mêmes pommettes proéminentes. Elle portait une blouse brodée et une longue jupe ample, avait les pieds nus dans ses sandales et un collier de perles au cou. Dans son visage qu'on aurait dit taillé par le ciseau d'un sculpteur, ses yeux noirs et vifs donnaient une impression de force tranquille.

— Je peux vous aider ? me demanda-t-elle.

— J'espère que oui. Je suis un ami de votre fille. Lew Archer.

— Ah oui ! Je vois. Paola m'a parlé de vous au téléphone. C'est vous qui avez découvert le corps de Paul, n'est-ce pas ?

— Oui, c'est moi.

— Et vous êtes détective privé, si je ne me trompe ?

— Effectivement.

Le regard qu'elle me décocha était dépourvu d'aménité.

— C'est pour ça que vous êtes ici ?

— C'est mon travail, que voulez-vous ?

— Et je fais partie des suspects ?

— Je l'ignore. Vous devriez ?

Elle secoua la tête.

— Il y a plus d'un an que je n'ai pas vu Paul. Nous sommes divorcés depuis pas mal de temps. Quand Paola a commencé à être une grande fille, il n'y avait plus de raisons pour que nous restions ensemble. Tout était fini depuis longtemps entre nous.

J'étais impressionné par sa façon directe de s'exprimer, mais elle dut se rendre compte qu'elle en avait déjà trop dit car elle porta vivement la main à sa bouche, ce qui me permit de constater qu'elle se rongeait les ongles.

Je m'en voulus de lui avoir fait peur et m'efforçai de la rassurer :

— Pour autant que je sache, personne ne vous soupçonne de quoi que ce soit.

— De toute façon, on aurait tort. Le seul mal que j'ai fait à Paul a été d'essayer de faire de lui un homme. Paola vous a peut-être tenu un autre langage — elle a toujours pris son parti. Mais j'ai toujours fait tout ce que j'ai pu pour lui, même après son départ. En réalité... en réalité, il n'aurait jamais dû se marier.

Derrière son impassibilité frémissaient toute son existence secrète, tous les souvenirs de sa vie de femme mariée.

— Était-il homosexuel ? lui demandai-je à brûle-pourpoint, me rappelant certains propos de Paola.

— Il était bisexuel. Je ne pense pas qu'il ait eu beaucoup d'aventures avec des hommes du temps où nous étions mariés, mais il a toujours aimé la compagnie des jeunes garçons. De ses élèves, notamment. Ce n'était d'ailleurs pas forcément un mal. Il adorait enseigner. Il m'a appris des tas de choses à moi aussi, ajouta-t-elle pensivement. En particulier, et ça a été le plus important, à parler correctement anglais, ce qui a changé ma vie. Mais quelque chose s'est détraqué dans la sienne. Peut-être à cause de moi. Il ne savait pas s'y prendre avec moi.

Elle eut un mouvement d'impatience.

— Il ne cessait de me répéter que c'était ma faute si, pour lui, les choses allaient de travers. Il avait peut-être raison.

Elle baissa la tête et ses poings se crispèrent.

— J'avais mauvais caractère. Je me bagarrais avec lui — je le frappais, même. Ce qui ne m'empêchait pourtant pas de l'aimer. Beaucoup, même. Mais lui ne m'aimait pas vraiment. En tout cas, il a cessé de m'aimer lorsque j'ai cessé d'être son élève pour devenir sa femme.

— Qui aimait-il ?

— Paola, répondit-elle après un instant de réflexion. Oui, il l'aimait réellement — ce qui n'a pas toujours été un bien pour elle. Et il aimait aussi certains de ses élèves.

— Dont Richard Chantry ?

Son regard parut se perdre très loin dans le passé. Elle hocha imperceptiblement la tête.

— Oui, il aimait Richard Chantry.

— Étaient-ils amants au sens physique du terme ?

— Oui, je crois. C'était aussi l'opinion de la femme de Richard. Elle envisageait même de demander le divorce.

— Comment le savez-vous ?

— Quand Paul a quitté le domicile conjugal pour s'installer chez eux, elle est venue me voir. Elle voulait que je fasse quelque chose pour casser leur relation — c'est, du moins, ainsi qu'elle m'a présenté les choses. En y réfléchissant aujourd'hui, je crois qu'elle essayait de faire de moi un témoin contre son mari au cas où ils en viendraient à se séparer. Mais je ne lui ai rien dit.

— Où cette conversation a-t-elle eu lieu ?

— Ici même.

De ses orteils nus, et avec un mouvement du corps peut-être inconsciemment sensuel, elle tapota le plancher.

— Et quand cela ?

— Ce devait être en 1943... oui, au début de l'été 43. Nous venions d'ouvrir le magasin. Paul avait emprunté une grosse somme à Richard pour l'aménager et constituer le stock. Il était censé le rembourser en leçons, mais Richard n'a jamais revu la couleur de son argent. Sa femme et lui sont partis avant la fin de l'été pour la Californie où ils se sont installés définitivement.

Un brusque éclat de rire fit s'entrechoquer ses colliers de perles.

— Si jamais j'ai vu une manœuvre désespérée, c'est bien celle-là !

— Qu'est-ce qui vous fait dire cela ?

— Je suis persuadée que c'était son idée à elle. Une idée qui lui est venue d'un coup, et elle est passée à l'acte pratiquement du jour au lendemain. Il fallait absolument qu'elle trouve un moyen d'arracher Richard à l'influence de mon mari ; quitter l'Arizona était la meilleure solution. Je dois avouer que j'étais bien contente que ces deux oiseaux se soient envolés.

Elle haussa les épaules et écarta les bras dans un geste de soulagement.

— Et ils se sont finalement retrouvés tous les deux à Santa Teresa. Je me demande pourquoi. Et je me demande aussi pourquoi votre ex-mari et Paola sont partis cette année pour Santa Teresa.

Elle leva à nouveau les bras au ciel, mais, cette fois, c'était apparemment pour dire qu'elle était incapable de répondre à ma question.

— Je ne savais même pas qu'ils y allaient. Ils ne m'ont rien dit. Ils sont partis, c'est tout.

— Croyez-vous que Richard Chantry ait été pour quelque chose dans cette décision ?

— Tout est possible, bien sûr. Mais, à mon avis — et il y a longtemps que je le pense —, Richard Chantry est mort.

— Assassiné ?

— Cela se peut. Ce sont des choses qui arrivent dans les milieux homosexuels — ou bisexuels... je ne sais pas ce qu'il est — ou était — au juste. Ces gens-là, j'en vois pas mal en raison même de mon travail. Certains se mettent dans des situations telles que c'est presque à croire qu'ils ont envie de se faire tuer. Ou ils finissent par se suicider. C'est peut-être aussi ce qu'a fait Richard Chantry. A moins, sait-on jamais, qu'il ait trouvé l'âme sœur et qu'il file le parfait amour avec elle à Alger ou à Tahiti.

Elle sourit. Un sourire totalement dépourvu de chaleur, mais qui me permit de remarquer qu'il lui manquait une molaire, et je me dis que cette femme était un peu délabrée, aussi bien physiquement qu'émotionnellement.

— Votre mari était-il du genre à se mettre dans des situations... délicates ?

— Pourquoi pas ? Après tout, il a fait trois ans de prison — vous ne le saviez pas ? En plus de tout le reste, il était accro à l'héroïne.

— Oui, ça, je le savais. Mais on m'a dit aussi qu'il avait subi une cure de désintoxication et qu'il était guéri.

Elle s'abstint de répondre à ma question indirecte et je n'insistai pas. Grimes n'était pas mort d'une overdose. On l'avait roué de coups. Comme William Mead.

— Est-ce que vous avez connu William, le demi-frère de Richard Chantry, madame Grimes ?

— Oui, je l'ai connu par sa mère, Mildred Mead. Elle était modèle et c'était à ce titre une célébrité locale.

Ses paupières se plissèrent comme si quelque chose d'inattendu lui revenait à la mémoire.

— Vous saviez qu'elle s'était installée en Californie, elle aussi ?

— Où exactement ?

— A Santa Teresa. Elle m'a envoyé une carte de là-bas.

— Est-ce que, par hasard, elle parlait de Jack Biemeyer dans cette carte ? Il habite également à Santa Teresa.

Elle fronça les sourcils.

— Non, il ne me semble pas. Pour autant que je m'en souvienne, elle ne mentionnait le nom de personne.

— Mildred Mead et lui sont toujours amis ?

— Cela m'étonnerait. Comme vous le savez sans doute, il avait hérité Mildred de Chantry père. Felix l'avait installée dans une maison qu'il possédait dans les montagnes et il a vécu des années avec elle. Mais je crois qu'il avait rompu bien avant de prendre sa retraite. Mildred était passablement plus âgée que Jack Biemeyer. Longtemps, elle n'a pas fait son âge, mais ce n'est plus le cas maintenant. C'est, du moins, ce qu'elle laisse clairement entendre dans cette carte.

— Vous y donnait-elle son adresse ?

— Elle était descendue dans un motel de Santa Teresa, mais elle disait qu'elle cherchait un appartement.

— Quel est le nom de ce motel ?

Elle réfléchit quelques instants.

— Je suis désolée, je ne me rappelle pas. Mais il est imprimé sur la carte. Attendez, je vais voir si je la retrouve.

24

Elle alla dans son bureau dans l'arrière-boutique et ne tarda pas à en ressortir en brandissant une carte postale. On y voyait une photo en couleurs de Siesta Village, l'un des tout nouveaux motels construits sur le front de mer à Santa Teresa. Au dos, à côté du nom et de l'adresse de Juanita Grimes, une main mal assurée avait écrit :

> Chère Nita,
>
> C'est ici que je séjourne en attendant de trouver quelque chose de mieux. Il y a du brouillard et c'est un temps qui ne me convient guère. En vérité, je ne me sens pas dans mon assiette. Le climat de la Californie n'est pas ce qu'on prétend. Ne le répétez pas, mais je cherche une maison de repos où je pourrais passer quelque temps jusqu'à ce que je sois à nouveau sur pied. Mais ne vous faites pas de souci pour moi — j'ai heureusement des amis ici.
>
> Mildred

Je rendis la carte à Mme Grimes.

— On dirait qu'elle n'est pas très en forme.

Elle secoua la tête, moins, peut-être, pour m'opposer un démenti que pour chasser cette idée de son esprit.

— Se plaindre de sa santé n'est pourtant pas son genre. Elle a toujours été solide comme un roc. Il est vrai qu'elle doit avoir plus de soixante-dix ans, à présent.

— Quand avez-vous reçu cette carte ?

— Cela doit faire deux mois. Je lui ai aussitôt écrit à son motel, mais ma lettre est restée sans réponse.

— Savez-vous qui sont ces amis auxquels elle fait allusion ?

— Non, je ne vois pas. Mildred était extrêmement discrète pour ce qui était de ses relations. Sa vie privée a toujours été très... remuante — et c'est un euphémisme. Mais la jeunesse n'a qu'un temps, n'est-ce pas ?

Elle abaissa les yeux et caressa du regard ses formes généreuses.

— Elle a eu pas mal d'ennuis en son temps. Il faut bien reconnaître qu'elle n'a jamais fait beaucoup d'efforts pour les éviter. C'était une force de la nature, cette femme.

— Vous étiez amies toutes les deux ?

— Autant qu'une femme pouvait être amie avec elle. Elle n'était pas... elle n'est pas femme à se lier vraiment d'amitié avec une autre femme. Elle n'aime que les hommes, même si elle ne s'est jamais mariée.

— Oui, c'est ce que j'ai cru comprendre. William était un enfant naturel, n'est-ce pas ?

Elle confirma d'un coup de menton.

— Elle a eu une longue liaison avec Felix Chantry, l'homme qui a commencé l'exploitation de la mine de cuivre. C'était lui le père.

— William... vous le connaissiez bien, madame Grimes ?

— Certainement. Nous le voyions souvent, mon mari et moi. C'était même déjà un peintre prometteur, lui aussi. Paul disait qu'il était plus doué que Richard, son frère. Mais il n'a pas eu le temps de développer son talent. D'abord, il a dû partir pour l'armée. Et puis, en 43, il s'est fait assassiner. Le meurtre a eu lieu au cours de l'été.

— L'été où Richard et sa femme sont partis pour la Californie ?

— Le même été, oui, répéta-t-elle d'une voix solennelle. Un été que je n'oublierai jamais. Mildred vivait alors à Tucson avec un peintre, et il a fallu qu'elle fasse le voyage pour identifier le corps de ce pauvre William. De la morgue, elle est venue directement à la maison où elle a passé la nuit. A l'époque, elle n'avait que quarante ans. Elle était alors en pleine forme, éclatante de santé, mais la mort de son fils lui avait porté un coup terrible. C'est une vieille femme que j'ai vue arriver chez moi. Nous nous sommes assises dans la cuisine et nous avons pratiquement vidé une bouteille de bourbon à nous deux. Mildred avait généralement la langue bien pendue, mais, ce soir-là, elle n'a pour ainsi dire pas ouvert la bouche. Elle était au bout du rouleau. William était son seul enfant et elle l'adorait, vous comprenez ?

— Suspectait-elle quelqu'un d'être son assassin ?

— Non, je ne crois pas. En tout cas, elle ne m'a jamais fait part d'éventuels soupçons. Le mystère est demeuré entier.

— Et vous, madame Grimes, vous n'avez pas eu une petite idée ?

— J'ai tout de suite pensé que c'était un de ces

crimes insensés qui arrivent parfois, et je n'ai pas changé d'avis. Le malheureux William devait faire de l'auto-stop et il est probablement tombé sur des crapules qui l'ont tué pour lui faire les poches.

Elle me scruta d'un regard intense.

— Vous n'avez pas l'air de croire que les choses se sont passées comme ça.

— C'est une hypothèse plausible, je ne dis pas, mais elle me paraît trop simple. Il est possible que William ait fait du stop et qu'il soit effectivement tombé sur des canailles. Mais si tel est le cas, je doute que c'étaient pour lui des inconnus.

— Vraiment ? Alors, selon vous, il aurait été tué de propos délibéré par quelqu'un qu'il connaissait ? Sur quoi fondez-vous pareille théorie ?

— Essentiellement sur deux éléments. Tout d'abord, en parlant avec les autorités locales, j'ai eu l'impression que... que mes interlocuteurs en savaient plus long qu'ils le prétendaient, que les enquêteurs qui se sont occupés de l'affaire s'étaient plus ou moins délibérément abstenus d'aller au fond des choses. C'est vague, je sais, et la seconde raison est plus vague encore. Et pourtant, je lui accorde beaucoup de poids. J'ai eu l'occasion de travailler sur des dizaines et des dizaines d'affaires criminelles, dont beaucoup se soldaient par des crimes multiples. Or, dans la plupart des cas, ces meurtres étaient liés entre eux d'une manière ou d'une autre. En fait, on constate que plus on creuse une affaire de meurtres en série impliquant des personnes qui se connaissent, plus le lien qui les rattache est patent.

Elle ne me quittait pas des yeux. On aurait dit qu'elle essayait de lire mes pensées.

— Vous voulez dire que le meurtre de Paul aurait

un rapport avec celui de William Mead, survenu en 1943 ?

— Oui, c'est l'idée générale.

— Mais quel serait ce rapport ?

— Je ne peux pas vous répondre de façon précise.

— Ils auraient été tués tous les deux par la même personne, c'est ça ?

En dépit de son âge, elle avait l'air d'une fillette qui se fait peur en se racontant des histoires d'épouvante dont la fin serait encore plus effrayante.

— Et qui pensez-vous que ce soit ?

— Je ne veux pas vous influencer. Vous connaissez apparemment tous les suspects possibles.

— Parce qu'il y en aurait plusieurs ?

— Deux ou trois.

— Qui ?

— C'est une question à laquelle j'aimerais que vous répondiez vous-même, madame Grimes. Vous êtes une femme intelligente. Vous avez probablement connu tous les gens mêlés à l'affaire et vous en savez plus long sur eux que je n'en saurai jamais moi-même.

Sa respiration s'était accélérée. Manifestement, elle se piquait au jeu et l'idée de pouvoir peut-être jouer un rôle dans cette histoire l'excitait. Mais elle hésitait encore à m'ouvrir son cœur.

— Est-ce que mon nom risque d'être cité ?

— Pas par moi, en tout cas.

— Bon. Alors, je suis en mesure de vous dire une chose dont bien peu de gens ont eu connaissance. C'est quelque chose que m'a confié Mildred Mead.

— Le fameux soir où vous avez fait un sort à cette bouteille de bourbon ?

— Non, avant, peu de temps après que son fils eut

été mobilisé. Ce devait être en 1942. Elle m'a raconté que William avait mis une fille enceinte et qu'il avait été obligé de l'épouser. Mais, en réalité, il était amoureux de la femme de Richard Chantry. Qui, de son côté, était amoureuse de lui.

— Que voulez-vous dire au juste ? Que Richard a tué William ?

— Qu'il avait, au moins, un motif.

— Mais ne m'avez-vous pas dit vous-même que Richard Chantry était homosexuel ?

— Bisexuel. Comme Paul.

— Et vous pensez qu'il a tué aussi votre mari ?

— Je ne sais pas. C'est possible.

Elle regarda la rue déserte et ensoleillée par la vitrine à laquelle je tournais le dos.

— Personne ne semble savoir où est Richard, ni ce qu'il fait. La seule chose que l'on sait, c'est qu'il est parti depuis vingt-cinq ans.

— Et où est-il allé ? Avez-vous une idée, madame Grimes ?

— Oui, j'en ai une. Elle m'est venue quand j'ai appris l'assassinat de Paul. Je me suis alors demandé si Richard ne se cachait pas à Santa Teresa. Si Paul ne l'y avait pas découvert et s'il ne l'avait pas tué pour qu'il ne parle pas.

Elle secoua la tête d'un air dolent.

— C'est affreux d'avoir des idées pareilles, mais je n'y peux rien.

— Figurez-vous que les mêmes me sont aussi venues à l'esprit. Et qu'en pense votre fille ? Vous m'avez dit que vous l'avez eue au téléphone.

Elle se mordilla la lèvre et détourna son regard.

— Je dois vous avouer que je l'ignore. Nous avons des rapports difficiles, Paola et moi. Vous a-t-elle parlé, à vous ?

— Peu après le meurtre, oui. Elle m'a paru être plus ou moins en état de choc.

— Je crains qu'elle ne soit pas encore remise. Auriez-vous la gentillesse de passer la voir quand vous serez de retour à Santa Teresa ?

— C'était mon intention.

— Alors, peut-être pourriez-vous lui remettre un peu d'argent de ma part ? Elle m'a dit qu'elle n'avait plus un sou.

— Ce sera avec plaisir. Où pourrais-je la trouver ?

— Elle a loué une chambre à l'hôtel Monte-Cristo.

— Parfait.

Elle prit dans la caisse deux billets de vingt dollars et un de dix.

— Cela devrait lui suffire pour deux ou trois jours.

Il était grand temps que je prenne congé pour passer à la Southwestern Savings.

La banque avait maintenant ouvert ses portes. J'entrai et, après avoir jeté un coup d'œil rapide autour de moi, je jetai mon dévolu sur une jeune femme brune à l'air déluré et me dirigeai vers elle. La plaque posée sur son bureau m'apprit qu'elle s'appelait Conchita Alvarez.

— Je suis à la recherche d'une amie, lui dis-je après m'être présenté, et je crois savoir qu'elle a un compte chez vous. Elle se nomme Mildred Mead.

Conchita Alvarez commença par me lancer un regard acéré. Elle dut sans doute conclure de son inspection que je ne nourrissais pas de noirs desseins, car elle hocha affirmativement la tête.

— Oui, c'était une de nos clientes, en effet. Mais elle ne demeure plus ici. Elle réside maintenant en Californie.

— A Santa Teresa, peut-être ? Elle parlait souvent de s'y installer.

— Eh bien, elle est passée à l'acte.

— Est-ce que vous pourriez me donner son adresse ? Il se trouve que je dois justement me rendre à Santa Teresa. Mme Biemeyer a eu la gentillesse de mettre un des avions de la compagnie à ma disposition.

— Je vais voir si je la trouve, dit Mme Alvarez en se levant.

Elle disparut par une porte. Quand elle revint quelques minutes plus tard, elle avait l'air désappointé.

— La seule adresse que j'ai est celle d'un motel, le Siesta Village. Mais elle date de deux mois.

— C'est là que vous lui adressiez le montant de ses créances ?

— Non. J'ai vérifié. Elle s'est fait ouvrir une boîte postale.

Elle jeta un coup d'œil au papier qu'elle avait à la main.

— Poste centrale de Santa Teresa, B.P. 121.

Je sautai dans ma voiture et filai à l'aéroport. Le jet de la compagnie minière était prêt à décoller. Fred et Doris étaient à bord, la jeune fille assise derrière le cockpit et son compagnon tout au fond de la cabine. Ils avaient l'attitude de deux étrangers — sans doute à cause de la présence du shérif qui montait la garde devant la porte.

Il parut soulagé de me voir.

— J'avais peur que vous ne ratiez le départ et qu'il me faille faire le voyage à votre place.

— Vous n'avez pas eu de problèmes ?

— Non.

Il décocha un coup d'œil sévère à Fred qui regarda ailleurs.

— Mais je me méfie de tout ce qui n'a pas quarante ans.

— Alors, je crois malheureusement pouvoir mériter votre confiance.

— Ouais... Vous ne devez pas être tellement loin de la cinquantaine, hein ? Moi, je fêterai mes soixante balais l'année prochaine. Je n'aurais jamais cru ça possible, mais je commence à avoir hâte de prendre ma retraite. Qu'est-ce que vous voulez ? Le monde change, c'est comme ça.

Oui, le monde changeait — pas assez vite à mon goût. L'argent continuait à parler haut et fort. Quand il ne servait pas à acheter le silence des uns ou des autres.

25

Le jet s'éleva rapidement dans le ciel limpide. Je voyais à ma gauche se déployer interminablement les savanes desséchées du Mexique tandis qu'à ma droite s'éloignait lentement le pic de dix mille pieds qui domine Tucson.

Fred, assis à côté de moi, les yeux obstinément fixés sur le hublot, regardait défiler le paysage. Devant nous, Doris, apparemment plongée dans ses pensées, faisait mine de nous ignorer. Bientôt la sierra surgit à l'horizon. Fred en considérait les sommets comme si c'étaient les murs de sa future prison. Il se tourna enfin vers moi.

— Que croyez-vous qu'ils vont faire de moi ?

— Je ne sais pas. Cela dépendra de deux choses. D'abord, il faudra que le tableau soit retrouvé. Et, ensuite, que vous vous décidiez à me dire toute la vérité.

— Je vous ai tout raconté hier.

— Tout bien réfléchi, je me demande si c'est bien vrai. J'ai l'impression que vous avez omis certains détails importants.

— Si c'est votre opinion...

— N'est-ce pas aussi la vôtre ?

Il se détourna à nouveau pour se perdre dans la contemplation de ce monde ensoleillé où il avait trouvé une évasion un jour ou deux. C'était comme si l'appareil qui prenait de l'altitude pour franchir la sierra le ramenait vers son propre passé.

— Qu'est-ce qui vous a poussé à vous intéresser ainsi à Mildred Mead ? lui demandai-je.

— Rien. Je ne m'étais jamais intéressé à elle jusque-là. Avant que M. Lashman me parle d'elle, hier, je ne savais même pas qui c'était.

— Et vous ne saviez pas non plus qu'elle avait quitté Copper City depuis quelques mois pour se fixer à Santa Teresa ?

Il me regarda droit dans les yeux. Il aurait eu besoin d'un sérieux coup de rasoir. Sa barbe de deux jours le vieillissait et lui donnait l'air un peu sournois. Pourtant, sa surprise paraissait sincère.

— Absolument pas. Qu'est-ce qu'elle fait là-bas ?

— Elle cherche un endroit où se retirer, à ce qu'il semble. C'est une vieille dame, vous savez. Une vieille dame malade.

— Je ne savais pas. Je vous répète encore une fois que je ne sais rien d'elle.

— En ce cas, qu'est-ce qui vous a fait vous passionner pour le tableau des Biemeyer ?

Il secoua la tête.

— Que voulez-vous que je vous dise ? L'œuvre de Chantry m'a toujours fasciné. S'intéresser à la peinture n'est tout de même pas un crime, non ?

— Non, tant que cela ne conduit pas à voler des tableaux.

— Mais je n'ai jamais eu l'idée de voler ce portrait ! Je l'ai simplement emprunté dans l'intention de le rendre le lendemain.

— C'est vrai, dit alors Doris qui s'était tournée vers nous et nous observait, à genoux sur son fauteuil, les bras croisés sur le dossier. Fred m'a dit qu'il ne faisait que l'emprunter. Il ne l'aurait pas fait s'il avait vraiment voulu le voler, non ?

A moins qu'il ne soit plus rusé qu'il n'en a l'air, pensai-je.

— Oui, cela ne semblerait pas avoir de sens, en effet. Mais presque tout finit par en avoir un une fois qu'on a tous les tenants et les aboutissants en main.

Elle me dévisagea longuement.

— Parce que vous croyez réellement que tout a un sens, vous ?

— En tout cas, c'est à partir de ce principe que je travaille.

Elle eut un regard mi-railleur mi-apitoyé et sourit. C'était la première fois que je la voyais sourire.

— Ça vous ennuierait si je m'asseyais à côté de Fred ? me demanda-t-elle.

Un sourire timide se dessina sous la moustache de ce dernier tandis qu'il rougissait de plaisir.

— Bien sûr que non.

Je changeai de place avec elle et fis semblant de m'endormir pour écouter leur conversation. Mais le bourdonnement du moteur couvrait leur voix et, n'importe comment, ils parlaient trop bas pour que je puisse entendre ce qu'ils disaient, et je finis par m'assoupir pour de vrai.

Quand je me réveillai, nous survolions l'océan. L'appareil avait entamé sa manœuvre d'approche et, quelques minutes plus tard, il se posa sur la piste avec une légère secousse. Nous étions arrivés.

Jack Biemeyer nous attendait devant la porte du terminal en compagnie de sa femme, qui se précipita à notre rencontre dès que nous eûmes débarqué.

— Comme je suis heureuse que tu sois là, dit-elle en serrant dans ses bras la jeune fille qui me jeta un coup d'œil embarrassé par-dessus son épaule — on aurait dit une prisonnière qui regarde de l'autre côté de l'enceinte du pénitencier.

Biemeyer, lui, commença par apostropher Fred. Calmement, d'abord. Puis il se mit à vociférer, l'accusant de viol entre autres crimes et lui promettant qu'il passerait le reste de ses jours en prison. Le jeune homme, au bord des larmes, se mordillait la moustache. Déjà, des gens s'attroupaient, alertés par cette scène.

Craignant que les choses ne dégénèrent et que Biemeyer, emporté par la colère, ne se laisse aller à frapper Fred — ou que ce ne soit Fred qui, cédant à la panique, lui rentre dans le lard le premier —, je pris le garçon par le bras et l'entraînai en direction du parking. Mais avant que nous y fussions arrivés, une voiture de police s'arrêta à notre hauteur. Deux hommes en descendirent et l'appréhendèrent.

La famille Biemeyer émergea de l'aérogare juste à temps pour voir les policiers l'embarquer. Comme pour les imiter, Biemeyer empoigna sa fille par le coude et la catapulta sur le siège de sa Mercedes. D'un geste, il ordonna à sa femme de prendre place à côté de lui, mais comme elle s'y refusait énergiquement, il démarra en trombe, la laissant plantée là, livide et paralysée par la fureur.

Quand je m'approchai d'elle, elle ne parut pas me reconnaître sur le moment.

— Ça va, madame Biemeyer ?

— Oui, oui, ça va... merci. Mais on dirait que mon mari m'a laissée en rade.

Elle se força à sourire.

— Qu'est-ce qu'il faudrait que je fasse, à votre avis ?

— Tout dépend de ce que vous avez envie de faire.

— Oui, mais l'ennui, c'est que je ne fais jamais ce que j'ai envie de faire. D'ailleurs, on ne fait jamais ce qu'on a réellement envie de faire. Personne.

Qu'avait-elle *réellement* envie de faire ? Je me posai la question tout en la poussant vers ma voiture. Je lui ouvris la portière.

— Je vais vous raccompagner chez vous.

— Mais je ne veux pas rentrer chez moi.

Ce qui ne l'empêcha pas de monter sans se faire prier.

C'était quand même une curieuse situation. Quoi qu'ils en disent et malgré leurs protestations, les Biemeyer ne semblaient pas vraiment désirer que leur fille rentre au bercail. Ils ne savaient pas plus quelle attitude ils devaient adopter envers elle qu'envers Fred. Et j'aurais été bien en peine de les conseiller, sauf à fabriquer de toutes pièces un monde spécial à l'usage des gens à qui celui qui nous était dévolu ne convenait pas tout à fait.

Je refermai la portière et m'installai au volant. Il faisait une chaleur étouffante à l'intérieur de la voiture qui attendait depuis la veille sur le parking et je me hâtai de baisser la vitre.

Nous roulâmes quelque temps en silence. Un silence que Ruth Biemeyer finit par rompre maladroitement parce qu'il fallait bien dire quelque chose :

— Le monde d'aujourd'hui est un monde bien étrange.

— Il en est toujours allé ainsi, vous savez.

— Autrefois, je ne m'en rendais pas compte. Que va devenir Doris ? Elle ne peut ni vivre avec nous, ni vivre toute seule. Je ne sais vraiment pas ce qu'elle va pouvoir faire de sa vie.

— Qu'avez-vous fait de la vôtre, vous ?

— J'ai épousé Jack. Ce n'était peut-être pas le meilleur choix, mais la vie a passé tant bien que mal.

Elle parlait comme si son existence appartenait déjà au passé.

— J'espérais que Doris trouverait un garçon qui lui conviendrait.

— Elle a trouvé Fred.

— Ce n'est pas un parti pour elle, répliqua-t-elle sur un ton catégorique.

— C'est au moins un ami.

Elle sursauta comme si elle n'avait jamais imaginé que quelqu'un pût être un ami pour sa fille.

— Comment le savez-vous ?

— J'ai parlé avec lui. Et je les ai vus tous les deux ensemble.

— Il se sert d'elle, c'est tout.

— Je ne crois pas. Ce qui est certain, en tout cas, c'est que ce n'est pas par cupidité que Fred a pris votre tableau. Il n'avait pas l'intention de le revendre. Que ce portrait soit un peu devenu son idée fixe, c'est indiscutable, mais la question n'est pas là. Ce qu'il cherche, c'est à résoudre l'énigme Chantry.

Elle me décocha un regard inquisiteur.

— Vous le croyez vraiment ?

— Tout à fait. Fred est peut-être un instable, ce qui n'a rien d'étonnant étant donné son milieu familial, mais ce n'est pas un vulgaire voleur.

— Alors, où est-il passé, ce tableau ?

— Il l'avait laissé au musée pour la nuit et quelqu'un d'autre l'a volé.

— Comment le savez-vous ?

— Il me l'a dit.

— Et vous le croyez ?

— Je ne sais pas. J'ignore ce que la toile est devenue. Et je pense qu'il l'ignore aussi. Mais je ne crois pas qu'il mérite d'être jeté en prison.

Elle releva la tête.

— Parce que c'est en prison qu'on l'a emmené ?

— Oui. Et vous pouvez l'en faire sortir si vous le voulez.

— Je ne vois pas pourquoi je le voudrais.

— Simplement parce que, pour autant que je le sache, c'est le seul ami de votre fille. Et je crois qu'elle est aussi désespérée que lui, sinon plus.

— Je ne vois vraiment pas pourquoi elle serait désespérée, rétorqua-t-elle. Elle a tout ce qu'elle peut souhaiter. Nous ne lui avons jamais rien refusé. Moi, quand j'avais son âge, j'étais à une école de secrétariat et, en plus, j'avais un travail à mi-temps. Et j'étais tout à fait heureuse. Ça a même été la plus belle période de ma vie, ajouta-t-elle — et il y avait de la nostalgie dans sa voix.

— On ne peut pas en dire autant pour Doris.

Elle se rencogna sur son siège et me dévisagea.

— Je ne vous comprends pas, monsieur Archer. Vous êtes vraiment un drôle de détective ! Je croyais que votre métier consistait à arrêter les voleurs pour les mettre derrière les barreaux.

— C'est précisément ce que je viens de faire.

— Mais, maintenant, vous voulez faire le contraire. Pourquoi ?

— Je vous l'ai déjà dit. Quoi qu'il ait pu faire, Fred Johnson n'est pas un voleur. Il est l'ami de votre fille et Doris a le plus grand besoin d'un ami.

Ruth Biemeyer détourna les yeux. Quand elle

baissa la tête, ses cheveux blonds retombèrent de part et d'autre de sa figure, découvrant sa nuque fragile.

— Jack me tuerait si j'intervenais.

— Si vous parlez sérieusement, c'est peut-être lui qui devrait être en prison.

Le regard outragé qu'elle me décocha ne tarda pas à faire place à une expression plus sincère et plus humaine.

— Voilà ce que je vais faire, monsieur Archer. Je vais demander conseil à mon avocat.

— Comment s'appelle-t-il ?

— Roy Lackner.

— Est-il également l'avocat de votre mari ?

Elle hésita un instant avant de répondre.

— Non. Je suis allée le consulter pour savoir ce qui se passerait pour moi si je demandais le divorce. Et nous avons aussi parlé de Doris.

— Quand a eu lieu cette visite ?

— Hier après-midi. Je ne devrais pas vous raconter tout ça.

— Mais si, au contraire, vous avez raison.

— J'espère. Et j'espère aussi que vous serez discret.

— J'essaierai de l'être.

Je changeai d'itinéraire pour la conduire au cabinet de l'avocat et, en chemin, je lui dis tout ce que je savais de Fred.

— Qu'il tourne bien ou mal dépend de cette affaire, dis-je en guise de conclusion.

C'était tout aussi vrai pour Doris, mais je ne jugeai pas indispensable de le préciser.

Lackner avait son cabinet dans un pavillon récemment restauré à la limite extrême des beaux quartiers. Il vint lui-même nous ouvrir. Il portait la barbe et ses cheveux blonds lui arrivaient presque aux épaules. Il avait un abord sympathique et sa poignée de main était ferme.

J'aurais aimé entrer et lui parler, mais Ruth Biemeyer me fit clairement comprendre qu'elle ne l'entendait pas de cette oreille. Devant son attitude possessive, je me demandai un instant si, en dépit de la différence d'âge, il n'y avait pas entre eux des rapports autres que strictement professionnels.

Je lui laissai l'adresse de mon motel et repartis en direction du front de mer pour donner à Paola le viatique que sa mère m'avait chargé de lui remettre.

26

L'hôtel Monte-Cristo, un bâtiment de stuc de deux étages, était une ancienne résidence privée. Maintenant, une pancarte proclamait : « Tarifs spéciaux pour le week-end. » Dans le hall, un groupe de touristes vidaient boîtes de bière sur boîtes de bière, tirant au sort pour savoir qui paierait la tournée. Le réceptionniste était un petit freluquet au visage poupin dont l'expression naturellement inquiète vira franchement à l'angoisse dès qu'il m'eut aperçu. Sans doute se demandait-il si j'étais un flic.

Le laissant s'interroger — il y avait des moments où je ne savais pas moi-même si j'en étais un ou non —, je me bornai à lui demander si Paola Grimes était là et, devant sa mine ahurie, je précisai :

— Une jolie brune, la peau basanée et les cheveux longs.

— Ah oui ! Je vois. C'est la chambre 312.

Il se retourna.

— Mais elle n'est pas là. Sa clé est au tableau.

A quoi bon lui demander à quelle heure elle allait rentrer ? Il n'en savait sûrement rien. Je gardai les cinquante dollars en attente et notai son numéro de chambre dans un coin de ma mémoire.

Avant de quitter le Monte-Cristo, je jetai quand même un coup d'œil au bar qui, dans l'état de décrépitude avancé où il se trouvait, avait tout d'un vestige historique. Toutes les femmes présentes étaient blondes. Il y avait sur la plage plusieurs filles brunes dont la chevelure leur tombait dans le dos, mais Paola n'était pas du nombre. Je remontai dans la voiture et démarrai, destination le journal local.

Betty était à sa machine, les mains immobiles sur le clavier. Elle avait les yeux cernés, n'avait pas de rouge aux lèvres et avait l'air déprimé. Mon arrivée ne parut pas lui remonter le moral de façon notable.

— Qu'est-ce qui ne va pas, Betty ?

— L'histoire Mildred Mead. Je suis en panne. Je ne suis pas parvenue à en savoir plus long sur elle.

— Pourquoi n'es-tu pas allée l'interviewer ?

Elle réagit presque comme si je l'avais giflée.

— Ce n'est pas drôle.

— Mais je ne plaisante pas. Elle a une boîte postale à la poste centrale de Santa Teresa. Numéro 121. Avec ça, tu devrais réussir à la joindre. Sinon, elle doit être dans une maison de santé du coin.

— Elle est malade ?

— Malade et vieille.

L'expression de Betty se rasséréna.

— Que diable est-elle venue faire à Santa Teresa ?

— Tu n'auras qu'à le lui demander. Et quand tu le sauras, tu me mettras au parfum.

— Mais comment veux-tu que je sache de quelle maison de santé il s'agit ?

— Facile. Tu n'as qu'à les appeler toutes les unes après les autres.

— Pourquoi ne le fais-tu pas toi-même ?

— Il faut que je discute avec le capitaine Mackendrick. D'ailleurs, je pense que tu te débrouilleras mieux que moi au téléphone. Ici, tu connais tout le monde et tout le monde te connaît. Si tu réussis à la dénicher, ne lui dis rien qui risque de l'effrayer. Évite notamment de lui préciser que tu es journaliste.

— Mais, alors, qu'est-ce que tu veux que je lui dise ?

— Le moins possible. Je te revois tout à l'heure.

Étape suivante : le commissariat. C'était un bâtiment tout en longueur posé comme un sarcophage au milieu d'une aire de stationnement. Une femme flic en tenue, le pétard à la ceinture, m'indiqua le bureau de Mackendrick. C'était une petite pièce étroite et sombre, meublée en tout et pour tout d'une table, de trois chaises et de fichiers qui occupaient tout un mur. L'unique fenêtre était munie de barreaux.

Mackendrick, qui était en train de lire un papier posé sur la table devant lui, ne broncha pas. Peut-être pour me laisser entendre qu'il était un personnage d'importance ?

Enfin, il leva vers moi ses yeux au regard impénétrable.

— Monsieur Archer ? Je croyais pourtant que vous aviez quitté Santa Teresa pour de bon.

— Je suis allé en Arizona chercher la petite Biemeyer. Je suis revenu avec elle à bord d'un avion de la compagnie que son père avait mis à ma disposition.

Comme je l'avais escompté, Mackendrick fut impressionné — et même un peu surpris. Il se massa une joue comme pour s'assurer que, si plissée qu'elle fût, elle tenait toujours le coup.

— Je vois. Vous travaillez pour les Biemeyer, c'est ça ?

— C'est ça.

— Et en quoi le meurtre de Grimes intéresse-t-il Biemeyer ?

— Il lui avait acheté un tableau signé Chantry. On ne sait pas trop si ce n'était pas un faux.

— Si c'est Grimes qui le lui a vendu, il y a de fortes chances pour que ce soit effectivement le cas. C'est celui qui a été volé ?

— Il n'a pas été volé à proprement parler. En tout cas, pas dans un premier temps. Fred Johnson l'avait pris pour l'examiner au musée et c'est au musée qu'on l'a subtilisé.

— C'est Fred qui vous a raconté ça ?

— Oui, et je crois que c'est la vérité.

Néanmoins, je me rendais compte en la répétant que la version de Fred n'était pas trop convaincante.

— Eh bien, pas moi. Et Biemeyer non plus. Je viens de l'avoir au téléphone.

Il me lança un sourire empreint d'une froide satisfaction : dans le perpétuel combat qu'il menait pour affirmer son importance et qui était toute sa vie, il venait de marquer un point.

— Si vous voulez continuer à travailler pour Biemeyer, vous auriez intérêt à vous accorder avec lui sur certains petits détails de ce genre.

— Biemeyer n'est pas ma seule source d'informations. J'ai longuement parlé avec Fred Johnson et je suis persuadé qu'il n'a rien d'un criminel.

— Tout le monde ou peu s'en faut est un criminel en puissance, rétorqua-t-il. Il suffit que l'occasion se présente, et elle s'est présentée pour Johnson. Je ne serais d'ailleurs nullement surpris qu'il ait été de mèche avec Paul Grimes. Vendre un Chantry bidon et le voler avant qu'on s'aperçoive que c'est un faux, voilà qui serait une belle opération.

— C'est une éventualité qui ne m'avait pas échappé, mais je doute fort que les choses se soient passées de cette façon. Fred Johnson est incapable d'imaginer un projet pareil, et encore plus de le mettre à exécution. Et Paul Grimes est mort.

Mackendrick s'accouda sur son bureau et posa son menton entre ses mains jointes.

— Mais il y a peut-être d'autres individus mêlés à cette histoire. Certainement, même. Il se peut fort bien que nous ayons affaire à une bande de pédés et de camés spécialisés dans le trafic d'œuvres d'art. Le monde qui nous entoure est tellement dément que je n'en serais pas autrement étonné. Vous saviez que Grimes était de la jaquette ?

— Oui. Sa femme me l'a appris pas plus tard que ce matin.

Ses yeux s'écarquillèrent sous l'effet de la stupéfaction.

— Il était marié ?

— Eh oui. Ils ont divorcé il y a quelques années, m'a-t-elle dit. Elle tient un magasin de peintures à Copper City et elle a gardé le nom de Grimes pour son commerce.

Mackendrick griffonna quelque chose sur un bloc jaune.

— Fred Johnson est une tante, lui aussi ?

— Ça m'étonnerait. Il sort avec une fille.

— Et alors ? Ne venez-vous pas de me dire que Grimes était en puissance d'épouse ?

— C'est vrai. Peut-être que Fred est bisexuel. Mais j'ai passé un bon moment avec lui et je n'ai rien remarqué dans son comportement qui pourrait être ambivalent. Et même si c'était le cas, cela ne suffirait pas à faire de lui un voleur.

— Il a volé le tableau des Biemeyer.

— Non, il ne l'a pas volé. Il l'a pris avec l'autorisation de la fille du propriétaire. Il se prépare au métier d'expert et il voulait s'assurer de l'authenticité de l'œuvre et la dater.

— C'est ce qu'il raconte maintenant.

— Oui, et je le crois. Et je vous le dis comme je le pense : je suis intimement convaincu que sa place n'est pas en prison.

— Il vous a payé pour tenir ce langage ?

— C'est Biemeyer qui me paie pour que je retrouve son tableau. Fred affirme qu'il n'est pas en sa possession, et je crois que le moment est venu d'explorer d'autres pistes. Pour ne rien vous cacher, c'est justement ce que j'ai commencé à faire — plus ou moins fortuitement, d'ailleurs.

Comme il attendait sans mot dire que je m'explique, je lui racontai ce que j'avais appris de la vie qu'avait menée Grimes quand il était en Arizona et de ses relations avec Richard Chantry. J'évoquai également la mort du fils naturel de Mildred Mead, William, et le départ précipité de Chantry pour la Californie en 1943.

Saisissant son crayon, le capitaine se mit à gribouiller des carrés sur son bloc.

— J'ignorais tout cela, finit-il par admettre. Vous êtes sûr de vos informations ?

— Je tiens la plupart de ces renseignements de la bouche même du shérif qui a enquêté sur le meurtre de William Mead. Vous pouvez vérifier si vous voulez.

— Je n'y manquerai pas. J'étais à l'armée quand Chantry s'est installé ici et a acheté sa maison. Mais après ma démobilisation en 1945, je suis entré dans la police municipale et j'ai été ainsi une des rares personnes qui ont eu le privilège de le connaître personnellement.

A l'entendre, on avait l'impression que son itinéraire et l'histoire de la ville ne faisaient qu'un.

— Pendant quelques années, j'ai assuré la surveillance du bord de mer avant d'être nommé sergent. C'est comme ça que j'ai lié connaissance avec M. Chantry. Le problème de la sécurité avait une grosse importance pour lui et il se plaignait souvent des intrus qui rôdaient autour de sa maison. Vous savez ce que c'est : l'océan, les plages, ça attire immanquablement les étrangers.

— Il avait peur ?

— J'étais sûr que vous alliez me poser cette question ! Eh bien, je ne sais pas. Tout ce que je peux vous dire, c'est que Richard Chantry était un solitaire, un homme qui tenait à sa solitude. Je ne l'ai jamais vu donner la moindre soirée, ni même recevoir des amis. D'ailleurs, pour autant que je sache, il ne fréquentait personne. Il demeurait cloîtré chez lui avec, pour toute compagnie, sa femme et un certain Rico qui leur faisait la cuisine. Et il travaillait. Il n'arrêtait pas. Il lui arrivait de passer des nuits entières à son chevalet et, le matin, quand je faisais ma première ronde, ses fenêtres étaient encore éclairées.

Revenant au présent, il leva les yeux. Il y avait de la perplexité dans son regard.

— Vous êtes sûr qu'il était homo ? Parce que, moi, je n'ai jamais vu d'homos travailler aussi dur.

Je ne jugeai pas nécessaire de lui citer l'exemple de Léonard de Vinci, cela n'aurait fait que l'embrouiller davantage.

— J'en suis certain. Vous n'avez qu'à demander autour de vous pour vous faire une opinion.

Il secoua énergiquement la tête.

— Il est absolument exclu que je pose des questions de ce genre ici. Chantry est la gloire de Santa Teresa. Il a beau l'avoir quittée depuis un quart de siècle, il est toujours son grand homme. Et si vous parlez de lui, je vous conseille la plus grande prudence.

— C'est une menace ?

— Un simple avertissement. Et c'est par pure bonté d'âme que je vous le donne. Mme Chantry pourrait vous attaquer en justice et elle n'hésiterait pas à le faire le cas échéant, croyez-moi. Elle terrorise tellement le journal local que la rédaction lui soumet par avance tous les articles qui font mention de son mari. Particulièrement ceux où il est question de sa disparition. C'est un sujet à ne prendre qu'avec des pincettes.

— Mais entre nous, capitaine, que pensez-vous qu'il lui soit arrivé ? Moi, je vous ai dit tout ce que je savais.

— Et je vous en suis reconnaissant, croyez-le bien. Maintenant, s'il était homo comme vous l'affirmez, c'est la réponse à votre question. Après sept ans de vie commune avec sa femme, il a craqué. Il ne pouvait tenir plus longtemps. C'est une chose que j'ai souvent constatée chez les homosexuels : ils vivent par cycles. Il arrive un moment où ils éprouvent le besoin impératif de changer d'existence. Et c'est normal : la vie est beaucoup plus difficile à vivre pour eux que pour la plupart des hétérosexuels.

Cette fois, Mackendrick était parvenu à m'épater : il y avait donc une faille de tolérance dans ce bloc de granit ? Je n'en revenais pas.

— Alors, c'est la théorie officielle ? Chantry s'est

volatilisé comme ça, de son propre chef ? Il ne s'est agi ni d'un meurtre ni d'un suicide ? Il n'a pas cédé à un chantage ?

Il prit une profonde aspiration par le nez et rejeta bruyamment l'air par la bouche.

— On m'a demandé ça tant de fois que c'est devenu une de mes questions favorites, dit-il — et il n'y avait pas trace d'ironie dans sa voix. Et j'y ai toujours répondu de la même façon. On n'a jamais trouvé le moindre indice permettant de penser qu'il a été assassiné ou contraint de filer. Tous les éléments que nous possédons tendent à prouver qu'il est parti de son plein gré pour refaire sa vie ailleurs. Et ce que vous venez de m'apprendre touchant à ses goûts sexuels ne peut que confirmer cette thèse.

— J'imagine qu'on a examiné sous tous les angles la lettre d'adieu qu'il avait laissée à sa femme pour s'assurer de son authenticité ?

— Aucune vérification n'a été négligée. C'était son écriture, c'étaient ses empreintes, le papier utilisé était bien celui qu'il employait. Par ailleurs, rien n'indiquait qu'elle avait été écrite sous la contrainte. Et aucun fait nouveau susceptible de jeter le doute sur ces conclusions n'est apparu en l'espace de vingt-cinq ans. Je me suis intéressé de près à cette affaire dès le début parce que je connaissais Chantry — aussi, vous pouvez me faire confiance. Pour des raisons qui lui appartiennent, il en a eu assez de la vie qu'il menait à Santa Teresa et il a joué la fille de l'air.

— Mais il peut y être revenu, capitaine. Fred Johnson semble penser que le tableau volé est bel et bien un Chantry, et un Chantry de date toute récente.

Mackendrick chassa mon interruption d'un geste impatient.

— Je me contrefiche de l'opinion de Fred Johnson. Et les salades qu'il vous a racontées, que c'est au musée que le tableau aurait été dérobé, c'est du baratin, rien de plus. Il l'a planqué quelque part, vous pouvez en être sûr. Si cette toile est vraiment de Chantry, elle représente un joli paquet de fric. Et, au cas où vous ne le sauriez pas, la famille Johnson est maintenant sur la paille. Le père, un ivrogne invétéré, ne travaille plus depuis des années et la mère vient de se faire renvoyer de l'hôpital où elle était infirmière. On la soupçonnait de voler de la drogue. De toute façon, qu'il ait perdu le tableau, qu'il l'ait vendu ou qu'il en ait fait cadeau à qui que ce soit, Fred Johnson est responsable de sa disparition et doit en répondre devant la loi.

— Pas tant que l'on n'a pas la preuve qu'il l'est.

— N'employez pas ce genre d'arguments avec moi, Archer. Vous n'êtes pas avocat, que je sache ?

— Non.

— Alors, cessez de jouer les débarbots. Fred est très bien en prison : c'est sa place. Et vous, je vous conseille de rester à la vôtre. Maintenant, je vous prierai de me laisser. J'ai rendez-vous avec l'adjoint du coroner.

Je le remerciai de sa patience. Sans ironie : il m'avait appris pas mal de choses que j'avais besoin de connaître.

En sortant du commissariat, je croisai mon ami Purvis qui y entrait. Il avait le regard brillant d'un jeune magistrat dévoué au bien public qui attend de voir les journaux publier sa photo. Il ne ralentit même pas l'allure en passant devant moi.

Je décidai d'attendre qu'il ressorte et me plantai devant sa voiture. C'était une sarabande incessante de véhicules de patrouille. Un vol d'étourneaux passa en piaillant dans le ciel qui commençait à s'assombrir. Qu'allait devenir Fred, enfermé entre quatre murs ? Je m'en voulais de ne pas avoir réussi à le faire libérer.

Enfin, Purvis sortit du commissariat. Avec, à présent, une certaine componction et une conscience nouvelle de sa dignité.

— Alors, quoi de neuf ? lui demandai-je.

— Vous vous rappelez le cadavre que je vous ai montré l'autre soir à la morgue ?

— Celui du peintre... Jacob Whitmore ? Je ne suis pas près de l'oublier.

Purvis hocha le menton.

— Eh bien, finalement, il ne s'est pas noyé en mer. L'autopsie a été pratiquée cet après-midi. C'était de l'eau douce qu'il avait dans les poumons.

— Cela signifie-t-il qu'il a été assassiné ?

— Probablement. C'est, en tout cas, ce que pense Mackendrick. Whitmore a apparemment été noyé dans une baignoire, après quoi on aurait jeté son corps dans l'océan.

27

Je me rendis à Sycamore Point et allai frapper à la porte du cottage de Jacob Whitmore. La jeune femme blonde qui m'avait reçu lors de ma première visite m'ouvrit. Les derniers rayons du soleil qui illuminèrent son visage la firent cligner des yeux. Elle n'eut pas l'air de me remettre et je dus me rappeler à son bon souvenir :

— Je suis déjà passé vous voir l'autre soir. Je vous ai acheté quelques toiles de Jake.

Elle mit sa main en visière au-dessus de ses yeux pour mieux me distinguer. Ils étaient brumeux, elle avait mauvaise mine et la brise du soir faisait flotter ses cheveux en bataille.

— Elles vous plaisent ?

— Tout à fait.

— J'en ai d'autres si vous voulez.

— Peut-être. On verra ça.

Elle s'effaça pour me laisser entrer. Un désordre indescriptible régnait dans la pièce. Une chaise était par terre, des bouteilles jonchaient le sol, il y avait un restant d'enchilada sur la table.

Elle s'assit devant celle-ci. Je ramassai la chaise renversée et pris place en face d'elle.

— Le coroner vous a mise au courant ? lui demandai-je.

Elle secoua la tête.

— Non. Je n'ai vu personne. En tout cas, je ne me souviens pas. Vous excuserez le désordre. C'est que j'ai trop bu hier soir et j'ai dû faire une crise de nerfs. Que Jake se soit noyé me paraissait... me paraît tellement injuste. Hier, ils m'ont demandé l'autorisation de faire l'autopsie, reprit-elle après un court silence.

— Elle a été pratiquée dans la journée. Ce n'est pas dans la mer, mais dans de l'eau douce qu'il s'est noyé.

A nouveau, elle secoua la tête.

— Non. Non, c'était dans l'océan.

— On a repêché son corps dans l'océan, c'est vrai, mais c'est dans de l'eau douce qu'il a trouvé la mort. Le coroner est formel.

Elle me dévisagea, visiblement déconcertée.

— Je ne comprends pas. Est-ce que ça veut dire qu'il s'est noyé dans une rivière et que le courant a entraîné son corps jusqu'à la mer ?

— C'est peu vraisemblable. Les cours d'eau sont presque à sec en cette saison. C'est plus probablement dans une baignoire ou dans une piscine qu'on l'a noyé et on s'est ensuite débarrassé du cadavre en le jetant dans l'océan.

— Non, ce n'est pas possible !

Elle balaya la pièce du regard comme si l'assassin se cachait peut-être derrière un meuble.

— Qui aurait pu faire une chose pareille à Jake ?

— C'est à vous de me le dire, madame Whitmore.

Une fois de plus, elle secoua la tête de droite à gauche.

— On n'était pas mariés. Je m'appelle Jessie Gable.

Rien que de prononcer son nom, les larmes lui vinrent aux yeux.

— Est-ce que vous êtes en train de me dire que Jake a été assassiné ?

— Exactement.

— Mais ce n'est pas possible, répéta-t-elle. Il n'a jamais fait de mal à personne. Sauf à moi, mais je ne lui en ai jamais voulu.

— Il est rare que les victimes d'un meurtre aient mérité leur sort, vous savez.

— Mais il n'y avait rien à voler ici.

— Sait-on jamais ? Paul Grimes lui a bien acheté des tableaux, non ?

— Oui, c'est vrai. Mais, en réalité, ce n'étaient pas eux qui l'intéressaient. J'étais là quand il est venu et j'ai entendu ce qu'il disait à Jake. Ce qu'il voulait, c'était obtenir des renseignements et s'il a acheté ces toiles à Jake, c'était pour le faire parler.

— Le faire parler de quoi ?

— De l'autre tableau. Celui que Jake lui avait vendu le jour d'avant à l'exposition-vente de la plage.

— Et Jake lui a-t-il dit ce qu'il voulait savoir ?

— Je ne sais pas. Au bout d'un moment, ils sont sortis pour poursuivre leur conversation dehors. Ils ne voulaient pas que j'entende ce qu'ils se disaient.

Je tirai de ma poche la photo du tableau envolé des Biemeyer et la lui montrai.

— Est-ce que c'est la toile que Jack avait vendue à Grimes la veille de sa visite ?

Elle étudia un instant l'épreuve et acquiesça.

— En tout cas, ça lui ressemble rudement. C'est vraiment un très beau tableau et Jack en avait tiré un bon prix. Il ne m'a pas dit combien Grimes l'avait payé, mais ça devait représenter plusieurs centaines de dollars.

— Et Grimes, lui, en a probablement tiré plusieurs milliers.

— Vous croyez ?

— Je ne parle pas à la légère, Jessie. Ce tableau a été volé aux personnes qui le lui avaient acheté. Et elles m'ont engagé pour le retrouver.

Elle se redressa sur sa chaise et croisa les jambes.

— Vous ne pensez tout de même pas que c'est moi qui le leur ai volé ?

— Non. Je ne vous vois vraiment pas en voleuse.

— Et vous avez raison, fit-elle sur un ton catégorique. Je n'ai jamais rien volé de ma vie. Sinon Jake à sa femme.

— Ça, ce n'est pas considéré comme un crime.

— Peut-être, mais j'ai été punie comme si c'en était un. Et Jake aussi.

— Tout le monde doit mourir un jour ou l'autre, Jessie.

— Oui, et j'espère que ce sera bientôt mon tour.

Je laissai passer quelques instants avant de reprendre :

— Avant de songer à mourir, il y a quelque chose que vous pouvez faire pour Jake.

— Ça me paraît un peu tard pour faire quoi que ce soit pour lui.

— Vous pouvez m'aider à mettre la main sur son ou ses assassins.

Je lui pris doucement la photo des mains.

— Je crois que c'est précisément à cause de ce tableau qu'on l'a tué.

— Comment cela ?

— Parce qu'il savait ou avait deviné qui l'avait peint. Ce n'est qu'une supposition. Je n'ai encore aucune certitude, évidemment, mais une chose est sûre : le tableau est le lien qui unit les deux meurtres, celui de Jake et celui de Paul Grimes.

Comme je prononçais ces mots, je me rappelai qu'il y avait eu un troisième meurtre : celui de William Mead dont le corps avait été retrouvé dans le désert en 1943 et dont le tableau représentait la mère. Le seul fait de sentir tous ces événements s'associer brusquement me fit presque tressaillir. C'était comme si une secousse sismique venait d'ouvrir une faille dans mon esprit. Ma respiration s'accélérait et le sang faisait tambouriner mes tempes. Je me penchai en avant.

— Jessie, savez-vous comment Jake a déniché ce tableau ?

— Il l'a acheté.

— Combien ?

— Cinquante dollars, au moins, et sans doute davantage, mais, ça, il ne me l'a pas dit. Je suis bien placée pour le savoir parce qu'il me les a pris, ces cinquante dollars. C'était la somme que je gardais de côté pour régler le loyer en cas de coup dur. Je lui ai dit que c'était de la folie de payer cash un tableau qu'il aurait aussi bien pu prendre en dépôt. Mais il m'a répondu que c'était une occasion unique et que si tout se passait bien, il en retirerait un joli bénéfice. Et c'est ce qui s'est passé.

— Est-ce que vous avez vu la personne qui le lui a vendu ?

— Non, mais, d'après ce que j'ai compris, c'était une femme.

— Elle était comment, cette femme ?

Elle écarta les mains en signe d'ignorance.

— Là, je ne peux pas vous répondre. Tout ce que Jake m'a dit, c'est que c'était une femme d'un certain âge, mais ça ne signifie pas grand-chose. Il me disait ça de toutes les nanas qu'il rencontrait, même si elles n'avaient pas plus de dix-huit ans. Il savait que j'étais jalouse. Il faut dire que j'avais des raisons de l'être.

Elle avait à nouveau les larmes aux yeux, mais j'étais incapable de dire si c'étaient des larmes de rage ou des larmes de chagrin. Elle était comme partagée entre les deux sentiments. Je commençais à en avoir ras-le-bol d'interroger des veuves dont le jules s'était fait descendre. Mais j'avais encore des questions à poser à Jessie.

— Le tableau, est-ce que cette femme l'a apporté ici pour le remettre à Jake ?

— Non. Je vous ai déjà dit que je ne l'ai jamais vue. Elle est venue avec au marché du samedi sur la plage. Jake y allait régulièrement depuis quelques années. C'est là qu'ils ont fait affaire tous les deux.

— Quand la transaction a-t-elle eu lieu ?

Elle ne répondit pas tout de suite. Comme si elle avait du mal à trouver des points de repère dans la grisaille de la vie quotidienne où tout finissait par se mélanger — le soleil et la mer, le vin et les stups, la tristesse et la pauvreté.

— Ça doit faire dans les deux mois... quelque chose comme ça. En tout cas, c'était il y a deux mois qu'il a pris les cinquante dollars que je tenais en réserve. Même qu'il ne me les a pas rendus quand Paul Grimes lui a acheté le tableau. Il n'a jamais voulu me dire combien il le lui avait vendu. Mais une chose est sûre : c'est sur cet argent-là qu'on vivait depuis.

Elle promena autour d'elle un regard désabusé.

— Si on peut appeler ça vivre.

Je pris dans mon portefeuille un billet de vingt dollars que je posai sur la table. Elle le regarda et me dévisagea d'un air d'incompréhension.

— C'est pour payer quoi ?

— Les renseignements que vous m'avez donnés.

— Pour ce prix-là, je regrette de ne pas pouvoir vous en donner davantage. Jake n'a jamais été très bavard pour ce qui était de cette histoire. Il avait l'air de croire qu'il était sur un gros truc. Du moins, c'est l'impression que j'ai eue.

— Je le crois, moi aussi. Je crois, en tout cas, qu'il était sur le point de réaliser une grosse affaire. Est-ce que vous accepteriez d'essayer de m'obtenir un peu plus de renseignements ?

— De quel genre ?

— D'où venait ce tableau, par exemple.

J'agitai la photo du portrait de Mildred Mead devant ses yeux.

— A qui Jake l'a acheté. Bref, tout ce que vous pourrez trouver à son sujet.

— Je peux garder la photo ?

— Non, c'est la seule que je possède. Il faudra que vous le décriviez.

— A qui ?

— Aux habitués de l'exposition-vente du samedi. Vous les connaissez, n'est-ce pas ?

— Presque tous, oui.

— Alors, c'est parfait. Si vous mettez la main sur un tuyau qui pourrait m'être utile, vous aurez encore droit à vingt dollars. Et cent si vous réussissez à dénicher le nom ou l'adresse de la femme qui a vendu le tableau à Jake.

— Cent dollars ? Ça m'arrangerait.

Mais, visiblement, elle ne s'imaginait pas en possession d'un pareil capital.

— Jake et moi, on n'a jamais eu de chance. Depuis qu'on s'est mis ensemble, je lui ai porté la poisse.

Sa voix s'éraillait.

— C'est moi qui aurais dû mourir à sa place.

— Il ne faut pas parler comme ça. On meurt toujours assez tôt, vous savez.

— Moi, plus vite je claquerai et mieux ça vaudra.

— Rien ne presse. Vous referez votre vie. Vous êtes jeune, Jessie.

— J'ai l'impression d'être aussi vieille que les collines qui nous entourent.

28

Le soleil s'était couché et le ciel rougeoyant s'assombrissait rapidement quand j'arrivai en ville. Les magasins débordaient de lumière, mais étaient quasiment vides de clients. Je me rangeai devant le journal et montai à la salle de rédaction. Il n'y avait personne.

Dans le hall, une voix un peu rauque me héla :

— Est-ce que je peux vous aider ?

Je me retournai. C'était une femme de petite taille aux cheveux gris dont les yeux que grossissaient les verres épais de ses lunettes me considéraient avec une amicale curiosité.

— Peut-être. Je cherche Betty.

— Vous êtes sûrement monsieur Archer ?

— En effet.

— Fay Brighton. Je suis l'archiviste. Betty Jo m'a chargée de vous dire qu'elle sera de retour à dix-neuf heures trente au plus tard.

Elle approcha au plus près de ses yeux la petite montre en or qu'elle portait au poignet.

— Elle ne devrait plus tarder. C'est presque l'heure.

Et elle regagna la salle des archives.

J'attendis. Au bout d'une demi-heure, je frappai à la porte.

— Peut-être que Betty a changé d'avis et est rentrée chez elle. Est-ce que vous savez où elle habite ?

— Avant son divorce, j'avais ses coordonnées, mais plus maintenant. Heureusement, l'annuaire est fait pour ça.

Elle le prit et se mit en devoir de le feuilleter.

— Ah ! Voilà... Résidence de la Corniche, appartement 8, 967-9152.

Après avoir soigneusement recopié l'adresse, elle sortit le téléphone dissimulé sous son comptoir et le posa devant moi. Je composai le numéro et laissai sonner une douzaine de fois avant de raccrocher.

— Elle ne vous a pas dit où elle allait en partant ?

— Non, mais elle a passé plusieurs coups de fil sur mon téléphone et j'ai forcément entendu ce qu'elle disait. Elle a appelé différentes maisons de santé, ici, en ville, pour essayer de retrouver une parente. Enfin, c'est ce qu'elle disait.

— Vous vous souvenez du nom de cette parente ?

— Mildred Mead, je crois. Oui, j'en suis même sûre. Il me semble bien, d'ailleurs, qu'elle l'a finalement localisée. Elle est partie comme si elle avait le feu au derrière avec, dans les yeux, cette petite lueur d'excitation qu'ont les débutants quand ils tiennent un sujet qui risque de faire du bruit. Je suis passée par là dans le temps, ajouta-t-elle en soupirant.

— Elle ne vous a pas dit où elle allait ?

— Betty Jo ? Elle serait restée muette sous la torture !

Fay Brighton eut un sourire amusé.

— Quand elle est sur un scoop, elle ne dirait même

pas l'heure à son meilleur ami. Elle a pris le départ avec un peu de retard, mais elle n'a pas mis longtemps à attraper le virus. Mais vous devez le savoir si vous êtes de ses amis.

J'hésitai un instant avant de répondre à ce qui était à l'évidence une question indirecte.

— Oui, je suis de ses amis. Et elle est partie depuis longtemps ?

— Cela fait au moins deux bonnes heures.

Elle consulta à nouveau sa montre.

— Il devait être aux environs de dix-sept heures trente.

— Elle a pris sa voiture ?

— Ça, je ne peux pas vous le dire. Je ne sais pas si elle allait au coin de la rue ou au diable vauvert.

— Où dîne-t-elle habituellement ?

— Ça dépend. Il m'arrive parfois de la rencontrer à *La Bouilloire*, une cafétéria sympa à deux pas du journal.

Elle tendit le pouce en direction de la mer.

— Si elle repasse, auriez-vous la gentillesse de lui faire une commission de ma part ?

— Ce serait avec plaisir, mais je ne vais pas tarder à filer. Je n'ai rien mangé de la journée et si je suis restée, c'était parce que je voulais vous attendre pour vous transmettre le message de Betty Jo. Mais si vous voulez, vous n'avez qu'à lui écrire un mot que je laisserai sur son bureau.

Elle posa devant moi un bloc-notes sur lequel j'écrivis : « *Désolé de t'avoir manquée. Je repasserai dans le courant de la soirée. Plus tard, tu pourras toujours me joindre à mon motel. Lew.* » J'hésitai une seconde avant d'ajouter : « *Avec tout mon amour* » au-dessus de la signature, puis pliai la feuille et la tendis à Fay Brighton qui alla aussitôt la porter dans la salle de rédaction.

Quand elle revint, le regard aigu qu'elle me décocha me fit me demander si elle n'avait pas eu la curiosité de lire mon petit mot et j'eus bonne envie de récupérer mon message pour barrer le P.S. Il y avait des années que je n'avais ni prononcé ni écrit le mot *amour* à l'adresse d'une femme. Mais, maintenant, il était là à palpiter dans ma tête comme une douleur sourde. Ou un frémissement d'espoir.

Il ne me restait plus qu'à quitter le journal. Une fois dehors, je descendis la rue en direction de *La Bouilloire* dont l'enseigne au néon étincelait un peu plus loin. Il était huit heures passées et il n'y avait pas grand monde dans la cafétéria. Je pris un plateau, me fis servir une assiette garnie au comptoir et m'installai à une table — la plupart étaient inoccupées — d'où je pouvais observer toute la salle. La vue des rares clients était plutôt déprimante et j'avais la triste impression de participer à une réunion d'anciens combattants. Aussi fut-ce avec un certain soulagement que je vis entrer Fay Brighton. Quand, chargée de son plateau, elle passa à proximité, je m'empressai de me lever et lui proposai de partager ma table.

— Avec plaisir, me répondit-elle. Je me sens tellement seule depuis la mort de mon mari...

Elle ébaucha un sourire gêné comme pour s'excuser d'ouvrir ainsi son cœur.

— Vous aussi, vous êtes seul ?

— Eh oui. Je suis divorcé depuis plusieurs années.

— C'est bien triste d'en arriver là.

— Le fait est, mais ce n'était pas l'avis de ma femme.

Elle baissa les yeux et attaqua son gratin de macaronis d'un air absorbé. Lorsqu'elle l'eut terminé, elle ajouta du lait et du sucre dans son thé, le remua et porta la tasse à ses lèvres.

— Il y a longtemps que vous connaissez Betty Jo ? s'enquit-elle.

— J'ai fait sa connaissance il y a deux jours à l'occasion d'une soirée dont elle devait faire le compte rendu dans sa chronique.

— Ah bon ? Je suppose que c'est à la soirée de Mme Chantry que vous faites allusion ? Eh bien, figurez-vous que Betty Jo n'a pas donné le papier qu'elle était censée rédiger. Depuis qu'elle s'est lancée dans cette histoire de meurtre, il y a deux jours, elle ne pense plus qu'à ça. Le reste n'existe plus. Elle a une ambition effrénée, cette petite.

Le regard angélique, elle avait prononcé ces derniers mots sur le ton de la plus parfaite innocence, de sorte que j'étais bien incapable de dire si c'était une mise en garde ou une de ces phrases qui ne servent qu'à meubler la conversation quand on taille une bavette avec une rencontre de hasard.

— Vous vous intéressez aussi à cette histoire de meurtre, monsieur Archer ?

— Oui. Je suis détective privé.

— Est-ce que je peux vous demander pour le compte de qui vous travaillez ?

— Vous pouvez, bien sûr. Mais je préfère ne pas répondre à votre question.

— Allons, monsieur Archer !

Elle eut un sourire espiègle qui la rajeunit d'un seul coup.

— Je ne suis plus une journaliste en quête de reportages, vous savez, et je ne nourris pas d'arrière-pensées. Je ne médite pas d'écrire un article, si cela peut vous rassurer.

— Eh bien, c'est Jack Biemeyer qui m'a engagé, si vous voulez savoir.

Elle haussa les sourcils.

— Le grand manitou ? Il serait mêlé à une affaire de meurtre ?

— Pas directement. Il m'a simplement chargé de retrouver un tableau qui lui a été volé.

— Et vous l'avez retrouvé ?

— Pas encore. J'ai commencé mes recherches il y a trois jours.

— Et elles n'ont pas fait de progrès ?

— Si, un peu. L'affaire ne cesse de prendre de l'ampleur. Un autre homme a été assassiné. Jacob Whitmore.

Elle se pencha si brusquement en avant que son coude heurta sa tasse. Un peu de thé se renversa dans la soucoupe.

— Mais Jake s'est noyé en se baignant ! C'est un accident.

— Quand les poumons d'un homme censé s'être noyé en plein océan sont remplis d'eau douce, il est rare qu'il s'agisse d'un banal accident.

— Mais c'est effrayant, ce que vous dites là ! Je connaissais Jake depuis qu'il était étudiant. Il faisait partie de nos livreurs de journaux à l'époque. Il n'y avait pas d'être plus inoffensif que lui.

— Ce sont souvent ceux-là, justement, qui se font assassiner.

A peine eus-je dit ces mots que, comme si j'avais prononcé une incantation, l'image de Betty se forma dans ma tête. Je voyais son visage, son corps sans défense... Mon cœur se noua et je laissai malgré moi échapper un soupir.

— Qu'y a-t-il, monsieur Archer ?

— Je déteste voir mourir les gens.

— En ce cas, vous avez mal choisi votre métier.

— Oui, vous avez raison. Mais il m'arrive de temps à autre d'avoir la chance d'empêcher qu'un meurtre ait lieu.

Comme il m'arrive aussi, parfois, de précipiter une malheureuse victime dans la gueule du loup.

J'essayai de chasser de mon esprit cette pensée qui se combinait à l'image de Betty, mais sans succès.

— Vous feriez bien de manger vos légumes. L'organisme a besoin de vitamines, dit Fay Brighton qui poursuivit sur le même ton : Vous vous inquiétez pour Betty Jo, hein ?

— C'est vrai.

— Moi aussi. Surtout depuis que vous m'avez dit que Jake Whitmore avait été assassiné, quelqu'un que je connaissais depuis des années et des années. Si jamais il arrivait quelque chose à Betty Jo...

Elle laissa sa phrase en suspens et reprit d'une voix sourde :

— C'est une fille que j'aime énormément et s'il lui arrivait quelque chose... je ne sais pas ce que je ferais.

— D'après vous, que pourrait-il lui arriver ?

Elle jeta un coup d'œil dans la salle, balayant du regard les quelques personnes d'âge canonique encore en train de dîner comme si elle était à la recherche de quelque présage de malheur.

— Elle s'est lancée à fond sur l'histoire Chantry. Elle ne m'en a pas dit grand-chose, mais les signes ne trompent pas. Il y a plus de vingt ans, j'étais aussi mordue qu'elle. Je tenais à toute force à me lancer sur la piste de Chantry et à le ramener bien vivant. Du coup, j'aurais été la première journaliste de mon temps. A la suite d'un tuyau, je n'ai pas hésité à me rendre à Tahiti. C'est que Gauguin avait eu une grande influence sur Chantry, vous savez. Mais il n'y était pas. Pas plus que Gauguin, d'ailleurs.

— Mais vous pensez qu'il est toujours vivant ?

— A cette époque, oui, je le croyais. Mais, maintenant, je ne sais plus. C'est drôle comme les opinions qu'on a peuvent changer quand on vieillit. Vous êtes assez âgé pour comprendre ce que je veux dire. Lorsque j'étais jeune, je me figurais que Chantry avait fait ce que j'aurais souhaité faire moi-même. Qu'il avait fait un bras d'honneur à cette petite ville minable et avait pris ses cliques et ses claques. Pensez ! Il n'avait pas trente ans au moment de sa disparition. Il avait amplement le temps de commencer une vie nouvelle en repartant à zéro. Mais maintenant que j'approche du bout de ma route... je ne sais plus. Après tout, il est possible qu'on l'ait bel et bien assassiné.

— Qui aurait eu un motif pour le tuer ?

— Je ne sais pas. Sa femme, peut-être. Les épouses ont souvent un mobile pour faire passer l'arme à gauche à leur mari. Ne répétez pas que je vous l'ai dit, mais je la crois tout à fait capable de s'être débarrassée de lui.

— Vous la connaissez ?

— Très bien. Tout du moins, je la connaissais très bien en ce temps-là. Elle était follement avide de publicité, mais quand j'ai laissé tomber le reportage, j'ai perdu tout intérêt à ses yeux.

— Et Chantry ? Vous le connaissiez aussi ?

— Non. Il menait une existence de reclus. Il a habité sept ou huit ans ici, mais on peut compter sur les doigts d'une seule main les gens qui ont eu des relations directes avec lui.

— Vous pouvez me citer le nom d'au moins un de ces privilégiés ?

— Oui. Jake Whitmore, justement. C'était lui qui lui livrait le journal. Et je crois que c'est le fait qu'il le connaissait qui l'a décidé à se lancer dans la peinture.

— Je me demande si ce n'est pas parce qu'il le connaissait qu'il a été tué.

Elle ôta ses lunettes et en essuya les verres à l'aide d'un mouchoir brodé, puis les remit sur son nez et me dévisagea.

— Je ne vous suis pas très bien, monsieur Archer. Il faut dire que j'ai eu une journée fatigante. Pourriez-vous m'expliquer aussi simplement que possible ce que vous venez de dire ?

— Eh bien, j'ai comme l'impression que Chantry se trouve peut-être bien à Santa Teresa. C'est même un peu plus qu'une impression. Le tableau volé était probablement de lui. Avant d'aboutir entre les mains de Jack Biemeyer, il était passé dans celles de deux personnes, Jake Whitmore et Paul Grimes. Or, tous les deux sont morts, je présume que vous le savez.

Elle baissa la tête avec accablement.

— Vous croyez que Betty Jo court vraiment un danger ?

— Ce n'est pas impossible.

— Mon Dieu ! Est-ce que je peux faire quelque chose ? Voulez-vous que j'essaie de téléphoner dans les maisons de repos ?

— Ce ne serait pas une mauvaise idée. Mais, surtout, soyez prudente. Ne mentionnez aucun nom. Dites que vous avez une vieille tante qui a besoin de soins. Demandez quelles sont les conditions d'accueil et d'hébergement. Essayez de vous rendre compte si les réponses qu'on vous donnera sont quelque peu embarrassées ou réticentes.

— Pour ça, j'ai une certaine habitude au bureau.

Elle n'avait pas l'air très convaincu.

— Mais vous croyez que c'est la meilleure tactique ?

— Qu'est-ce que vous suggéreriez ?

— Je n'ai pas d'idée précise. Tout dépend de la théorie qu'on prend comme point de départ. Selon vous, Betty Jo aurait découvert la maison de repos où Mildred Mead a élu domicile et elle y serait maintenant séquestrée ? Vous ne trouvez pas que c'est une hypothèse un peu mélodramatique ?

— Des événements mélodramatiques, il en survient tous les jours.

Fay Brighton lâcha un soupir.

— Oui, c'est vrai. Au journal, je suis bien placée pour le savoir. Mais n'est-il pas tout aussi plausible que Betty Jo ait simplement trouvé trace de quelque chose et qu'elle refera surface d'un moment à l'autre ?

— C'est tout à fait vraisemblable, certes. Mais n'oubliez pas que c'est à l'état de cadavres qu'on a retrouvé Jake Whitmore et Paul Grimes.

Son visage se défit.

— Oui, bien sûr, vous avez raison. Il faut faire tout ce qu'il nous sera possible de faire. Mais ne devrait-on pas avertir la police ?

— On l'avertira dès que nous aurons des faits précis à leur mettre sous les yeux. Pour convaincre Mackendrick, il faut du solide.

— Ce n'est pas moi qui dirais le contraire. Bon. Je retourne au bureau. Si vous avez besoin de moi, vous n'aurez qu'à me passer un coup de fil.

Elle me donna le numéro que je notai et, avant qu'elle ne s'en aille, je lui demandai de m'établir la liste des maisons de santé qu'elle appellerait.

29

J'étais pieds et poings liés, et, rongeant mon frein, je décidai de faire un saut chez les Biemeyer. La maison était éclairée *a giorno*, mais le silence qui y régnait était total.

Ce fut Jack Biemeyer en personne qui vint m'ouvrir. Il se cramponnait avec une telle énergie au verre qu'il avait à la main qu'on aurait pu penser que, sans lui, il se serait écroulé. Qu'il tienne encore debout tenait quasiment du miracle.

— Bon sang ! Qu'est-ce que vous voulez encore ?

Il avait la voix faussée et éraillée d'un homme qui aurait la gorge en feu d'avoir trop crié.

— Il faut absolument que je vous parle, monsieur Biemeyer.

— Ça va, j'ai compris. Vous voulez encore du fric.

— Oubliez un peu le fric pour changer. Je me fiche de votre argent.

Du coup, son visage parut s'affaisser. Son argent était le pavillon qu'il avait hissé en haut du mât — et voilà que je refusais de saluer les couleurs !

Enfin, mais cela demanda quand même un certain temps, son expression reprit son aspect normal.

— Est-ce que ça signifie que vous ne m'enverrez pas votre facture ? demanda-t-il en me pourfendant d'un regard hostile.

J'eus la tentation de faire demi-tour et de mettre les voiles — après lui avoir flanqué mon poing dans la figure, peut-être —, mais les Biemeyer savaient certaines choses dont j'avais un urgent besoin pour éclairer ma lanterne. De plus, le fait que je travaillais pour eux me valait de la part de la police une considération qu'elle ne m'aurait pas accordée autrement.

— Allons, ne le prenez pas sur ce ton, monsieur Biemeyer. Ce que vous m'avez déjà avancé devrait suffire. Sinon, je vous enverrai la facture. Après tout, j'ai retrouvé votre fille.

— Oui, mais pas le tableau.

— Je suis justement en train de m'en occuper et les choses avancent un peu de ce côté. Il n'y aurait pas un endroit où nous pourrions parler tranquillement ?

— Non, il n'y en a pas. Je ne vous reconnais pas le droit de vous imposer chez moi. Si vous ne respectez pas l'inviolabilité de ma demeure, vous n'avez qu'à aller vous faire voir chez les Grecs.

Son verre lui-même avait perdu sa stabilité. Il gesticulait avec des envolées si théâtrales qu'il réussit à en renverser la moitié. Comme si c'était là un signal codé à utilisation familiale, sa femme surgit derrière son dos et j'aperçus un peu plus loin Doris à demi dissimulée par une cloison.

— Tu ne devrais pas parler sur ce ton à M. Archer, Jack, dit Ruth Biemeyer. Nous venons de passer deux jours vraiment très pénibles, et si nous avons franchi ce cap difficile, c'est en grande partie grâce à lui.

Vêtue d'un négligé, elle arborait une physionomie calme et sereine, et s'exprimait d'une voix résignée.

Je pressentis qu'elle avait conclu un marché avec elle-même : si Doris rentre à la maison, je m'écraserai et je m'inclinerai devant la volonté de Jack.

Biemeyer ne daigna même pas lui répondre. D'un geste, il me fit signe de le suivre et se dirigea vers son bureau. Je lui emboîtai le pas. Doris, immobile et muette, m'adressa un petit sourire d'encouragement. Il y avait de l'appréhension dans son regard.

Biemeyer s'assit à son bureau, posa son verre devant lui et fit pivoter son fauteuil pour me faire face.

— Bon. Alors, qu'est-ce que vous attendez de moi ?

— Je suis à la recherche de deux femmes — qui sont peut-être actuellement ensemble, d'ailleurs. L'une d'elles s'appelle Betty — Betty Jo Siddon.

Il se pencha en avant.

— La journaliste ? Celle qui tient la rubrique mondaine ? Ne me dites pas qu'elle a disparu !

— Seulement depuis la fin de l'après-midi. Mais il est possible qu'elle soit en danger et vous pouvez peut-être m'aider à la retrouver.

— Je ne vois pas comment. Ça fait des semaines que je ne l'ai pas vue. Les réceptions, ce n'est pas mon fort.

— Ce n'est pas au cours d'une réception qu'elle a disparu, monsieur Biemeyer. Je ne sais pas au juste ce qui s'est passé, mais je crois qu'elle s'est rendue dans une maison de santé et qu'elle est tombée dans un guet-apens. C'est, en tout cas, l'hypothèse à partir de laquelle je suis forcé de travailler.

— Mais qu'est-ce que je viens faire dans cette histoire ? Je n'ai jamais mis les pieds dans une maison de santé.

Il se rengorgea et tendit la main vers son verre.

— Mlle Siddon était à la recherche de Mildred Mead.

Il faillit s'étrangler avec la gorgée qu'il venait d'avaler, et une partie du contenu de son verre se renversa sur son pantalon.

— Je n'ai jamais vu cette personne, dit-il sur un ton dépourvu de conviction.

— C'est pourtant le modèle du portrait qui vous a été volé. Vous n'avez pas pu ne pas la reconnaître.

— Comment est-ce que j'aurais pu la reconnaître puisque je ne l'ai jamais vue ? Comment avez-vous dit qu'elle s'appelle ?

— Mildred Mead. Vous lui avez acheté une maison à Chantry Canyon. Un joli cadeau pour une femme que vous dites n'avoir jamais vue ! C'est d'ailleurs dans cette maison que j'ai retrouvé Doris. Elle appartient maintenant à une communauté à laquelle Mildred l'a vendue il y a quelques mois avant de venir s'établir ici. Ne me dites pas que vous n'étiez pas au courant.

— Je ne vous dis rien.

Il était écarlate. Quand il se leva, je crus un instant qu'il allait me tomber dessus. Mais non : il se contenta de sortir précipitamment de la pièce. J'en étais encore à me demander si c'était sa façon de mettre un terme à notre conversation quand il revint avec un nouveau verre et reprit place dans son fauteuil, face à la photographie de la mine. A présent, ses joues cramoisies étaient ponctuées de taches blêmes.

— Vous avez fouillé dans mon passé ?

— Non.

— Allons donc ! Comment se fait-il alors que vous soyez au courant pour Mildred Mead ?

— Les personnes avec lesquelles j'ai eu l'occasion de m'entretenir à Copper City ont tout naturellement associé son nom au vôtre.

Il poussa un soupir.

— Ils me haïssent, là-bas. Quand j'ai dû fermer la fonderie, la moitié de la population s'est retrouvée au chômage. Je sais ce que c'est, d'ailleurs, je suis né à Copper City. Avant la guerre, mes parents étaient sans le sou. J'ai dû travailler pour pouvoir payer mes études. Mais j'imagine que vous savez déjà tout ça ?

Non, je ne le savais pas, mais je jugeai inutile de le lui avouer et me bornai à lui jeter un regard entendu.

— Est-ce que vous avez parlé à Mildred ? reprit-il.

— Non. Je ne l'ai pas vue.

— C'est une vieille dame, à présent. Mais quelle femme superbe elle était à l'époque ! Une splendeur !

Il vida la moitié de son verre.

— Elle a changé toute ma vie qui a alors pris tout son sens. C'est elle qui m'a donné la force de travailler comme un baudet. Mais les années ont passé. C'est maintenant une vieille dame, répéta-t-il.

— Est-ce qu'elle habite Santa Teresa ?

— Vous le savez bien, sinon vous ne me poseriez pas la question. Oui, elle habite à Santa Teresa. Tout du moins, elle y habitait.

Il allongea le bras et sa main se referma sur mon épaule.

— Mais ne le dites pas à Ruth. Elle est folle de jalousie. Vous savez comment sont les femmes.

Ce fut précisément le moment que Ruth choisit pour faire son entrée dans le bureau.

— Folle de jalousie, moi ? s'exclama-t-elle. En voilà un mensonge ! Jalouse, je l'ai été autrefois, oui. Mais cela ne te donne pas le droit de dire une chose pareille.

Biemeyer se mit debout pour l'affronter. Il devait lever la tête pour la regarder car, avec ses talons, elle était un peu plus grande que lui. L'aversion et le mépris donnaient à son visage le caractère qui, jusque-là, lui faisait défaut.

— Oui, tu as été toute ta vie dévorée de jalousie, répliqua-t-il. Tu n'as jamais été capable d'avoir avec moi des relations conjugales normales, mais quand j'ai trouvé auprès d'une autre femme les satisfactions sexuelles que tu ne m'avais jamais apportées, tu n'as pas pu le supporter. Tu as fait les pires horreurs pour rompre notre liaison et comme tu n'y es pas arrivée, tu as fini par l'obliger à prendre la fuite.

— Mon pauvre ami ! Mais c'est seulement parce que j'avais honte de toi, rétorqua Ruth avec une douceur acide. Te voir courir après cette malheureuse qui, malade comme elle était et à l'âge qu'elle avait, tenait à peine debout... ce n'était pas possible !

— Mildred n'est pas si vieille que ça. Et elle avait plus de sensualité dans son petit doigt que toi dans ton corps tout entier.

— De la sensualité ! Mais qu'est-ce que tu connais de la sensualité ? Ce n'était pas une femme que tu cherchais, c'était une mère. Et ce vieux sac d'os dont tu t'es entiché...

— Je t'interdis de parler d'elle comme ça !

Ils étaient l'un et l'autre en représentation : tout en se lançant ces répliques empoisonnées à la tête, ils ne cessaient de me jeter des regards en coulisse comme s'ils me prenaient pour arbitre. Se complaisaient-ils aussi à faire de leur fille le témoin de leurs scènes de ménage ?

Le souvenir de l'épisode dont Doris m'avait parlé — quand elle s'était cachée dans le panier à linge de la salle de bains — me revint à l'esprit et je sentis la colère me gagner. Mais, cette fois, je pris soin de dissimuler mes sentiments. Somme toute, cette querelle m'apportait d'utiles renseignements.

Maintenant, ils s'étaient interrompus et me regardaient en silence comme s'ils se demandaient si leur petit numéro me laissait indifférent.

— Pourquoi donc avez-vous acheté un portrait de Mildred Mead ? demandai-je à la femme.

— Je ne savais pas que c'était elle qu'il représentait. Comment aurais-je pu faire le rapport entre ce portrait idéalisé et le vieux débris qu'elle est devenue ?

— Tu savais parfaitement que c'était elle, la contra son mari. Et elle a encore aujourd'hui autrement plus d'allure que tu n'en as jamais eu, toi. C'est ça que tu ne peux pas supporter.

— Tiens donc ! Ce que je n'ai jamais pu supporter, c'est toi.

— Enfin, tu l'avoues ! Parce que, jusque-là, tu prétendais que tout était ma faute, que tu étais trop fragile et délicate pour moi, le King Kong de Copper City. Eh bien, pour la fragilité et la délicatesse, tu repasseras !

— C'est que j'ai la peau qui a fini par devenir calleuse à la longue.

Je commençais à en avoir ma claque. Ce genre de scènes, j'en avais eu mon content quand mon propre mariage s'était mis à battre de l'aile. Je savais qu'ils en étaient arrivés au point où les mots n'ont plus la moindre utilité et ont cessé de correspondre à la vérité. Je me levai et allai me placer entre les combattants.

— Où est Mildred, monsieur Biemeyer ? Je veux lui parler.

— En toute sincérité, je n'en sais rien.

— Il ment, siffla sa femme. Il l'a installée dans un appartement sur le front de mer. C'est que j'ai des amis en ville et je sais de quoi il retourne. Il passe la voir tous les jours.

Elle se tourna vers son mari.

— Mais qu'est-ce que tu as donc dans le sang qui te pousse à déserter le domicile conjugal pour faire l'amour à cette vieille folle ?

— Nous ne faisons pas l'amour.

— Qu'est-ce que vous faites, alors ?

— Nous parlons. On boit un verre ou deux et on bavarde. C'est tout.

— Vraiment ? Vous faites la causette en tout bien tout honneur, et ça s'arrête là ?

— Exactement.

— Et, avant, quand tu allais lui rendre visite, c'était aussi pour tailler une bavette, bien sûr, dit Ruth d'une voix sardonique.

— Je ne le prétends pas.

— Qu'est-ce que tu prétends, alors ?

Il redressa les épaules.

— Je l'aimais.

Elle le regarda d'un air si déconcerté que je me demandai si ce n'était pas la première fois qu'il lui faisait cet aveu, puis elle fondit en larmes et se laissa choir dans le fauteuil du bureau, le visage dans les mains.

Biemeyer parut troublé, presque désorienté devant cette réaction. Le prenant par le bras, je l'entraînai à l'autre bout de la pièce et je lui reposai la question :

— Où est Mildred, maintenant ?

— Cela fait des semaines que je ne l'ai pas revue. Elle est partie et je ne sais pas où. Nous nous sommes disputés. Une discussion d'argent. Je l'entretenais, bien sûr, mais elle m'en réclamait toujours davantage. Elle voulait que je l'installe dans une grande maison avec des domestiques et son infirmière personnelle. Elle a toujours eu la folie des grandeurs.

— Et vous avez refusé ?

— Oui. J'étais d'accord pour participer aux frais, mais elle était loin d'être sur la paille. Et puis, elle vieillit — elle a plus de soixante-dix ans. Je lui ai dit qu'elle devait comprendre et se rendre à la raison, qu'à l'âge qu'elle a, elle ne devait plus s'attendre à vivre comme une reine.

— Où est-elle allée ?

— Je n'en ai aucune idée. Elle m'a seulement dit avant de déménager qu'elle songeait à s'installer chez des parents.

— Où ça ? Ici... en ville ?

— Je ne sais pas.

— Vous n'avez pas essayé de la retrouver ?

— Pourquoi aurais-je essayé ? Hein ? Pourquoi ? Il n'y avait plus rien entre nous. Avec l'argent que lui a rapporté la vente de la propriété de Chantry Canyon, elle avait largement de quoi vivre jusqu'à la fin de ses jours. Je ne lui devais rien. Et elle commençait à devenir franchement casse-pieds. C'était un boulet que j'avais assez de traîner.

Biemeyer montrait enfin son vrai visage, mais il n'était pas question de lui faire le coup du mépris : j'avais encore besoin de lui.

— Il faut absolument que je prenne contact avec elle et vous pouvez peut-être m'y aider. Est-ce que vous connaissez quelqu'un à la succursale de la Southwestern Savings de Copper City ?

— Oui. Son directeur, Delbert Knapp.

— Croyez-vous qu'il acceptera de vous dire où Mildred Mead se fait verser les sommes qui lui sont dues par les acheteurs de Chantry Canyon ?

— Je peux toujours essayer de lui poser la question.

— Il faut faire mieux que ça, monsieur Biemeyer. Je suis désolé de vous mettre l'épée dans les reins, mais c'est peut-être une question de vie ou de mort.

— La mort de qui ? De Mildred ?

— Peut-être. Mais, pour l'instant, c'est surtout pour Betty Siddon que je me fais du souci. Et je compte sur Mildred pour retrouver sa trace. Quand pouvez-vous joindre Delbert Knapp ?

— Ce soir, je crains que ce ne soit pas possible. De toute manière, il n'aura pas le renseignement chez lui.

— Et les relations de Mildred à Santa Teresa ? Si vous les sondiez, vous trouveriez peut-être quelqu'un qui connaît son adresse actuelle.

— Je vais y réfléchir. Mais une chose doit être bien claire : je ne veux pas que la presse fasse état de mon nom. Et surtout pas qu'il soit associé à celui de Mildred. D'ailleurs, plus j'y réfléchis, plus l'idée de me mêler de cette affaire me déplaît.

— C'est peut-être la vie d'une femme qui est en jeu.

— Des gens meurent tous les jours, vous savez.

Je l'agrippai par le bras.

— Je vous ai ramené votre fille, monsieur Biemeyer. C'est maintenant à votre tour de me rendre service. Si vous refusez, et si quelque chose arrive à Mlle Siddon, je vous garantis que vous le regretterez.

— Ma parole, c'est une menace !

— C'en est une. J'en sais désormais suffisamment sur vous pour vous mettre dans un sacré pétrin.

— Mais je suis votre client !

— Non. C'est votre femme qui est ma cliente.

J'avais parlé d'une voix on ne peut plus calme, presque impersonnelle, mais j'étais si tendu que j'en tremblais.

— Vous êtes fou ! s'exclama-t-il. J'ai les moyens de faire de vous ce que je veux. Je peux vous acheter... je peux vous vendre...

— Je ne suis pas à vendre. Et, d'ailleurs, tout ça, c'est du vent. Vous êtes peut-être plein aux as, mais vous êtes trop radin pour claquer votre argent. L'autre jour, quand je vous ai demandé cinq cents malheureux dollars pour vous ramener votre fille, on aurait dit que je vous arrachais les tripes. Vous passez la moitié de votre temps à bomber le torse comme si vous étiez le maître de l'univers et, l'autre moitié, vous vous comportez comme le dernier des clodos.

J'y étais allé un peu fort et je le regrettais déjà, mais j'étais trop furibard pour me résoudre à mettre de l'eau dans mon vin. Je sortis du bureau et me dirigeai à grands pas vers la porte.

Mais Mme Biemeyer me rattrapa avant que je l'atteigne.

— Vous n'auriez pas dû lui dire ça.

— Je sais. Je regrette d'avoir fait cette sortie. Je peux téléphoner ?

— Vous n'allez pas appeler la police ? Si jamais ils débarquaient ici...

— Non. Juste des amis.

Elle me conduisit dans une cuisine cyclopéenne aux murs de brique et me fit asseoir près de la fenêtre devant une table sur laquelle elle posa un poste auxiliaire à rallonge. De la fenêtre, on distinguait au loin le port et, plus près, presque au pied de la colline, la demeure illuminée de Mme Chantry. Tout en composant le numéro que m'avait donné Fay Brighton, je la regardai plus attentivement et notai que la serre était également éclairée.

La ligne était occupée. J'attendis quelques secondes et refis le numéro. Cette fois, Fay Brighton répondit à la première sonnerie.

— Allô ?

— Archer à l'appareil. Alors, vos recherches ont-elles donné quelque chose ?

— Malheureusement pas. Le problème, c'est que la plupart des gens que j'ai au bout du fil ont l'air de se méfier. C'est peut-être ma voix qui leur fait cet effet. Comment vous dire ? J'ai un peu peur, toute seule ici. Je crains de ne pas être à la hauteur.

— Vous avez déjà passé beaucoup d'appels ?

— Je suis arrivée à peu près à la moitié de la liste. Mais j'ai vraiment l'impression que je ne suis bonne à rien. Est-ce que vous m'en voudrez si j'arrête pour ce soir ?

Comme je réfléchissais, elle émit un petit sanglot étouffé et raccrocha sans me laisser le temps de lui répondre.

30

J'éteignis pour mieux observer la propriété Chantry. Je distinguai bel et bien des mouvements dans la serre, mais sans pouvoir les déchiffrer.

Comme je sortais dans l'intention de chercher mes jumelles dans la voiture, je tombai à nouveau sur Ruth Biemeyer.

— Avez-vous vu Doris ? me demanda-t-elle. Je commence à me faire un peu de souci pour elle.

C'était peu dire. Sa voix était tendue et sourde, et ses yeux étaient deux puits d'ombre.

— Elle est repartie ?

— Oui, je le crains, à moins qu'elle ne se cache quelque part. Pourvu qu'elle ne soit pas partie avec Fred Johnson !

— Ça, certainement pas. Il est en prison.

— Il y était, mais mon avocat l'a fait libérer. J'ai peur d'avoir commis une bêtise. Je vous en prie, ne le dites pas à Jack. Il ne me le pardonnerait pas.

En fait, elle était folle d'anxiété. Toute son assurance l'avait quittée et elle était au bord du désespoir.

— Je ne dirai à votre mari que le strict nécessaire, ne vous inquiétez pas. Mais où est Fred ? Il faut que je lui parle.

— Nous l'avons déposé chez lui. C'était idiot, non ?

— Ce qui est idiot, c'est de rester plantés ici, dehors et en pleine lumière. Il se passe des choses bizarres chez Mme Chantry.

— Oui, je sais. Il y a eu de l'agitation chez elle une bonne partie de la journée. D'abord, ils ont taillé les fleurs. Ensuite, ils se sont mis à creuser un trou.

— Comment ça, un trou ?

— Allez voir vous-même. Ils y sont toujours.

Je descendis l'allée jusqu'au grillage dominant le flanc de la colline. Derrière moi, les lumières s'étaient éteintes. Je braquai mes jumelles sur la serre. Un homme noir de poil et une femme aux cheveux gris — Rico et Francine Chantry — s'y démenaient. Armés chacun d'une pelle, ils se tenaient de part et d'autre d'un tas de terre, apparemment occupés à combler un trou. Au bout d'un moment, Rico descendit à l'intérieur de celui-ci et, sautillant sur place, entreprit d'en tasser le fond sous ses pieds.

Mme Chantry, qui s'était arrêtée de pelleter, le regardait faire. Les joues en feu, elle avait une expression farouche. Les mèches désordonnées qui encadraient son visage maculé de terre me faisaient penser à des serres de rapace.

Elle tendit la main à Rico pour l'aider à ressortir de l'excavation et tous deux se remirent au travail.

Une pensée sinistre s'imposa peu à peu à mon esprit : c'était une tombe qu'ils avaient creusée et ils étaient en train de la reboucher. Une idée extravagante, certes. Pourtant, si jamais c'était vrai, peut-être que le corps qui gisait dans cette fosse était celui de Betty Siddon.

Je retournai à la voiture. Pour y prendre mon pistolet, cette fois. J'avais refermé ma main sur la crosse quand la voix de Ruth Biemeyer s'éleva derrière mon dos :

— Qu'est-ce que vous voulez faire avec ça ?

— Il faut que je sache ce qui se passe là-bas.

— Pour l'amour du ciel, laissez cet instrument où il est ! Tant d'innocents se font tuer... Et je n'ai toujours pas retrouvé ma fille.

Je ne discutai pas, mais n'en glissai pas moins l'automatique dans la poche de ma veste, et revins sur mes pas. J'enjambai la barrière et commençai à me frayer tant bien que mal un chemin le long de la paroi abrupte de la *barranca*, tapissée d'une végétation prolifique.

Soudain, j'aperçus une tête blonde au milieu des buissons. C'était Doris qui, tapie dans l'ombre, surveillait la serre.

— Doris... appelai-je à voix basse. N'ayez pas peur.

Mais déjà elle avait pris la fuite, bondissant par-dessus les obstacles comme un animal effarouché. Je me lançai à sa poursuite et ne tardai pas à la rattraper. Je lui enjoignis de se tenir tranquille. Sa respiration était haletante et elle était secouée de tremblements spasmodiques. Je dus la prendre à bras-le-corps pour l'immobiliser.

— N'ayez pas peur, Doris, répétai-je. Je ne veux pas vous faire de mal.

— Si, justement... vous me faites mal. Lâchez-moi.

— D'accord, mais à condition que vous me promettiez de rester sagement là sans bouger.

Elle se calma un peu, mais sa respiration ne retrouvait pas encore son rythme normal.

Dans la serre, Francine Chantry et Rico s'étaient

brusquement figés sur place comme s'ils tendaient l'oreille et fouillaient des yeux le versant obscur du ravin. Je m'aplatis au milieu de la végétation et, d'une poussée, obligeai Doris à m'imiter. Au bout d'une minute qui me parut interminable, le couple se remit à sa tâche. Une tâche qui ressemblait fort à un travail de fossoyeurs.

— Avez-vous vu ce qu'ils ont enterré ? demandai-je à Doris.

— Non, ils rebouchaient déjà le trou quand je suis arrivée.

— Qu'est-ce qui vous a fait venir ici ?

— Dès que je me suis aperçue qu'il y avait de la lumière dans la serre, je me suis précipitée, mais je suis arrivée trop tard. J'ai seulement vu un gros tas de terre. Vous croyez que c'est un cadavre qu'ils enterrent ?

Il y avait de l'effroi dans sa voix, mais, aussi, une sorte de fatalisme comme si les cauchemars familiers qui la hantaient avaient fini par se matérialiser.

— Je n'en sais rien.

Nous rebroussâmes chemin. Quand, après avoir escaladé la barrière, nous nous dirigeâmes vers la maison, nous vîmes Ruth Biemeyer qui nous attendait au bout de l'allée.

— Que pensez-vous que nous devons faire, monsieur Archer ? me demanda-t-elle quand je l'eus mise au courant.

— Je vais appeler le capitaine Mackendrick.

Elle me conduisit à la cuisine où elle me laissa seul. Tout en composant le numéro du commissariat, je gardai les yeux fixés sur la serre de la maison d'en face, mais je ne voyais rien d'autre qu'une flaque de lumière qu'occultaient par moments des ombres indistinctes.

Mackendrick n'était pas dans son bureau. Tandis qu'on essayait de savoir où on pouvait le toucher, je me demandai s'il n'allait pas revoir à bref délai le peintre qu'il avait connu à l'époque où il n'était encore qu'un jeune flic. Le planton me dit finalement qu'il était chez lui et me donna son numéro personnel.

Ce fut Mme Mackendrick qui répondit sur un ton qui manquait franchement de convivialité. Je dus parlementer un bon moment avant qu'elle consente à me passer son mari.

— Creuser un trou dans sa serre n'est pas un crime, dit-il quand je lui eus rapporté ce que j'avais vu. Il n'est pas question que je prenne la moindre initiative. Non, mais, est-ce que vous vous rendez compte ? Mme Chantry pourrait intenter un procès à la ville.

— Mais s'ils ont enterré un cadavre ?

— Vous l'avez vu, ce cadavre ?

— Non.

— Alors, que voulez-vous que je fasse ?

— Mais, voyons, réfléchissez ! Est-ce qu'on s'amuse à creuser des trous de la taille d'une tombe histoire de passer le temps ?

— Les gens font souvent des choses invraisemblables, vous savez. Peut-être que Mme Chantry et Rico cherchent quelque chose.

— Qu'est-ce que vous voulez qu'ils cherchent ?

— A localiser une fuite dans une canalisation d'eau, par exemple. Ça s'est déjà vu.

— Vous pensez vraiment que Mme Chantry est du genre à jouer les plombiers ?

Un ange passa.

— Je crois qu'il vaudrait mieux mettre un terme à cette conversation, laissa enfin tomber Mackendrick.

Si vous jugez bon d'intervenir, allez-y. Moi, je ne veux pas le savoir.

— Il y a encore autre chose que vous préféreriez sans doute ne pas savoir, mais je tiens à vous le dire quand même.

Il émit un borborygme à mi-chemin du soupir et du grognement.

— Soit, mais dépêchez-vous. J'ai encore pas mal de choses à faire et il est déjà tard.

— Connaissez-vous Betty Siddon ?

— Pour ça oui ! On la voit partout.

— Mais vous ne l'avez pas vue ce soir, non ?

— Non.

— Elle a pratiquement disparu.

— Qu'est-ce que vous voulez dire ?

— Elle s'est volatilisée. Impossible de lui mettre la main dessus.

— Depuis quand a-t-elle disparu ?

— Depuis plusieurs heures.

Cette fois, Mackendrick éclata :

— Non, mais, est-ce que vous vous foutez de moi ? Je vous demande un peu ! S'il y avait huit ou quinze jours, on pourrait se poser la question, je ne dis pas. Mais quelques heures !

— Ben voyons ! A tant faire, attendons encore vingt ans. Alors, on sera tous morts !

J'avais presque crié sous l'effet de la colère, et j'en étais le premier surpris. Du coup, Mackendrick mit un bémol, rien que pour donner le bon exemple :

— Mais qu'est-ce qui vous arrive, Archer ? Vous en pincez pour cette fille ou quoi ?

— Je m'inquiète pour elle, c'est tout...

— Bon, c'est entendu. Je dirai à mes gars d'avoir l'œil pour tâcher de la retrouver. Ne vous en faites pas. Et bonne nuit.

Sur quoi, il raccrocha.

Je restai sans bouger à contempler le récepteur muet, à la fois furieux et accablé. Je n'avais encore jamais éprouvé un tel sentiment d'abattement. J'étais à la frontière de deux mondes — le monde dangereux de la réalité où les victimes sont légion ; et le monde de Mackendrick, pétrifié dans ses modes de pensée labyrinthiques et régi par tout un fatras de réglementations, un monde où rien n'arrivait tant que les autorités n'en avaient pas eu officiellement connaissance.

Dans la serre, les deux fossoyeurs étaient toujours à l'œuvre. Ils mettaient maintenant la dernière main à leur tâche. Ils avaient fini de combler la fosse et étaient apparemment occupés à la recouvrir de pleines brassées de feuillage. Enfin, Rico ramassa un sac qu'il balança en travers de son épaule, sortit de la serre et alla le flanquer dans le coffre d'une auto qui stationnait dans la cour. Mme Chantry éteignit la lumière et rentra dans la maison avec lui.

Je regagnai précipitamment ma voiture et fonçai à toute allure pour m'arrêter au coin de la route bordant la propriété. Je n'eus pas longtemps à attendre : moins d'un quart d'heure plus tard, des phares s'allumèrent et je vis leur lueur s'approcher. C'étaient ceux de la voiture de Francine Chantry. Rico était au volant et il était seul. Il me dépassa et tourna en direction de l'autoroute.

Je le pris en chasse en veillant à demeurer à une distance respectable, mais suffisamment près quand même pour le voir prendre la bretelle d'accès.

La circulation était chargée à cette heure-là, ce qui garantissait mon invisibilité. L'un suivant l'autre, nous passâmes devant le campus, devant le village universitaire où j'avais rencontré Doris pour la première fois, puis devant la sortie menant à la plage maintenant plongée dans l'obscurité où l'on avait retrouvé le corps de Jake Whitmore. A présent, la circulation était plus fluide et je laissai prudemment Rico me distancer à tel point que je faillis le perdre de vue.

A un moment donné, il tourna brusquement à droite pour quitter l'autoroute et à gauche un instant plus tard afin de s'engager dans un passage souterrain. Je sortis à mon tour de l'autoroute et m'arrêtai pour le laisser gagner du terrain. Il se dirigeait vers la mer. Au bout d'une minute, je redémarrai, tous feux éteints.

L'objectif de Rico était une jetée de bois qui s'avançait dans la mer sur quelque deux cents mètres. Au loin, sous la flamme géante d'une torchère, se dressaient une demi-douzaine de plates-formes de forage pétrolier éclatantes de lumières. On aurait dit des bougies piquées sur des sapins de Noël dépourvus de leurs aiguilles.

La silhouette de Rico, courbé sous le poids du sac qu'il portait, se profilait maintenant sur la jetée. Je descendis de voiture et, sans bruit, lui emboîtai le pas en accélérant l'allure de sorte que je n'étais plus qu'à quelques mètres de lui quand il parvint à l'extrémité du ponton.

— Pose ton sac, Rico ! lui criai-je alors. Et les mains en l'air.

Il tenta de flanquer son fardeau à la mer, mais le sac heurta le garde-fou et tomba bruyamment à ses pieds. Rico fit alors volte-face dans l'intention évidente de me sauter dessus, mais j'esquivai la charge et passai à l'attaque. Quelques directs bien placés suivis d'un uppercut au menton eurent raison de lui : il alla au tapis, K.-O. pour le compte. Je le fouillai. Il n'avait pas d'arme.

Je dénouai la cordelette qui fermait le sac et secouai celui-ci. Outre des ossements enrobés de terre durcie et un crâne humain plus ou moins fracassé, il contenait les pièces rouillées de ce qui avait jadis été un moteur de voiture.

Pendant ce temps, Rico était revenu à lui. Avec un gémissement, il roula sur lui-même et, l'instant d'après, il se ruait sur moi. Mais il était encore sonné et, malgré sa force et son poids, il réagissait avec peine. Sa tête oscillait de gauche à droite. Il était manifestement hors d'état de se battre. Aussi, renonçant à le frapper à nouveau, je me bornai à reculer de quelques pas et, sortant mon calibre, je lui intimai l'ordre de se calmer.

Au lieu de quoi, il fit demi-tour et se mit à courir d'une allure chancelante vers l'extrémité de la jetée dont il commença à enjamber le garde-fou. La marée était basse et la surface de l'eau était loin au-dessous.

Il ne fallait surtout pas qu'il saute. Fourrant le pistolet dans ma poche, j'agrippai Rico à bras-le-corps et le tirai en arrière.

Il se laissa entraîner sans résistance jusqu'à la voiture. Quand j'eus refermé la portière, je réalisai que la satisfaction que j'éprouvais avait encore une autre raison. Vingt ans auparavant, je m'étais battu dans l'eau avec un type nommé Puddler près d'une jetée semblable à celle-ci. Et Puddler était mort noyé. Quoi que Rico pût avoir à se reprocher, j'avais un peu l'impression de m'être racheté en l'empêchant de faire le plongeon fatal.

31

Le capitaine Mackendrick était enchanté d'avoir Rico en face de lui. Il avait appelé un de ses hommes dans son bureau pour prendre note de ses déclarations. Mais Rico s'était enfermé dans le mutisme le plus total.

Jusqu'au moment où Mackendrick fit apporter le sac dont le macabre contenu cliqueta quand il le secoua sous le nez de son vis-à-vis. Il en sortit le crâne qu'il posa sur son bureau. Les orbites vides fixaient Rico. Au bout d'un bon moment, celui-ci passa la langue sur ses lèvres sèches et se gratta la tête.

Mackendrick passa alors à l'offensive.

— Tu étais un brave garçon dans ta jeunesse, commença-t-il. Je me rappelle quand tu jouais au volley sur la plage. Tu aimais le sport. Et tu aimais travailler — tondre la pelouse, laver la voiture. Pour toi, M. Chantry était la crème des patrons. Tu me l'as dit toi-même, tu te souviens ?

Des larmes se mirent à couler sur les joues de Rico qui murmura :

— Je regrette.

— Qu'est-ce que tu regrettes ? De l'avoir tué ?

— Je sais même pas qui c'est, répondit Rico en secouant énergiquement la tête.

— Alors, pourquoi est-ce que tu as déterré les os de ce malheureux et essayé de les faire disparaître ?

— J' sais pas.

— Parce que tu fais des choses sans savoir pourquoi tu les fais ?

— Des fois, oui. Quand on me dit de les faire.

— Qui t'a dit de déterrer ce squelette, de le lester avec de la ferraille et de le balancer à la mer ? Qui, hein ?

— J' me souviens pas.

— C'était une idée à toi ?

— Ah non !

— Alors, elle venait de qui ?

Rico riva ses yeux aux orbites du crâne, et son expression s'assombrit encore un peu plus comme s'il se tenait devant un miroir et prenait conscience de sa condition de mortel. Portant les mains à sa figure, il commença à se pétrir les pommettes comme pour sentir l'ossature de son visage.

Mackendrick revint à la charge :

— Est-ce que ce crâne est celui de M. Chantry ?

— Ça, j' sais pas. Je vous jure que j' sais pas.

— Alors, dis-moi déjà ce que tu sais.

— J' sais pas grand-chose. J'ai toujours eu la comprenette un peu dure.

— C'est vrai, mais tu n'es quand même pas un débile mental. Tu te défendais même pas trop mal dans le temps, Rico. Tu courais les filles, mais tu ne les laissais pas te mener par le bout du nez. Tu n'aurais jamais assassiné quelqu'un rien que pour faire plaisir à une bonne femme qui essayait de t'aguicher en tortillant du popotin. Tu n'aurais pas été assez bête pour ça.

Les doigts du sténo dansant leur menuet rapide sur les touches semblaient hypnotiser Rico qui les regardait comme s'ils mimaient une danse de mort racontant son passé ou, peut-être, prédisant son avenir. Cherchant ses mots, il ouvrit et referma la bouche à plusieurs reprises. Enfin, il balbutia quelque chose, mais si bas que c'était inaudible.

Mackendrick se pencha en avant.

— Qu'est-ce que tu dis ? lui demanda-t-il doucement. Parle plus fort, mon gars. Ça peut être important.

Rico acquiesça.

— Pour ça oui, c'est important. Je suis pour rien là-dedans, moi.

— Tu veux dire que tu n'es pour rien dans le meurtre ?

— Pour rien du tout. C'est elle qui a tout combiné. Moi, j'ai rien sur la conscience. Elle m'a dit de l'enterrer et je l'ai enterré. Et puis, aujourd'hui, elle m'a dit de le déterrer. Alors je l'ai déterré. C'est tout ce que j'ai fait.

A force de fixer les orbites du crâne, ses yeux semblaient avoir perdu toute vie.

— C'est tout ce que tu as fait, répéta Mackendrick sur un ton sarcastique. Enterrer le corps d'un homme assassiné, puis le déterrer et essayer de flanquer ses restes à la mer ! Tiens donc ! Pourquoi tu aurais fait ça si ce n'était pas toi qui l'avais tué, ce type ?

— Je l'ai fait parce qu'elle m'a dit de le faire.

— Qui ça, elle ?

— Mme Chantry.

— Elle t'a dit d'enterrer le corps de son mari ?

Mackendrick s'était levé et s'était planté devant Rico qui balançait maintenant la tête de gauche à droite comme pour se dérober au poids de son ombre.

— C'était pas le corps de son mari.

— Alors, c'était le corps de qui ?

— D'un bonhomme qui, un jour, a sonné à la porte. Il y a vingt-cinq ans de ça. Il voulait voir M. Chantry. Je lui ai dit que M. Chantry travaillait dans son atelier et que, n'importe comment, il ne recevait que sur rendez-vous. Mais le type m'a dit que M. Chantry le recevrait, *lui*, lorsque je lui aurais dit son nom.

— Quel nom t'a-t-il donné ?

— Excusez-moi, mais je ne m'en souviens pas.

— Et à quoi ressemblait-il, cet homme ?

— Ben... il avait rien de particulier. Sauf qu'il avait mauvaise mine et avait l'air flapi. Pas en forme, quoi. Ce qui m'a le plus frappé, c'est qu'il avait une drôle de voix. Je veux dire qu'il avait de la peine à parler comme quelqu'un qui a eu une attaque ou je ne sais quoi. Il faisait l'effet d'un vieux zonard, sauf qu'il était pas bien vieux.

— Quel âge ?

— Trente et quelques. En tout cas, il était plus vieux que moi, c'est sûr.

— Comment était-il habillé ?

— Plutôt mal. Il avait un mauvais costume brun qui ne lui allait pas. Je me rappelle que je me suis dit que ça ressemblait aux frusques qu'ils vous donnent, à l'Armée du Salut.

— Et, finalement, tu l'as conduit auprès de M. Chantry ?

— C'est Mme Chantry qui s'en est chargée. Ils ont discuté longtemps tous les trois.

— De quoi ont-ils parlé ?

C'était moi, cette fois, qui avais posé cette question.

— Je ne sais pas, je ne suis pas entré. Et puis, ils avaient refermé la porte de l'atelier — et c'est une grosse porte en chêne tout ce qu'il y a d'épaisse. On ne peut rien entendre au travers. Au bout d'un moment, il est ressorti avec Mme Chantry qui l'a raccompagné jusqu'à la grande porte et il est reparti.

Mackendrick eut un claquement de langue.

— Tu viens de nous dire que tu l'avais enterré. Alors ? Tu reviens sur tes déclarations ?

— Non, pas du tout. C'est seulement quelques jours plus tard que je l'ai enterré. Quand il est revenu avec la femme et le petit garçon.

— Quelle femme ? Quel petit garçon ?

— La femme ? Ben, elle devait avoir dans les trente ans, elle aussi. Brune, elle était. Pas trop mal tournée, mais question beauté, elle ne cassait pas quatre pattes à un canard. Le gamin, lui, il avait sept ou huit ans, dans ces eaux-là. Sage comme tout, il était. Il posait pas tout le temps des questions comme ils font presque toujours, les mômes. En fait, j'ai pas entendu une seule fois le son de sa voix. Il devait être là quand c'est arrivé.

— Qu'est-ce qui est arrivé ?

Rico laissa s'écouler quelques secondes avant de répondre.

— Je ne sais pas vraiment. Ce qui s'est passé, je n'y ai pas assisté. Mais, après, j'ai vu le corps dans la serre. Enfin, le sac où on l'avait fourré. Mme Chantry m'a expliqué qu'il avait eu un coup de sang, qu'il s'était fracturé le crâne en tombant et qu'il était mort à ses pieds. Elle m'a dit qu'elle ne voulait pas avoir d'histoires et que ça lui rendrait service si je l'enterrais. Si j'étais gentil et que je faisais ce qu'elle me demandait, elle a ajouté qu'elle serait gentille avec moi.

Mackendrick eut une grimace de dégoût.

— Et c'est comme ça que tu as passé vingt-cinq ans dans le lit de ta patronne pendant que ce pauvre type, lui, engraissait ses orchidées. C'est bien ça ?

Rico s'abîma dans la contemplation de ses chaussures.

— Ben... oui, en quelque sorte. Mais ce type, je ne l'ai pas tué.

— Tu as protégé son assassin. Qui l'a tué ?

— J'en sais rien. Je vous répète que je n'étais pas là quand c'est arrivé.

— Et depuis vingt-cinq ans que tu couches avec Mme Chantry, l'idée de lui demander qui l'a tué ne t'est jamais venue ?

— Non. Ça ne me regardait pas.

— Eh bien, ça te regarde maintenant, parce que, et je suppose que tu t'en doutes, tu es dans le bain jusqu'au cou. Tout comme Chantry, Mme Chantry et la femme au petit garçon.

Mackendrick saisit le crâne posé sur le bureau et le brandit devant les yeux de Rico.

— Tu es bien sûr que ce n'est pas M. Chantry ?

— Non... Je veux dire oui, je suis sûr que ce n'est pas lui.

— Comment est-ce que tu peux en être si sûr puisque le cadavre que tu as enterré était enfermé dans un sac ?

— Parce qu'elle m'a dit que c'était l'autre type... l'homme en costume brun.

— Autrement dit, tu n'as que sa parole ?

— Oui, monsieur.

Mackendrick jeta un regard lugubre au crâne avant de se tourner vers moi :

— Vous avez des questions à lui poser, Archer ?

— Oui, merci, capitaine.

Je dévisageai Rico.

— En admettant que ce crâne soit bien celui d'un autre, qu'est devenu Richard Chantry, à votre avis ?

— Moi, j'ai toujours pensé qu'il s'était taillé.

— Mais pourquoi se serait-il taillé ?

— Je ne sais pas.

— Et vous ne l'avez pas revu depuis ? Vous n'avez plus entendu parler de lui ?

— Non, monsieur. Il avait laissé une lettre. Vous l'avez sûrement vue au musée.

— Oui. Quand l'a-t-il écrite ?

— Comment ça ?

— Est-ce qu'il l'a rédigée entre le moment où l'autre homme est mort et le moment où il a filé, lui ?

— Ça, je ne peux pas vous dire. Je ne l'ai plus revu depuis ce jour-là.

— Mme Chantry ne vous a pas dit où il était parti ?

— Non, monsieur. Je crois qu'elle n'en savait rien.

— Est-ce qu'il a emporté quelque chose en partant ?

— Pas que je sache. C'est elle qui s'est occupée de ses affaires après son départ.

— Et ce départ l'a-t-il peinée ?

— Je ne sais pas. Elle n'a jamais causé de ça avec moi.

— Même au lit ?

Il rougit.

— Jamais, monsieur.

— Et la femme brune et le petit garçon... vous ne les avez jamais revus ?

— Non, monsieur. Et je n'ai jamais cherché à les revoir. Ce n'étaient pas mes oignons.

— C'est quoi, au juste, vos « oignons » ?

— Tenir la maison et m'occuper des gens. Je fais de mon mieux pour ça.

— Les gens, les gens... Ça se limite à la seule personne de Mme Chantry, non ?

— Oui, monsieur.

Je me tournai vers Mackendrick.

— Croyez-vous qu'elle répondra à vos questions ?

— Je ne veux pas l'interroger tout de suite, répondit-il d'une voix qui manquait de naturel. Il faut d'abord que j'en réfère à mes supérieurs.

Ses supérieurs, moi, je n'en avais rien à fiche, mais je ne pouvais pas envoyer balader Mackendrick : j'avais besoin de sa coopération. Aussi, j'attendis qu'on ait bouclé Rico dans une cellule pour revenir sur le sujet qui me tenait à cœur, à savoir Betty. Quand nous fûmes seuls dans le bureau en compagnie du crâne et du sac d'os, Mackendrick et moi, je lui racontai brièvement ce qui était arrivé à la jeune journaliste — ou, du moins, ce que j'imaginais qui lui était arrivé.

Il m'écouta en pianotant sur la table, l'air constipé comme s'il avait une foule d'autres sujets de préoccupation. Enfin, il se racla la gorge et se décida à sortir de son mutisme :

— Écoutez, mon vieux, je ne peux rien faire dans l'immédiat en ce qui concerne votre amie Betty Siddon. D'ailleurs, même si je disposais d'effectifs suffisants, je ne ferais rien non plus. Les femmes, on ne sait jamais ce qui peut leur passer par la tête. Une jolie minette roulée comme elle l'est... il y a toutes les chances pour qu'elle soit en train de se faire sauter par son petit ami à l'heure qu'il est.

Il s'en fallut de peu qu'il ne reçoive mon poing dans la figure. Une fois de plus — et Dieu sait que ce n'était pas la première de la soirée ! —, je dus faire un sacré effort pour me dominer et ne pas laisser éclater la fureur qui me faisait voir rouge. Je n'avais aucune envie d'être mis à l'écart de l'enquête ou de me retrouver en cabane comme Rico ! Aussi, je me concentrai sur le crâne en essayant de me convaincre que, si prendre de l'âge a ses inconvénients, cela a au moins l'avantage de calmer les esprits.

— C'est qu'en principe son petit ami, c'est moi, fis-je quand j'eus recouvré mon sang-froid.

— C'est bien ce que je pensais. Mais cela n'empêche pas que je n'ai pas le personnel qu'il faudrait pour faire du porte-à-porte. Mais vous avez tort de vous inquiéter, je vous assure. C'est une fille intelligente et qui sait ce qu'elle fait. Si elle n'a pas réapparu demain, nous réétudierons la question.

En l'entendant se mettre à parler comme s'il portait déjà la casquette de chef de la police, je me surpris à espérer qu'il n'accéderait jamais à ce poste. Mais j'étais apparemment condamné à lui servir de marchepied.

— Est-ce que je peux faire une ou deux suggestions, capitaine ? lui demandai-je. Et vous poser une ou deux questions ?

Il jeta un coup d'œil impatient à la pendule électrique. Il n'était pas loin de minuit.

— Je vous écoute.

— Il faudrait essayer de déterminer la date exacte de la mort de cet homme. Elle devrait coïncider avec celle de la disparition de Chantry. Et peut-être aussi avec d'autres disparitions qui ont eu lieu dans la région — je pense en particulier aux hôpitaux et aux cliniques psychiatriques. D'après la description que Rico nous a faite de lui, ce type pourrait bien avoir été un déséquilibré mental.

J'avais posé la main sur le crâne défoncé.

— Dans les cas comme celui-là, nous procédons automatiquement à ce genre de vérifications. Cela fait partie de la routine. J'ai l'habitude, croyez-moi.

— Je n'en doute pas, capitaine. Mais ce n'est pas un cas habituel. Je crois qu'il serait bon que vous vous y attaquiez sans plus attendre.

— Ah bon ? Tout de suite ? Simplement parce que vous vous faites du souci pour votre petite amie ?

— Il n'y a pas que pour elle que je me fais du souci. Ce n'est pas seulement à une histoire qui remonte au passé que nous sommes confrontés. Elle a ses prolongements aujourd'hui. Je suis persuadé qu'il existe un lien entre tous ces crimes.

— Lequel ?

— La disparition de Chantry. Elle me fait l'effet d'en être le point de départ.

Et je lui dressai brièvement la liste des victimes en commençant par William Mead, apparemment assassiné en Arizona trente-deux ans auparavant, pour finir par Paul Grimes et Jacob Whitmore, tous deux morts de mort violente.

— Mais qu'est-ce qui vous rend tellement certain qu'il s'agit d'une seule et même affaire, Archer ?

— Toutes les victimes se connaissaient. Chantry était l'élève de Grimes et son ami, un ami très proche. Grimes a acheté à Whitmore le portrait de Mildred Mead. William Mead était le fils de Mildred Mead et, par conséquent, le demi-frère de Chantry. Mildred est manifestement l'une des deux femmes qui occupent une place centrale dans l'affaire, l'autre étant, bien sûr, Mme Chantry. Si nous pouvions les faire parler toutes les deux...

— Il n'est pas question d'importuner Mme Chantry, m'interrompit Mackendrick. Pas pour le moment, en tout cas. Je ne vais pas la harceler de questions sur la foi des racontars de Rico.

Il faillit ajouter quelque chose, mais se retint.

— Et Mildred Mead ?

Le rouge lui monta aux joues. Le rouge de la colère ? Ou de l'embarras ?

— Qui est cette Mildred Mead dont vous avez plein la bouche ? Je n'ai encore jamais entendu parler d'elle.

Je sortis de ma poche la photographie du portrait et y allai de mon baratin.

— Elle en sait certainement plus que quiconque sur les tenants et les aboutissants de cette affaire, conclus-je. A l'exception, peut-être, de Mme Chantry.

— Et où peut-on la trouver, votre Mildred Mead ? Elle habite Santa Teresa ?

— Elle y demeurait encore à une date récente et ce doit toujours être le cas. Elle est probablement pensionnaire d'une maison de santé. C'est justement elle que Betty était allée trouver.

Mackendrick me considéra longuement tandis que son visage exprimait tour à tour la colère, la répugnance et, finalement, la résignation.

— C'est bon, soupira-t-il. Vous avez gagné. On va faire la tournée des maisons de santé. On verra bien si on peut mettre la main sur votre amie Betty et sur elle.

— Je peux venir avec vous ?

— Non. Je superviserai l'opération moi-même.

32

Il était temps d'avoir une nouvelle conversation avec Fred. A vrai dire, c'était avec Francine Chantry que j'aurais bien aimé m'entretenir, mais Mackendrick avait été parfaitement clair : Mme Chantry, pas touche ; et je ne voulais surtout pas me le mettre à dos juste au moment où il commençait à faire montre d'esprit de coopération.

Les arbres d'Olive Street inscrivaient sur la chaussée des ombres épaisses, sombres comme des taches de sang séché, auprès desquelles la maison grise et délabrée, toutes ses fenêtres éclairées, paraissait presque accueillante. Les voix qu'on entendait derrière la porte firent silence dès que je frappai.

Ce fut Mme Johnson qui m'ouvrit. Elle portait son uniforme blanc. Elle avait le teint terne, les chairs de son visage étaient comme affaissées et des émotions pour moi indéchiffrables faisaient briller ses yeux. Elle paraissait à bout de force, prête à s'effondrer au moindre choc.

— Qu'est-ce que vous voulez ? me demanda-t-elle.

— L'idée m'est venue de faire un saut pour voir où en est Fred. Je viens d'apprendre qu'il a été relâché.

— Grâce à M. Lackner.

Elle avait dit cela presque à tue-tête et j'en conclus que ce n'était pas à mon seul bénéfice qu'elle parlait.

— Vous le connaissez ? Il est au salon avec Fred.

Le jeune avocat barbu me gratifia d'une poignée de main encore plus vigoureuse que celle à laquelle j'avais eu droit lors de notre première rencontre. Tout sourire, il m'appela par mon nom en m'assurant qu'il était ravi de me voir. Je lui rendis son sourire et le félicitai de son efficacité. Pour une fois, Fred souriait, lui aussi, mais d'un sourire qui manquait quelque peu d'assurance comme s'il n'avait pas encore tout à fait acquis le droit de se sentir à son aise.

Le salon faisait penser à un décor de théâtre monté à l'intention d'une pièce mort-née depuis longtemps retirée de l'affiche. Le divan vétuste et les fauteuils qui lui faisaient pendant étaient si affaissés que leur fond touchait presque le sol, il y avait des accrocs aux rideaux des fenêtres et le tapis usé jusqu'à la corde laissait par endroits voir le parquet.

Tel un fantôme condamné à hanter une demeure partant en ruine, M. Johnson surgit presque aussitôt, les joues enflammées et moites, les yeux injectés de sang et son souffle court et gargouillant évoquait un vent intermittent qui aurait fait un détour par un chai. Il ne me reconnut pas, mais me toisa avec hostilité comme si je lui avais joué un tour de cochon dans un passé oublié.

— Je vous connais, vous ?

— Mais bien sûr que tu le connais, lui dit sa femme. C'est M. Archer, voyons !

— C'est bien ce qu'il me semblait. C'est vous qui avez envoyé mon fils en taule.

Fred devint pâle comme un linge.

— Mais ce n'est pas vrai, papa ! s'exclama-t-il. Ne dis pas des choses pareilles.

— Je le dis parce que c'est la vérité. Est-ce que tu me traiterais de menteur, des fois ?

Lackner s'interposa entre le père et le fils.

— Allons ! Le moment est mal choisi pour se disputer. L'heure est à la joie. Nous sommes tous heureux, non ?

— Moi pas, gronda Johnson. Moi, je suis malheureux. Et vous voulez savoir pourquoi ? Parce que ce fouille-merde — il pointa un doigt mal assuré vers moi —, ce fouille-merde empoisonne l'air que je respire dans ma maison. Et s'il reste une minute de plus, je le descends. A bon entendeur, salut.

Il amorça un pas chancelant dans ma direction.

— T'as compris, enfoiré de mes deux ? Fumier qu'a ramené mon fils pour le foutre en cabane !

— Je l'ai ramené, c'est exact, rétorquai-je. Mais pour ce qui est de la prison, vous faites erreur. L'initiative est venue d'ailleurs.

— N'empêche que c'est toi qui as tout manigancé par-derrière. Je le sais aussi bien que toi.

Je me tournai vers Mme Johnson.

— Je crois qu'il vaudrait mieux que je prenne congé.

— Non... s'il vous plaît, me supplia-t-elle en pétrissant son visage terreux du bout des doigts. Gerard ne sait plus ce qu'il dit. Il n'a pas cessé de boire de la journée. Il est tellement impressionnable, vous savez ! Toutes ces émotions, c'est trop pour lui. N'est-ce pas, mon chéri ?

— Arrête de pleurnicher, grommela Johnson. On dirait que tu ne sais faire que ça. Ça et fouiner partout. Quand il n'y a que nous, passe encore, mais t'as pas intérêt à te laisser aller avec ce zigoto dans la maison. Il ne nous veut pas du bien, tu le sais. Je vais compter jusqu'à dix et s'il ne s'est pas cassé quand j'aurai fini, je le fous dehors par la peau des fesses.

Il s'en fallut de peu que je lui éclate de rire au nez. Ce n'était plus qu'un gros tas qui tenait à peine sur ses jambes et dont la langue s'embrouillait. Dans le temps, il aurait peut-être été capable de mettre ses menaces à exécution, mais plus maintenant. Son corps et son visage envahis de mauvaise graisse étaient tellement déformés par l'alcool qu'on ne pouvait même pas imaginer à quoi il ressemblait quand il était jeune.

Il commença à compter. Lackner et moi échangeâmes un coup d'œil et sortîmes, suivis par Johnson, plus titubant que jamais, qui claqua violemment la porte d'entrée derrière nous quand nous l'eûmes franchie.

— Bon sang ! s'exclama l'avocat. Mais qu'est-ce qui a bien pu le mettre dans un état pareil ?

— L'alcool, lui répondis-je. C'est un alcoolique désespéré.

— Pour ça, je m'en suis aperçu. Mais qu'est-ce qui l'a amené à boire comme ça ?

— Le chagrin. Le chagrin d'en être arrivé au point où il en est. Il vit claquemuré dans cette baraque déglinguée depuis Dieu sait combien d'années — sûrement plus de vingt ans. Et il essaie depuis tout ce temps de noyer son chagrin dans l'alcool. Sans avoir encore réussi à se suicider.

— Je ne comprends toujours pas.

— Moi non plus. Enfin... pas vraiment. Les ivrognes invétérés ont chacun une bonne raison pour boire, mais ils finissent tous de la même façon : le cerveau ramolli et le foie en capilotade.

Nous levâmes tous deux les yeux vers le ciel comme pour y chercher quelqu'un à qui faire porter le chapeau. Au-dessus des noires silhouettes des oliviers sagement alignés le long du trottoir, d'épais nuages cachaient les étoiles.

Lackner changea de sujet :

— Franchement, je ne sais pas non plus trop quoi penser du gosse.

— Fred ?

— Oui. Je ne sais pas pourquoi j'ai dit « le gosse ». Il doit avoir à peu près le même âge que moi.

— Trente-deux ans, je crois.

— Tant que ça ? Cela lui fait un an de plus que moi. Il paraît manquer terriblement de maturité pour son âge.

— Vivre dans cette maison a aussi eu pour effet de le bloquer mentalement.

— Mais qu'est-ce qu'elle a, cette maison ? Il suffirait de quelques petites réparations pour en faire une demeure tout à fait agréable, ce qu'elle devait être autrefois.

— C'est vrai, mais le problème, ce sont les gens qui l'habitent. Parfois, les membres d'une même famille devraient vivre dans des villes différentes, voire dans des États différents, et se contenter de s'écrire une fois par an. Voilà ce que vous devriez faire comprendre à Fred si, toutefois, vous réussissez à lui éviter de retourner en prison.

— En principe, ce devrait être faisable. Mme Biemeyer ne semble pas vouloir le poursuivre de sa rancune. C'est d'ailleurs une femme charmante une fois sortie du cercle familial.

— Oui. C'est encore une de ces familles où les parents et les enfants auraient intérêt à ne s'écrire qu'une fois par an. En oubliant de mettre leurs lettres à la poste. Et ce n'est certainement pas un hasard si Fred et Doris se sont liés d'amitié. S'agissant des Biemeyer et des Johnson, il serait exagéré de dire que ce sont des foyers brisés, mais ils sont en tout cas sérieusement mal en point. Et les enfants paient les pots cassés.

Lackner acquiesça d'un air pensif dans l'obscurité et j'eus soudain une impression de déjà-vu. C'était comme si je revivais avec lui un épisode dont j'avais oublié le déroulement, mais je savais que sa conclusion dépendait en partie de moi.

— Fred vous a-t-il dit pourquoi il avait pris le tableau ? demandai-je à l'avocat.

— J'avoue que ses explications m'ont laissé sur ma faim. Que vous a-t-il dit, à vous ?

— Qu'il voulait faire montre de ses compétences en matière d'expertise et prouver du même coup aux Biemeyer qu'il était bon à quelque chose. C'étaient, en tout cas, ses motivations conscientes.

— Vous pensez qu'il en avait d'autres, inconscientes ?

— Je n'en sais fichtre rien. Seule une équipe de psychiatres pourraient répondre à cette question — et, bien sûr, ils n'ouvriraient pas la bouche. Mais il semble que Fred fait une fixation sur Chantry. Il n'est d'ailleurs pas le seul dans ce cas à Santa Teresa.

— Vous croyez que ce tableau était vraiment l'œuvre de Chantry ?

— C'est l'avis de Fred, et son opinion est celle d'un expert.

— Il ne se présente pas comme tel. Il est étudiant aux beaux-arts, c'est tout.

— Cela ne l'empêche pas d'avoir le droit d'émettre

une opinion. Et il estime non seulement que c'est un Chantry, mais que c'est un Chantry récent. Qu'il a peut-être été peint pas plus tard que cette année.

— Comment peut-il être aussi catégorique ?

— Il se base, dit-il, sur l'état de fraîcheur de la toile.

— Et vous croyez ce qu'il dit, monsieur Archer ?

— Hier, je ne le croyais pas. Jusqu'à ce soir, j'étais bel et bien convaincu que Richard Chantry était mort depuis belle lurette.

— Et plus maintenant ?

— Maintenant, je crois qu'il est aussi vivant que vous et moi. Il se cache, mais il est vivant.

— Et où se cache-t-il ?

— Peut-être à Santa Teresa même. Le coup de l'intuition, moi, je ne suis pas tellement client, vous savez, mais j'ai depuis ce soir le curieux sentiment qu'il est derrière mon dos en train de m'observer. C'est comme si je sentais son souffle sur ma nuque.

J'étais à deux doigts de lui parler des restes humains que Mme Chantry et Rico avaient déterrés dans la serre, mais je n'en fis rien. Personne n'était encore au courant de ce fait nouveau, et je n'avais aucune raison d'enfreindre ce qui était ma règle d'or : ne jamais révéler à qui que ce soit plus qu'il n'est nécessaire car les gens finissent toujours par avoir la langue trop longue.

Sur ces entrefaites, Gerard Johnson surgit sur le seuil de la porte et descendit d'un pas chancelant les marches inégales du perron. On aurait dit un somnambule, aveugle de surcroît, mais quelque chose — son flair ou le radar des alcoolos — le fit se diriger droit sur moi.

— Z'êtes encore là, s'pèce de jean-foutre ?

— Eh oui, monsieur Johnson, je suis toujours là.

— Vos « monsieur », vous pouvez vous les garder. J' sais très bien c' que vous pensez au fond de vous. Vous me méprisez. Vous me considérez comme un vieux pochard qui pue la vinasse. Mais le vieux pochard, il vaut plus que vous... plus que vous n'avez jamais valu. C'est c' que j' suis venu vous dire et je suis prêt à le prouver.

Je n'eus pas besoin de lui demander comment il comptait s'y prendre car il plongea sa main dans la poche de son pantalon et, quand il la ressortit, elle tenait un revolver nickelé, un *Saturday-night special* comme les appellent les flics. En entendant le claquement du chien qu'il armait, je plongeai et le plaquai au sol.

Lorsque je lui eus arraché son arme, je constatai qu'elle n'était pas chargée. N'empêche que j'avais les mains qui tremblaient.

Il se releva non sans peine et, sitôt debout, se mit à donner de la voix et à injurier tout le monde, moi pour commencer, puis sa femme et son fils quand ils émergèrent à leur tour, alertés par le vacarme. Et sa maison, et celles d'en face, et la rue tout entière. Des fenêtres commencèrent à s'éclairer les unes après les autres, mais personne ne se montra, ni aux balcons ni sur le pas des portes. Dommage car, si des gens s'étaient montrés, Johnson se serait peut-être senti moins seul.

Ce fut Fred qui, le premier, céda à la pitié. Il descendit les marches et, s'approchant de lui parderrière, noua ses bras autour de sa poitrine.

— Essaie de te conduire comme un être humain, papa, je t'en prie.

Gerard Johnson se débattit pour tenter de se dégager sans cesser de dévider son répertoire scatologique, mais peu à peu, il se calma et finit par se taire. Soudain, les nuages se déchirèrent et la lune surgit dans tout son éclat, donnant à la nuit une qualité nouvelle. Tenant son père par les épaules, Fred, dont le visage était inondé de larmes, remonta lentement l'escalier et disparut à l'intérieur de la maison. Voir le fils perdu soutenir le père était un spectacle à la fois triste et attendrissant. Il n'y avait plus guère d'espoir pour Johnson, mais il y en avait encore pour Fred. Lackner, à qui je tendis le revolver avant qu'il remonte dans sa Toyota, pensait comme moi.

Fred avait laissé la porte ouverte. Au bout de quelques instants, Mme Johnson apparut sur le seuil, l'air désemparé. On aurait dit une bête perdue. Elle descendit dans la rue d'un pas hésitant.

— Je vous demande de m'excuser, me dit-elle d'une voix misérable.

— Vous excuser... de quoi ?

— De tout.

Elle écarta les bras dans un geste fataliste qui embrassait tout ce qui l'entourait — la maison décatie, ceux qui y habitaient, les voisins et la rue, les oliviers qui la bordaient et jusqu'à la lune dont la lueur froide accusait ses traits marqués et accentuait le blanc de son uniforme.

— Vous n'avez à vous excuser de rien, répliquai-je. Le métier que je fais, je l'ai choisi, à moins que ce soit lui qui m'ait choisi. Certes, il me fait côtoyer la misère humaine, mais je ne voudrais pas en changer.

— Je comprends ce que vous voulez dire : je suis infirmière, n'est-ce pas ? Une infirmière qui se retrouvera peut-être demain sans travail. J'ai fait un saut à la maison quand j'ai su que Fred avait été libéré et il est grand temps que je retourne prendre mon service si je ne veux pas qu'on me fiche à la porte.

— Je peux vous déposer ?

Elle me décocha un coup d'œil méfiant comme si elle craignait pour sa vertu, avant de se résoudre à accepter mon offre.

— C'est bien aimable à vous. La voiture de Fred est restée en Arizona et je ne sais même pas si elle vaut encore la peine qu'il se dérange pour aller la récupérer.

Quand je lui ouvris la portière, elle eut un mouvement de surprise comme si elle avait depuis longtemps perdu l'habitude de ce genre de manifestation de politesse.

— Il y a une question que j'aimerais vous poser, lui dis-je une fois installé au volant. Rien ne vous oblige à y répondre, mais si vous le faites, je vous promets que ce que vous me direz restera entre nous.

Elle me regarda avec une gêne visible.

— On vous a dit du mal de moi ?

— C'est à propos des médicaments qui ont disparu à l'hôpital. Vous ne voulez pas me dire ce qui s'est passé au juste ?

— J'ai pris quelques échantillons, c'est vrai. Mais ce n'était pas pour moi. Et pas davantage pour les revendre. Je voulais seulement essayer de voir si ça pouvait empêcher Gerard de boire. Tout ce qu'on pourrait me reprocher, c'est d'avoir donné ou prescrit des remèdes à quelqu'un alors que je ne suis pas diplômée en médecine. Mais presque toutes les infirmières que je connais ne se gênent pas pour en faire autant.

Elle me lança un regard anxieux.

— Vous croyez qu'ils veulent porter plainte ?

— Pas que je sache.

— Alors, qui est-ce qui vous a mis au courant ?

— Une des infirmières de l'hôpital qui m'a expliqué pourquoi vous avez été renvoyée.

— Oui, c'est l'excuse qu'ils ont utilisée, mais ce n'est rien de plus qu'une excuse. La vérité, c'est qu'il y a dans cette boîte des gens qui ne m'aiment pas.

Elle désigna d'un geste accusateur les fenêtres éclairées de l'hôpital devant lequel nous étions justement en train de passer.

— Je ne suis peut-être pas quelqu'un de très facile à vivre, mais ils n'avaient pas le droit de me flanquer à la porte. Et vous, vous n'avez pas le droit de fourrer votre nez dans ces histoires.

— Eh si, madame Johnson, j'en ai parfaitement le droit.

— Je voudrais bien savoir pourquoi !

— Parce que j'enquête sur deux meurtres. Sans parler du tableau qui a disparu, ce que vous savez déjà.

— Vous croyez que je sais où il est ? Eh bien, je n'en sais rien. Et Fred non plus. Il n'y a pas de voleurs dans la famille. Nous avons peut-être nos problèmes, mais nous sommes des honnêtes gens.

— Je n'ai jamais dit le contraire. Seulement, il peut arriver aux gens les plus honnêtes de se laisser tenter par la drogue et cela peut permettre à d'autres d'avoir barre sur eux.

— Personne ne m'a jamais obligée à commettre de mauvaises actions. J'ai fauché quelques pilules, d'accord. Mais c'était pour les donner à Gerard. Et je le paie assez cher. Maintenant, je suis condamnée à travailler dans des cliniques minables, et encore, à condition d'avoir la chance de trouver à m'embaucher.

Elle sombra dans un morne silence qui dura presque jusqu'à ce que nous soyons arrivés à La Paloma. Avant qu'elle ne descende de voiture, je lui dis que j'étais à la recherche de deux femmes, Mildred Mead et Betty Siddon.

— Je verrai ce que je peux faire, fit-elle quand je me tus. Je n'aurai guère de temps pour téléphoner pendant mon service, mais j'essaierai quand même de joindre quelques collègues qui travaillent dans d'autres cliniques. Fred m'a dit comme vous avez été chic avec lui en Arizona, et je vous en suis reconnaissante, ajouta-t-elle après une hésitation comme si c'était un aveu qui lui demandait un effort. Après tout, je suis sa mère.

Sur quoi, elle mit pied à terre et se dirigea d'un pas lourd vers le bâtiment faiblement éclairé. Arrivée à la porte, elle se retourna et m'adressa un petit signe de main avant d'entrer.

Pour ressortir presque aussitôt encadrée par un policier en tenue et un second flic qui n'était autre que le capitaine Mackendrick. Je l'entendis protester, disant qu'ils n'avaient pas le droit de se jeter comme ça sur les gens, qu'elle ne faisait que se rendre à son travail et qu'elle n'avait rien à se reprocher.

Mais ses récriminations n'impressionnèrent pas Mackendrick.

— Vous êtes bien madame Johnson ? lui demanda-t-il. La mère de Fred Johnson ?

— En effet, lui répondit-elle sur un ton acerbe. Mais ce n'est pas une raison pour me terroriser.

— Je n'avais pas l'intention de vous effrayer, madame Johnson. Si nous vous avons fait peur, je vous assure que je le regrette.

S'il avait cru la désarmer, il se trompait.

— Eh bien, vous n'avez pas tort ! Rien ne vous autorise à me harceler et à me persécuter comme ça. Nous avons un excellent avocat qui s'occupe de nous, et c'est à lui que vous aurez affaire si vous continuez.

Mackendrick leva les yeux au ciel, puis, comme je m'approchais, il se tourna vers moi pour me prendre à témoin.

— Mais qu'est-ce que j'ai fait de mal ? Dans le noir, j'ai malencontreusement bousculé cette dame, d'accord. Mais je me suis excusé, vous m'avez entendu. Il faut que je me mette à genoux, peut-être ?

— Mme Johnson est un peu nerveuse en ce moment, capitaine.

— On le serait à moins, renchérit-elle, un coup de menton énergique à l'appui. Et puis, qu'est-ce que vous faites ici, capitaine ?

— Nous cherchons une jeune femme.

— Mlle Siddon ?

— En effet.

Il lui lança vivement un coup d'œil inquisiteur.

— Mais qui vous a parlé d'elle ?

— M. Archer. Il m'a demandé de téléphoner à des collègues qui travaillent dans d'autres maisons de santé pour le cas où elles l'auraient vue. Je lui ai promis de le faire si j'arrive à en trouver le temps. Est-ce que je peux disposer, maintenant ?

— Mais oui, je vous en prie. Soyez sans crainte, vous êtes libre de vos mouvements. Toutefois, je préférerais que vous vous absteniez de téléphoner à vos collègues. Je voudrais bénéficier de l'effet de surprise.

Mme Johnson s'engouffra dans le bâtiment. Cette fois, ce fut la bonne.

— Pas commode, cette bonne femme, maugréa Mackendrick.

— Depuis deux jours, elle vit sur les nerfs, vous savez. Est-ce que je peux vous dire deux mots en particulier, capitaine ?

Il adressa un signe de tête à l'agent qui regagna aussitôt la voiture de police. Nous fîmes quelques pas et quand nous nous fûmes suffisamment éloignés, je lui demandai :

— Qu'est-ce qui vous a donné l'idée de venir à La Paloma ?

— Un coup de téléphone. Quelqu'un qui nous a conseillé de venir faire un tour ici si nous voulions retrouver Mlle Siddon. C'est pour ça que je me suis dérangé moi-même. Mais nous avons eu beau passer la clinique au peigne fin, nous n'avons pas trouvé la moindre trace d'elle.

— Qui vous a passé ce tuyau ?

— Une correspondante qui a conservé l'anonymat. Une bonne femme qui voulait de toute évidence causer des ennuis à quelqu'un. A Mme Johnson, probablement. C'est tout à fait le genre de personne à se faire des ennemis. Vous savez qu'elle s'est fait flanquer à la porte de l'hôpital ?

— Oui, elle me l'a dit. Je n'ignore pas que vous n'avez pas besoin de mes conseils, capitaine, mais je voudrais quand même vous en donner un. Je crois que j'ai eu tort de vous suggérer de vous polariser sur les maisons de santé. Je ne dis pas qu'il faille entièrement abandonner ces recherches, mais je pense que le moment est venu de concentrer vos efforts sur une autre piste.

Mackendrick ne répondit pas tout de suite.

— Celle de Mme Chantry... c'est bien ça que vous voulez dire ?

J'acquiesçai.

— Il me semble qu'elle est au centre de cette affaire.

— Jusque-là, rien ne vient étayer une pareille hypothèse.

— Peut-être mais j'en ai la conviction.

— Votre conviction ne suffit pas, Archer. Je ne peux pas lever le petit doigt tant que je n'ai pas des preuves solides contre Mme Chantry.

33

Je pris donc l'initiative d'aller moi-même rendre une petite visite à Mme Chantry. Je laissai la voiture devant la propriété et remontai l'allée à pied. Des volutes de brouillard montaient du ravin. La maison des Biemeyer, là-bas, faisait une tache de lumière surplombant la colline, mais celle de Francine Chantry était une masse obscure et silencieuse.

Je frappai. Je devais inconsciemment m'attendre à moitié qu'elle soit morte ou qu'elle ait disparu car elle me prit par surprise quand sa voix s'éleva aussitôt derrière la porte, à croire qu'elle avait attendu là toute la soirée.

— Qui est-ce ? Rico ? demanda-t-elle.

Je ne répondis pas. Un long silence s'ensuivit que brisait seulement le bruit des vagues venant mourir sur la plage.

— Qui est là ? répéta-t-elle plus fort.

— Archer.

— Allez-vous-en !

— Vous préférez que j'aille chercher le capitaine Mackendrick ?

Il y eut un nouveau silence rythmé par l'écho du

ressac. Enfin, elle ouvrit. Le hall n'était pas éclairé, pas plus, apparemment, que le reste de la maison. Dans l'obscurité, son visage était du même gris d'argent que sa chevelure. Sa robe noire au col strict était la parfaite robe de veuve. A tel point que je me demandai si ce n'était pas un rôle qu'elle jouait.

— Eh bien, entrez, s'il faut vraiment en passer par là, dit-elle d'un ton sec.

Je la suivis jusqu'au grand salon où avait eu lieu sa soirée. Elle alluma un lampadaire placé près d'un fauteuil à côté duquel elle se planta sans mot dire. J'étais bien décidé à ne pas faire le premier pas.

Et ce fut effectivement elle qui ouvrit le feu.

— Je connais l'engeance à laquelle vous appartenez, attaqua-t-elle. Vous faites partie de ces soi-disant spécialistes qui adorent fureter dans les affaires des autres. Vous êtes incapables de laisser les gens mener tranquillement leur vie comme ils l'entendent. Non, ça, vous ne le supportez pas ! Il faut que vous les asticotiez.

Ses joues étaient enflammées. Sous l'effet de la colère, peut-être. Mais il n'y avait pas que cela.

— Parce que c'est ce que vous appelez mener une vie tranquille ? Dissimuler un meurtre commis par un homme que vous n'avez pas revu depuis vingt-cinq ans ? Coucher pendant tout ce temps avec un demeuré pour acheter son silence ?

Comme si l'éclairage de la pièce s'était brutalement modifié, toute couleur quitta son visage.

— Personne ne m'a encore jamais parlé sur ce ton.

— Eh bien, il va falloir vous faire une raison. Quand le district attorney portera l'affaire devant la cour, le procureur ne mâchera pas ses mots, vous pouvez être tranquille.

— Elle ne sera jamais portée devant la cour. Pour la bonne raison qu'il n'y a pas d'affaire.

Mais son regard demeurait tendu comme si elle essayait de voir par-delà les limites du présent.

— Allons, madame Chantry ! Il y a vingt-cinq ans, un homme a été tué dans cette maison. Je ne sais pas qui c'était, mais vous, vous le savez certainement. Rico l'a enterré dans la serre. Et, ce soir, avec votre aide, il a exhumé ses restes et les a mis dans un sac qu'il a ensuite lesté avec des morceaux de ferraille. Malheureusement pour lui — et pour vous —, je suis intervenu avant qu'il ait réussi à flanquer le sac à la mer. Peut-être cela vous intéressera-t-il de savoir où se trouve maintenant ce sac ?

Pour toute réponse, elle détourna la tête. Non, elle ne voulait pas le savoir. Et puis, comme si ses jambes ne la soutenaient plus, elle s'affala brusquement dans le fauteuil et enfouit sa tête dans ses mains en faisant de louables efforts pour se mettre à pleurer. Même si elle y était parvenue, je ne me serais pas laissé attendrir. Si belle qu'elle fût et si délicate que fût la situation dans laquelle elle se trouvait, j'étais incapable d'éprouver la moindre sympathie pour cette femme qui avait construit sa vie sur un cadavre et qui était désormais en partie otage de la mort.

— Eh bien, ses restes, où sont-ils, à présent ? me demanda-t-elle soudain comme si elle lisait dans mes pensées.

— Entre les mains du capitaine Mackendrick. Comme Rico, d'ailleurs. Et Rico a tout avoué.

Elle parut se recroqueviller sur elle-même, mais la flamme qui brillait dans ses yeux était plus vive que jamais.

— Mackendrick, je crois que je pourrai en faire

mon affaire, dit-elle après quelques instants de réflexion. C'est un ambitieux. Avec vous, le problème ne se pose pas dans les mêmes termes. Mais vous, si vous faites ce travail, c'est pour gagner de l'argent, non ?

— J'ai tout l'argent qu'il me faut.

Nouant ses mains autour de ses genoux, elle pencha le buste en avant.

— Quand je parle d'argent, c'est à une petite fortune que je pense, monsieur Archer. Beaucoup plus que vous ne pourriez en gagner votre vie durant. Largement assez pour pouvoir prendre une retraite anticipée.

— Figurez-vous que j'aime mon boulot.

Le sourire grimaçant qu'elle m'adressa en réponse ne réussit qu'à l'enlaidir.

— N'essayez pas de jouer au plus fin avec moi, fit-elle en frappant ses genoux de ses poings. Je parle sérieusement.

— Moi aussi. Votre argent ne m'intéresse pas. Par contre, vous pourriez me fournir quelques informations.

— Et que m'offririez-vous en échange ?

— Une chance de vous en tirer.

— Vous vous prenez pour le bon Dieu, c'est ça ? Qu'est-ce que vous espérez au juste ?

— Je voudrais simplement comprendre pourquoi une femme comme vous, une femme qui a tout pour elle, en est venue à se faire complice d'un meurtre.

— Ce n'était pas un meurtre. Ça a été un accident.

— Et qui a... commis cet accident ?

— Vous ne me croyez pas, n'est-ce pas ?

— Je n'ai ni à vous croire, ni à ne pas vous croire : vous ne m'avez rien dit. Tout ce que je sais, c'est que

Rico et vous avez déterré un cadavre et que vous avez chargé ledit Rico de le balancer à la mer. Ce qui, soit dit en passant, était une idée stupide, chère madame. Vous auriez mieux fait de le laisser là où il était.

— Certainement pas. Mon erreur a été de faire appel à Rico au lieu de m'occuper moi-même de faire disparaître le corps.

— C'était le corps de qui, madame Chantry ?

Elle secoua la tête comme pour chasser les souvenirs qui affluaient, telle une nuée de guêpes bourdonnantes.

— Un homme que je ne connaissais ni d'Ève ni d'Adam. Il s'est présenté un beau jour à la maison et a demandé à parler à mon mari. Normalement, Richard n'aurait pas dû le recevoir — il ne recevait jamais personne —, mais son nom lui disait manifestement quelque chose. Il a dit à Rico de l'introduire dans son atelier. Et lorsque j'ai revu cet individu, il était mort.

— Comment s'appelait-il ?

— Je ne me rappelle plus.

— Vous étiez là quand il a parlé à Rico ?

— Oui. Au moins pendant un moment.

— Et lorsque Rico a enterré son cadavre ?

— Je savais ce qu'il était en train de faire, mais je n'étais pas présente.

— Il a déclaré que c'est vous qui lui avez ordonné de creuser le trou.

— Oui, c'est fort possible, en un sens. Mais je ne faisais que lui transmettre les consignes de mon mari.

— Et où était-il, votre mari, pendant que Rico jouait les fossoyeurs ?

— Dans l'atelier. En train d'écrire sa lettre d'adieu. C'est étrange, ajouta-t-elle après un bref silence. Il avait souvent parlé de son envie de filer comme ça, de tout laisser tomber pour recommencer une nouvelle vie en repartant à zéro. Et quand l'occasion s'est soudain présentée, il a sauté dessus et est passé à l'acte.

— Savez-vous où il est allé ?

— Non. Je n'ai jamais eu de nouvelles de lui. Ni moi ni personne pour autant que je sache.

— Croyez-vous qu'il soit mort ?

— J'espère que non. C'était... c'est un homme de valeur.

Elle se laissa aller à verser quelques larmes. Au fond, elle essayait tant bien que mal de replâtrer le mythe de Chantry avec ce qui survivait encore du passé.

— Pourquoi a-t-il tué cet homme ?

— Je ne suis pas du tout sûre qu'il l'ait tué. Ça a pu être un accident.

— Selon votre mari, c'en était un ?

— Je suis incapable de répondre à cette question. Nous n'avons parlé de rien. Il a écrit cette lettre et il a disparu aussitôt.

— Vous ne savez ni comment ni pourquoi cet homme est mort ?

— Non.

— Votre mari ne vous a donné aucune explication ?

— Aucune. Il est parti trop vite pour avoir le temps de m'expliquer quoi que ce soit.

— Cela ne concorde pas avec les informations dont je dispose, madame Chantry. A en croire Rico, vous avez assisté à l'entretien que votre mari a eu dans son atelier avec ce visiteur inattendu. De quoi ont-ils parlé ?

— Je ne m'en souviens pas.

— Rico, lui, s'en souvient.

— Il ment.

— Presque tous les hommes mentent quand ils se sentent coincés. C'est tout aussi vrai des femmes.

Sa belle assurance l'avait quittée et ce fut d'une voix où perçait la colère qu'elle rétorqua :

— Je vous saurais gré de m'épargner ce genre de généralisations. J'ai eu largement mon compte d'ennuis depuis hier, et je suis trop lasse pour supporter le prêchi-prêcha d'un malheureux petit privé qui se prend pour un moraliste.

— Ce n'est pas d'hier que datent vos ennuis : c'est il y a vingt-cinq ans qu'ils ont commencé. Et ils ne feront qu'empirer si vous ne faites rien pour y mettre fin.

Elle resta un moment silencieuse, plongée dans ce passé qui refaisait surface.

— Et comment pensez-vous que je puisse y mettre fin ? demanda-t-elle enfin.

— En commençant par me dire ce qui s'est réellement passé. Et pourquoi.

— C'est ce que je viens de vous raconter.

— Non, madame Chantry, pas vraiment. Vous avez passé le plus important sous silence. Vous ne m'avez dit ni qui était cet homme, ni pourquoi il était venu rendre visite à votre mari. Vous ne m'avez pas dit qu'il était revenu et que lors de sa seconde visite — celle durant laquelle il est mort —, il était en compagnie d'une femme et d'un petit garçon. Enfin, vous ne m'avez pas fait part de la version des événements que vous avez servie à Rico, à savoir que ce mystérieux visiteur avait eu une attaque et que sa mort avait été plus ou moins un accident.

Quand je me tus, on aurait dit qu'elle avait vieilli

de plusieurs années entre le début et la fin de ma tirade. Cependant, elle ne chercha pas à nier l'évidence et, une fois de plus, sut faire face. Peut-être même, en un sens, était-elle soulagée que les choses en soient arrivées au point de non-retour.

— Si je comprends bien, Rico a été intarissable, se borna-t-elle à constater.

— Il n'y avait pas moyen de l'arrêter. Vous n'avez pas eu la main heureuse en le choisissant comme associé.

— Je ne l'ai pas choisi : il s'est trouvé qu'il était là, c'est tout.

Elle m'enveloppa d'un regard perçant : c'était presque à croire qu'elle se demandait si je ne pourrais pas prendre utilement la place que Rico avait jusque-là tenue dans sa vie.

— Non, je n'ai pas eu le choix.

— D'une manière ou d'une autre, on a toujours le choix.

Elle inclina la tête et pressa ses tempes avec une sorte d'accablement.

— C'est facile à dire. Mais, dans la réalité, ce n'est pas aussi simple.

— En tout cas, ce choix, l'heure est maintenant venue de le faire. Ou vous m'apportez votre collaboration...

— Je croyais que c'était précisément ce que j'avais fait.

— Pas totalement. Il y a certaines choses que vous gardez pour vous. Or, vous êtes en mesure de m'aider à tirer cette affaire au clair. Si vous vous résolvez à le faire, je ferai tout ce qui sera en mon pouvoir pour que vous passiez entre les gouttes.

— Je ne quémande aucune faveur.

Ce qui ne l'empêchait pas de me scruter avec attention afin de peser le sens exact de mon propos.

— Vous auriez le plus grand tort de vous entêter à essayer de protéger votre mari, madame Chantry. Vous risqueriez d'être inculpée pour complicité d'assassinat.

— Il ne s'est pas agi d'un assassinat, mais d'un accident. Ce type était dans un triste état. Richard l'a peut-être un peu frappé... ou bousculé, mais il n'a jamais eu l'intention de le tuer.

— Qu'en savez-vous ?

— Il me l'a dit. Et je vous affirme qu'il ne mentait pas.

— Vous a-t-il dit aussi qui était l'homme en question ?

— Oui.

— Comment s'appelait-il ?

Elle secoua la tête.

— Je ne me le rappelle pas. Tout ce que je peux vous dire, c'est que Richard l'avait connu à l'armée. Il avait été blessé pendant la campagne du Pacifique et il avait passé plusieurs années dans un hôpital militaire. Lorsqu'il en est sorti, il a eu l'idée de rendre visite à mon mari. Il avait manifestement eu vent de la célébrité que Richard s'était acquise et il espérait qu'un peu de sa gloire rejaillirait sur lui.

— Et la femme et le petit garçon ? Qui étaient-ils ?

— C'étaient sa propre épouse et son propre fils. Il les avait amenés avec lui lors de sa seconde visite pour leur faire faire la connaissance de Richard.

— Est-ce qu'ils se sont rendu compte que votre mari était responsable de sa mort ?

— Je n'en sais rien. Je ne suis même pas sûre que les choses ne soient passées de cette manière.

— Mais c'est ce que vous avez présumé ?

— Oui. Il fallait bien qu'il y ait une explication. Je m'attendais d'ailleurs à ce que la femme se manifeste. Pendant des semaines, je n'ai pratiquement pas fermé l'œil de la nuit. Mais elle ne m'a jamais donné signe de vie. Il y a même des moments où j'en arrive à me demander si je n'ai pas rêvé tout cela.

— En tout cas, le squelette que Rico a déterré est on ne peut plus réel.

— Bien sûr. C'était à la femme et à l'enfant que je pensais.

— Que s'est-il passé en ce qui les concerne ?

— Ils sont partis, c'est tout. J'ignore où ils sont allés. Et moi, j'ai continué de poursuivre ma vie comme j'ai pu.

Le ton sur lequel elle avait prononcé cette phrase était celui de quelqu'un qui s'apitoie sur lui-même, mais elle continuait de m'observer d'un œil froid, et la seule émotion qui émanait d'elle était la résignation. Le grondement lointain du ressac prenait soudain une sonorité macabre. On aurait cru entendre un mort qui se débattait pour se raccrocher à la vie. Je frissonnai.

Elle effleura mon genou du bout de ses doigts fuselés.

— Vous avez froid ?

— Un peu, oui.

— Je peux pousser le chauffage si vous voulez.

Le sourire qui accompagnait ces mots était à double sens, mais c'était un sourire contraint.

— Ce n'est pas la peine, je ne vais pas vous imposer très longtemps ma présence.

— Vous allez m'abandonner ?

Le simulacre de soupir qu'elle poussa s'acheva sur

une note franchement désolée : elle se rendait brusquement compte à quel point elle était seule.

— Vous ne tarderez pas à avoir de la visite, rétorquai-je.

Elle noua ses mains l'une à l'autre.

— C'est à la police que vous faites allusion, je présume ?

— Oui. Mackendrick passera sûrement dans la matinée, sinon même plus tôt encore.

— Je croyais que vous alliez m'aider, fit-elle d'une voix étranglée.

— Je suis prêt à le faire à condition que vous ne me cachiez rien. Or, vous ne m'avez pas tout dit. Et certaines des choses que vous m'avez dites sont mensongères.

Elle me décocha un regard furieux, mais voulu et calculé.

— Non, je n'ai pas menti.

— Pas consciemment, peut-être, concédai-je. Quand on a porté un masque pendant vingt-cinq ans, il est normal, j'imagine, qu'on perde tant soit peu contact avec la réalité.

— Dites tout de suite que je suis folle !

— Ce n'est pas ça. Simplement, vous vous mentez à vous-même comme vous me mentez à moi.

— Qu'est-ce que je vous aurais donc dit de contraire à la vérité ?

— D'abord, que le mort et votre mari s'étaient connus à l'armée. Or, je sais pertinemment que Richard Chantry n'a jamais porté l'uniforme. Cette seule entorse à la vérité suffit à jeter le doute sur toute l'histoire que vous m'avez racontée.

Elle rougit et se mordit les lèvres. Elle avait soudain l'attitude d'un maraudeur pris sur le fait.

— J'ai parlé sans réfléchir, c'est tout. Je voulais seulement dire que cet homme était soldat quand mon mari et lui se sont connus. Mais, bien sûr, Richard, lui, n'était pas dans l'armée.

— Souhaitez-vous apporter d'autres correctifs à votre version des faits ?

— Dites-moi d'abord ce qui vous a semblé inexact dans mon récit.

Une brusque bouffée de colère s'empara de moi.

— Ce n'est pas drôle, madame Chantry. Plusieurs personnes sont mortes de mort violente et d'autres sont en danger.

— Je n'y suis pour rien. Je n'ai jamais fait le moindre mal à qui que ce soit.

— Vous vous êtes contentée de laisser faire quelqu'un d'autre.

— Je ne l'ai pas cherché, je vous assure.

L'expression de bonne foi qu'elle s'efforçait d'arborer n'avait vraiment rien de convaincant.

— J'ignore tout de ce qui a pu se passer entre Richard et cet homme, et je n'ai aucune idée de ce que pouvait être la nature de leurs relations.

— Je me suis laissé dire que votre mari était bisexuel.

— Ah bon ? Première nouvelle !

— Parce que, d'après vous, ce ne serait pas le cas ?

— Je ne me suis jamais posé la question. Pourquoi attachez-vous autant d'importance à ce détail ?

— Il pourrait être un élément capital dans cette affaire.

— Cela m'étonnerait. La sexualité n'était pas le point fort de Richard. Il a toujours été beaucoup plus intéressé par la peinture que par les ébats conjugaux.

La petite moue dolente et affligée avec laquelle elle

avait fait cette déclaration, en me dévisageant avec curiosité pour se rendre compte de l'effet qu'elle avait sur moi, eut le don de m'agacer prodigieusement. J'en avais assez de cette bonne femme, assez de ses mensonges. Assez, aussi, de la part de vérité qu'elle laissait échapper. Pendant que j'étais là à essayer de lui tirer les vers du nez, une autre femme dont le sort m'intéressait autrement plus que le sien était en danger.

— Est-ce que vous savez où est Betty Siddon ?

Elle secoua la tête.

— Non, je regrette. Il lui est arrivé quelque chose ?

— Elle est allée à la recherche de Mildred Mead et elle a disparu. Savez-vous où se trouve Mildred ?

— Non, je l'ignore. Elle m'a téléphoné il y a quelques mois quand elle s'est installée à Santa Teresa, mais je n'ai pas voulu aller la voir. Je n'aime pas déterrer et remuer les vieux souvenirs.

— Alors, vous auriez dû laisser aussi ce cadavre en paix.

Elle commença par se rebiffer et à me dire d'aller au diable ; puis elle parut se tasser sur elle-même tandis que son visage prenait une expression accablée. Elle le cacha derrière ses mains.

— Pourquoi l'avez-vous déterré ? insistai-je.

— J'ai paniqué, si vous voulez savoir, répondit-elle d'une voix sourde au bout d'un moment.

— Pourquoi ?

— J'ai eu peur qu'on fouille la propriété et que je sois accusée de meurtre.

Elle me regardait entre ses doigts comme une prisonnière derrière les barreaux.

— Quelqu'un vous avait menacée de vous dénoncer comme meurtrière ?

Je considérai que son silence avait valeur d'acquiescement.

— Qui ça, madame Chantry ?

— Je ne sais pas au juste. Une femme. Elle n'est pas venue. Elle m'a seulement téléphoné. La nuit dernière. Pour me menacer d'aller raconter ce qu'elle savait à la police. Je crois que c'était la femme qui était venue avec le petit garçon le jour où l'homme est mort.

— Que vous a-t-elle demandé en échange de son silence ?

— De l'argent.

Elle laissa retomber ses mains sur ses genoux. Une sorte de rictus déformait sa bouche et son regard était dur.

— Combien ?

— Elle ne l'a pas précisé. Beaucoup, j'imagine.

— Quand entend-elle le toucher ?

— Demain. Elle m'a dit qu'elle me rappellerait le lendemain et que, d'ici là, il faudrait que je réunisse tout l'argent que je pouvais.

— Et c'est ce que vous comptez faire ?

— C'était mon intention, oui. Mais cela n'en vaut plus la peine maintenant, n'est-ce pas ? A moins que nous parvenions, vous et moi, à trouver un arrangement.

Portant les mains à ses cheveux, elle inclina la tête en arrière, le menton haut levé, comme on présente une œuvre d'art à un acheteur potentiel.

— Je ferai ce que je pourrai. Mais il n'est pas possible de maintenir Mackendrick dans l'ignorance de ces... développements. Si, grâce à votre aide, il réussit à résoudre l'affaire, il vous en sera reconnaissant. Je vous conseille de l'appeler sans délai.

— Non, il faut d'abord que je réfléchisse et j'ai besoin d'un peu de temps. Laissez-moi jusqu'à demain matin, d'accord ?

— Soit, mais à une condition : ne faites pas de bêtises.

— Comme de prendre la fuite, vous voulez dire ?

— Comme de vous supprimer.

— Rassurez-vous : j'ai l'intention de faire front et de me battre, fit-elle, l'air buté. Et j'espère que vous serez de mon côté.

Je me gardai de lui faire la moindre promesse. Comme je me levais pour prendre congé, j'eus soudain l'impression que les yeux des portraits accrochés aux murs qu'avait peints Chantry étaient fixés sur moi.

— Ne me jugez pas trop durement, dit Francine Chantry en me reconduisant. Je sais que je peux donner l'impression d'être quelqu'un d'atroce. Mais, qu'il s'agisse de ce que j'ai fait ou de ce que j'ai laissé faire, je n'ai guère eu le choix, vous savez. Ma vie n'a jamais été facile, même du temps de Richard. Et, depuis son départ, ça a été l'enfer au petit pied.

— Vous voulez parler de votre... cohabitation avec Rico ?

— Exactement. Une fois de plus, je n'ai pas vraiment eu le choix.

Debout devant moi, presque à me toucher, les paupières mi-closes, elle semblait calculer, comme si peut-être elle se préparait à faire une fois de plus un mauvais choix. Je me hâtai de rompre le silence :

— Il y a trente ans, un jeune soldat du nom de William Mead a été assassiné en Arizona. C'était le fils de Felix Chantry et de Mildred Mead — le demi-frère de votre mari, par conséquent.

Elle réagit comme si je l'avais giflée. Les yeux écarquillés et la bouche ouverte, elle avait laissé tomber son masque et je crus un instant qu'elle allait se mettre à hurler, mais aucun son ne franchit ses lèvres.

Je poursuivis :

— Richard Chantry a quitté l'Arizona immédiatement après, et il a été plus ou moins soupçonné d'être le meurtrier de William Mead. L'a-t-il tué ?

— Certainement pas. Pour quelle raison l'aurait-il tué ?

— J'espérais que vous pourriez me le dire. N'avez-vous pas été très proches, à une époque, William et vous ?

— En voilà une idée ! Bien sûr que non.

Mais sa voix manquait d'assurance.

34

Il y avait encore pas mal de circulation sur la route de Santa Teresa. Il n'était pas tellement tard, mais j'étais fatigué. Cet interminable duel verbal avec Francine Chantry avait pompé toute mon énergie.

Je passai à mon motel dans l'espoir que Betty m'avait peut-être laissé un message. J'en fus pour mes frais. En revanche, il y en avait un de Paola Grimes. Elle me demandait de la rappeler au Monte-Cristo. Si obtenir la réception ne fut pas une tâche facile, elle décrocha à la première sonnerie.

— Allô ?

— Ici Archer.

— Ce n'est pas trop tôt, répondit-elle sur un ton cassant. Ma mère m'a dit que vous devez me remettre cinquante dollars de sa part. J'ai un besoin urgent de cet argent. Tant que je ne l'ai pas, je ne peux pas quitter cette cambuse. Et, en plus, ma fourgonnette est en panne.

— Je vous l'apporte tout de suite. Je suis déjà passé dans l'après-midi, mais vous n'étiez pas là.

— Vous auriez pu le laisser au bureau.

— Au Monte-Cristo ? Jamais de la vie. Je suis là-bas dans quelques minutes.

Elle m'attendait dans le hall de l'hôtel. Elle s'était visiblement donné un coup de brosse et remis du rouge à lèvres, mais, avec sa mine cafardeuse, elle ne paraissait vraiment pas à sa place au milieu des belles de nuit et des dragueurs en quête de bonne fortune qui occupaient le terrain.

Elle glissa les billets que je lui donnai dans son soutien-gorge après les avoir dûment comptés.

— Ça suffira pour régler votre note d'hôtel ? lui demandai-je.

— Oui, cela devrait pouvoir la couvrir jusqu'à aujourd'hui. Mais je ne sais pas ce qui se passera demain. La police veut que je reste là, mais pas question pour elle de me restituer l'argent que mon père avait sur lui. Et il en avait un bon paquet !

— Ne vous inquiétez pas. Il finira par vous revenir. A vous ou à votre mère.

— Ouais... ou à mes petits-enfants, fit-elle avec amertume. Les flics, je ne leur fais pas confiance. Et je déteste cette ville. Je n'aime d'ailleurs pas davantage les gens d'ici. Ils ont tué mon père et j'ai peur qu'ils me tuent moi aussi.

Son inquiétude était contagieuse. Je suivis le mouvement de son regard qui balayait le hall que je ne tardai pas à voir tel qu'il apparaissait à ses yeux à elle : une antichambre où les âmes damnées étaient condamnées à attendre la fin d'une nuit qui ne finirait jamais.

— Qui a tué votre père, Paola ?

Elle secoua la tête et ses cheveux retombèrent comme un voile ténébreux sur son visage.

— Je ne veux pas parler de ça. Pas ici.

— Nous pourrions monter dans votre chambre ?

— Non.

Elle me décocha un coup d'œil effrayé derrière les mèches qui dissimulaient ses traits. Son regard était celui d'un animal affolé.

— Il y a peut-être des micros. C'est en partie pour cette raison que j'ai préféré vous attendre ici.

— Mais qui aurait eu l'idée d'installer des micros dans votre chambre ?

— Allez savoir ! Peut-être les flics. Ou les assassins... N'importe comment, c'est du pareil au même : ils marchent la main dans la main.

— Si nous allions nous asseoir dans ma voiture ?

— Non.

— Alors, on va marcher un peu.

A ma grande surprise, elle accepta cette dernière suggestion et nous sortîmes de l'hôtel. De l'autre côté de la chaussée, des palmiers agitaient leurs plumets au-dessus des stands vides réservés à l'exposition-vente hebdomadaire. Plus loin, les vagues d'une blancheur phosphorescente se brisaient sur le rivage, refluaient et repartaient à l'assaut comme si elles avaient mission de mesurer l'espace et de marquer le temps pour l'éternité.

A mesure que nous marchions, Paola commençait à se détendre un peu. Nos mouvements paraissaient s'accorder au rythme de la mer. Au-dessus de nous, le ciel se dégageait. La lune était basse sur l'horizon et son éclat était chétif.

Paola posa une main sur mon bras.

— Vous m'avez demandé qui a tué mon père ?

— Oui.

— Vous voulez savoir à qui je pense ?

— Oui. Dites-le-moi.

— Eh bien, voilà. J'ai tourné et retourné dans ma tête tout ce qu'il m'avait dit. Il croyait que Richard

Chantry était bien vivant et qu'il se cachait ici même, à Santa Teresa, sous un nom d'emprunt. Et il croyait aussi que c'était bien lui qui avait peint ce portrait de Mildred Mead. J'ai eu la même impression quand j'ai eu le tableau sous les yeux. Je ne prétends pas m'y connaître en peinture comme lui dont c'était le métier, mais, pour moi, il n'y avait pas de doute : c'était bel et bien un Chantry.

— Êtes-vous tout à fait sûre que votre père ne trichait pas un peu avec la vérité quand il disait cela, Paola ? Il arrive qu'on se laisse influencer par son intérêt, et votre père avait tout intérêt à ce que cette toile passe pour un authentique Chantry.

— Oui, je sais, et il le savait aussi. C'est justement pourquoi il a fait l'impossible pour l'authentifier. Il a passé les derniers jours de sa vie à essayer de découvrir où se cachait Chantry. Il est même allé voir Mildred Mead qui habite à Santa Teresa. Elle était le modèle favori de Chantry, bien qu'elle n'ait évidemment pas posé pour ce portrait-là. C'est une vieille femme, à présent.

— Et vous, est-ce que vous l'avez vue aussi ?

Elle acquiesça.

— Mon père m'a amenée chez elle deux jours avant sa mort. Mildred était une amie de ma mère et je la connais depuis mon enfance. Mon père pensait sans doute que ma présence lui délierait la langue. Mais elle n'a pas dit grand-chose au cours de cette visite.

— Où habite-t-elle exactement ?

— Un petit pavillon où elle vient à peine d'emménager. Magnolia Court, ça s'appelle. Il y a un grand magnolia au milieu du jardin.

— C'est ici ? En ville ?

— Oui, dans le centre. Elle nous a dit qu'elle s'est installée là parce qu'elle a maintenant du mal à marcher et que c'est près de tout.

— Et à part ça, qu'est-ce qu'elle a dit ?

— Très peu de chose. Elle n'était guère causante.

— Pourquoi, à votre avis ?

— Elle m'a donné l'impression d'avoir peur. Mon père lui a posé des tas de questions sur Richard Chantry. Était-il mort ou vivant ? Était-ce lui qui avait peint le tableau ? Mais c'était apparemment pour elle un sujet tabou qu'elle se refusait à aborder. Elle s'est contentée de dire qu'il y avait plus de trente ans qu'elle ne l'avait pas revu et qu'elle espérait bien qu'il était mort. Elle paraissait très amère.

— Ça se comprend. C'est peut-être Chantry qui a tué son fils, William.

— Oui. Et c'est peut-être aussi lui qui a tué mon père. Peut-être qu'il avait fini par le retrouver et qu'il l'a assassiné pour qu'il ne parle pas.

Sa voix était mal assurée. La peur l'avait reprise. Elle jetait des regards inquiets autour d'elle en se pétrissant nerveusement les mains.

— Il faut que je quitte cette ville, reprit-elle. La police ne veut pas que j'en bouge parce qu'elle a besoin de moi comme témoin, mais elle ne se donne même pas la peine de me protéger.

— Vous protéger de quoi ?

J'avais posé la question, mais je connaissais d'avance la réponse.

— De Chantry, bien sûr. Il a tué mon père — j'en suis intimement convaincue, j'en mettrais ma tête à couper. Mais je ne sais ni quelle identité il a prise, ni où il est. Je ne sais même plus à quoi il ressemble. Si je le croisais dans la rue, je ne le reconnaîtrais sûrement pas.

Elle avait commencé à élever la voix et les promeneurs nous regardaient au passage. Nous étions à présent à proximité d'un bar par la porte ouverte duquel s'échappait un flot de jazz. Je poussai Paola à l'intérieur et la fis s'asseoir à une table. La pièce tout en longueur ressemblait à un tunnel, et le bruit de l'orchestre, installé tout au fond, était semblable à celui d'un train lancé à pleine vitesse.

— Je n'aime pas cette musique, protesta Paola.

— Peu importe. Vous avez besoin d'un verre.

Elle fit non de la tête.

— Je ne bois pas. L'alcool me fait perdre la tête. Il avait le même effet sur mon père. Il m'a dit que c'était pour ça qu'il s'était mis à la drogue.

Elle se boucha les oreilles et ferma les yeux.

— Il faut que je fiche le camp d'ici.

Je lui pris la main pour l'aider à se lever et elle me suivit jusqu'à la porte tout en essayant d'échapper à mon étreinte. Dans la rue, elle se mit à dévisager les passants avec la plus grande méfiance, prête à pousser des hurlements pour peu que quelqu'un la regardât avec insistance. Elle était à deux doigts de la crise de nerfs.

Je l'empoignai par le bras et l'entraînai rapidement vers son hôtel. Mais elle freina soudain des quatre fers.

— Je ne veux pas retourner là-bas. Je déteste cette boîte. C'est horrible. Il y a des gens qui rôdent toute la nuit dans les couloirs, ils frappent aux portes et essaient de se faire ouvrir comme si les femmes n'étaient rien d'autre que de la chair fraîche à leur disposition.

— Alors, changez de domicile.

— Où voulez-vous que j'aille ? Évidemment, je

pourrais retourner à la galerie. J'ai une petite chambre par-derrière. Mais j'aurais trop peur.

— Parce que votre père n'est plus là ?

— Non.

Elle se recroquevilla sur elle-même, secouée de tremblements.

— Parce qu'il pourrait revenir.

Ces seuls mots me glacèrent. Je ne croyais pas tout à fait qu'elle était en train de devenir folle, mais elle était sur la bonne voie. Si ça continuait comme ça, elle serait mûre pour la camisole de force avant la fin de la nuit.

En un sens, je me sentais responsable d'elle. Aussi, superstition ou pas, je décidai de passer un marché avec les forces toutes-puissantes qui régissent le monde, à supposer qu'elles existent : si j'essayais de prendre soin d'elle, qui sait si, en échange, quelqu'un, quelque part, ne veillerait pas aussi sur Betty ?

De retour au Monte-Cristo, je réglai sa note et l'aidai à faire sa valise.

— Où est-ce qu'on va ? me demanda-t-elle tandis que nous regagnions la voiture.

— A mon motel. Ils auront bien une chambre pour vous. Il donne sur le port de plaisance et c'est un coin tranquille. Et, si vous avez faim, il y a juste au coin de la rue un restaurant ouvert toute la nuit.

— Oui, j'ai faim. Je n'ai rien mangé de la journée.

Nous passâmes donc d'abord au restaurant où elle dévora un sandwich, puis je lui pris une chambre au motel. Ça passerait sur la note de frais de Biemeyer : Paola était un témoin.

Je repartis sans passer par ma chambre, mais, au moment de reprendre la voiture, l'idée farfelue me vint soudain que Betty m'y attendait peut-être. Je revins sur mes pas pour aller vérifier. Comme de bien entendu, la chambre était vide. Le lit n'avait même pas été défait.

Il ne me restait rien d'autre à faire qu'à poursuivre mes recherches jusqu'à ce que je la retrouve. Mais pourvu qu'il ne soit pas alors trop tard !

35

Magnolia Court devait son nom à l'arbre solitaire qui se dressait entre deux rangées de petits pavillons. Les persiennes de l'un d'entre eux laissaient encore filtrer un peu de lumière. C'était celui de Mildred Mead. Je frappai. Il y eut un chuintement de pas étouffés derrière la porte. Puis le silence, un silence que brisait seulement le bruit d'une respiration. Enfin, la voix d'une femme s'éleva :

— Qui est là ?

— Mon nom est Lew Archer. Je suis détective privé et je travaille pour Jack Biemeyer.

— Alors, vous pouvez aller au diable, répondit la femme avec la plus grande douceur. Mais, avant, dites donc à Jack Biemeyer d'en faire autant.

— Ce serait avec joie, mademoiselle Mead. Je n'ai pas plus de sympathie que vous pour ce mange-merde.

La porte s'entrouvrit, laissant apparaître une frêle silhouette en contre-jour.

— Répétez-moi donc votre nom.

— Archer. Lew Archer.

— C'est Jack Biemeyer qui vous envoie ?

— Pas exactement. On lui a volé un tableau — un portrait de vous — et j'ai pensé que vous pourriez peut-être m'aider à retrouver sa trace.

— Comment Jack connaît-il mon adresse ? Je n'ai dit à personne où j'habite.

— C'est Paola Grimes qui me l'a donnée.

— Je vois. J'aurais dû me douter que j'avais tort de la laisser entrer.

Elle était visiblement prête à me refermer la porte au nez.

— Elle porte la guigne comme le reste de sa famille.

— J'ai vu sa mère, Juanita, à Copper City ce matin. Elle m'a chargé de vous transmettre ses amitiés.

— Vraiment ? C'est gentil de sa part.

J'avais été bien inspiré de dire ça : elle ouvrit la porte toute grande. Jusqu'à ce moment, elle m'avait paru remarquablement jeune, mais maintenant que je la voyais se déplacer, je me rendais compte qu'elle faisait largement son âge. Elle traînait sérieusement la patte et avait la démarche gauche et pesante des oiseaux de grand large qui, sur terre, perdent toute l'élégance qui est la leur quand ils sont en plein vol. D'un oiseau, elle avait d'ailleurs aussi la tête — une tête fine et racée aux pommettes saillantes, au nez mince et droit, aux yeux lointains et farouches.

Voyant que je l'observais, elle sourit. Il lui manquait une dent de devant, ce qui lui donnait un je-ne-sais-quoi de faussement gamin.

— Alors, vous me trouvez à votre goût ? Encore qu'on ne puisse pas dire que l'âge m'ait beaucoup embellie. Mais qu'y faire ? Et pourquoi avoir des regrets ? Être belle m'a valu suffisamment d'ennuis.

Oh ! Je le dis sans amertume. On ne peut pas tout avoir. Et la vie m'a aussi gâtée. J'ai beaucoup voyagé — en première classe la plupart du temps. J'ai connu des hommes de talent, des célébrités.

— J'ai rencontré l'un d'eux hier à Tucson.

— Lashman ?

— Oui.

— Qu'est-ce qu'il devient ?

— Il vieillit, lui aussi. Mais il peint toujours. Et figurez-vous que quand je lui ai rendu visite, il était justement en train de travailler à un nouveau portrait de vous.

Elle demeura un instant silencieuse, la tête droite et le regard ailleurs.

— Comme je suis maintenant ou telle que j'étais autrefois ?

— Telle que vous avez été.

— C'est vrai ! Que je suis bête ! Il ne m'a pas vue depuis que je suis vraiment vieille.

Elle parlait d'elle-même comme si elle était une œuvre qui n'était malheureusement pas destinée à durer — un bouquet japonais ou une mélodie dont l'auteur aurait tout ignoré de la notation musicale.

— Mais assez parlé de moi. Parlez-moi plutôt de Juanita.

Elle prit place dans un fauteuil qu'éclairait un lampadaire, et je m'assis en face d'elle. Après lui avoir brièvement donné des nouvelles de Juanita Grimes, je passai à l'ex-mari de celle-ci et lui appris sa mort.

— Je n'arrive pas à croire qu'il soit mort ! s'exclama-t-elle d'une voix consternée. Il est venu me voir il y a quelques jours avec sa fille !

— Oui, elle me l'a dit. Je crois savoir qu'il souhaitait que vous authentifiiez un portrait qui vous représente.

— En effet. Malheureusement, je ne me souvenais pas de ce tableau. Il faut dire aussi que Paul Grimes m'a seulement montré une petite photographie de cette toile. Et j'ai été peinte tant de fois que tout cela m'est depuis longtemps sorti de la mémoire. Pour tout vous dire, les tableaux, j'en ai plus qu'assez — surtout ceux qu'on a faits de moi. Quand j'ai emménagé ici, j'ai décidé de ne pas en accrocher un seul. Et pourtant, j'en ai peut-être une tonne dans une pièce du fond.

D'un grand geste circulaire, elle désigna les murs du living.

— Ce n'est pas drôle d'avoir sans cesse sous les yeux des choses qui vous rappellent ce que vous avez perdu.

— Oui, je comprends. Pourtant, j'aimerais bien vous faire encore voir la photographie d'un tableau.

— Un portrait de moi ?

— Je crois, oui. C'est le même que celui qui intéressait Paul Grimes.

Je sortis la photo et la lui tendis. Elle la présenta à la lumière du lampadaire et, après l'avoir examinée un court instant, elle poussa un petit grognement affirmatif. Mais je voulais une réponse plus explicite.

— Vous l'avez déjà vu ? lui demandai-je.

— Oui. Trois fois. Ce soir, ça fait même deux. Mais je ne peux toujours pas dire avec certitude qui en est l'auteur, ni quand il a été peint. A première vue, on dirait un Chantry, mais je ne me rappelle absolument pas avoir posé pour cette toile.

— Vous n'avez pas forcément posé. Chantry pourrait l'avoir peinte de mémoire — très récemment, même.

— C'est également ce que m'a dit cette jeune personne, tout à l'heure.

— Quelle jeune personne ?

— La journaliste qui est venue me voir. J'ai commencé par lui dire que je n'accordais pas d'interviews, mais elle a tellement insisté que j'ai fini par la faire entrer. Il faut dire qu'elle était charmante. Mais je ne lui ai pas été d'un grand secours.

— Vous vous souvenez de son nom ?

— Oui. Attendez...

— Betty Siddon ?

— C'est cela, oui. Betty Siddon. Vous la connaissez ?

— J'ai passé la soirée à essayer de la joindre. Vous a-t-elle dit où elle allait en partant ?

— Oui. A Sycamore Beach, un nom dans ce genre.

— Sycamore Point, peut-être ?

— Oui, ce doit être ça. En tout cas, c'est là que s'est noyé l'homme qui avait vendu le tableau à Paul Grimes. Comment s'appelait-il, déjà ?

— Jake Whitmore. Mais il ne s'est pas noyé là. Quelqu'un s'est débarrassé de son cadavre en le jetant à la mer après l'avoir noyé dans de l'eau douce — dans une baignoire, probablement.

Je n'avais nullement eu l'intention de la bouleverser, mais elle parut atterrée. Dans son visage soudain blême, ses yeux avaient maintenant la fixité de ceux d'une statue.

— Il a été assassiné, lui aussi ?

— C'est, en tout cas, ce que pensent la police et le coroner.

— Mon Dieu !

Elle haletait comme un coureur après le marathon.

— Vous ne voulez pas un verre d'eau, mademoiselle Mead ?

— Mieux que ça.

Du doigt, elle désigna un placard.

— Il y a une bouteille de Jack Daniels là-dedans. Et des verres. Servez-vous-en un. Pour moi, ce sera un double. Et je le bois sec.

Elle avala son verre d'un trait et en exigea aussitôt un autre qui eut le même sort que le premier. Son visage commençait à reprendre des couleurs.

— Allez, videz votre verre. Je déteste boire seule.

Était-elle alcoolique ? Oui, c'était probable.

— Qu'est-ce que vous avez à me regarder comme ça, monsieur Archer ? J'ai la tête qui remue ? Ou les yeux qui louchent ?

— Non, il n'y a rien à leur reprocher.

— Alors cessez de me fixer comme ça.

— Excusez-moi. D'ailleurs, maintenant, il faut que je vous laisse.

— Vous vous intéressez beaucoup à cette petite Siddon, hein ?

— Oui, en effet. Vous avez des dons de télépathe, dirait-on.

— Je connais les hommes, c'est tout. Vous ne trouvez pas qu'elle est un peu jeune pour vous ?

— C'est possible. Quand est-elle venue vous rendre visite ?

— Je n'ai pas regardé l'heure. C'était en début de soirée.

— Comment avait-elle trouvé votre adresse ?

— Elle avait appelé la...

Elle laissa la fin de la phrase en suspens.

— Je n'en ai pas la moindre idée, acheva-t-elle nerveusement.

— Vous commenciez à dire qu'elle avait appelé je ne sais qui.

— Vraiment ? Eh bien, vous en savez plus que

moi. Non, je devais penser à autre chose. Mais puisque vous devez repartir, je ne voudrais surtout pas vous retarder. Je vous demanderai seulement d'avoir la gentillesse de laisser le whisky à portée de ma main.

Elle tapota du bout des doigts le guéridon posé à côté de son fauteuil.

— Réflexion faite, je ne vais pas encore prendre congé tout de suite.

— Pourtant, je préférerais que vous me laissiez, maintenant. Je suis très lasse. Et je vous ai dit tout ce que je sais.

— J'en doute fort, mademoiselle Mead. J'ai appris en Arizona un certain nombre de choses fort intéressantes. Notamment qu'au début des années 40, William, votre fils, avait été assassiné. Et qu'on avait retrouvé son corps dans le désert.

Mildred Mead pâlit et ses traits se durcirent.

— Juanita n'a jamais su tenir sa langue, grommela-t-elle.

— Juanita Grimes n'a pas été ma seule source d'information. Tout le monde sait que votre fils a été assassiné. J'ai même discuté avec celui qui a découvert la victime et a mené l'enquête à l'époque : le shérif Brotherton.

— Et alors ?

— Cela ne vous intéresse pas de savoir qui a tué votre fils ?

— Plus maintenant. Qu'est-ce que cela changerait, voulez-vous me dire ? Sa mort remonte à plus de trente-deux ans.

— Sans doute. Mais son assassin, lui, est toujours vivant.

— Qu'est-ce que vous en savez ?

— J'en ai l'intime conviction. Les preuves matérielles font peut-être défaut, mais deux autres personnes sont mortes : Paul Grimes et Jake Whitmore. Plus l'homme dont les restes ont été déterrés ce soir même dans la serre de la maison de Richard Chantry.

Elle dut s'y reprendre à deux fois avant de réussir à poser la question :

— Quel était cet homme ?

— Il n'a pas encore été identifié, mais cela ne saurait tarder. Il s'est présenté il y a vingt-cinq ans chez les Chantry, accompagné d'une femme et d'un petit garçon. Il y a eu une dispute et Chantry et lui en sont venus aux mains. Au cours de la bagarre, il est tombé, paraît-il. Sa tête a heurté le sol et il est mort d'une fracture du crâne. Les Chantry l'ont enterré dans leur serre.

— C'est de Mme Chantry que vous tenez ces renseignements ?

— En partie.

Son visage se crispa. Ses yeux fixes lui donnaient l'air d'un oiseau de proie.

— Que vous a-t-elle dit encore ?

— Pas grand-chose. Qu'aurait-elle pu me dire d'autre ?

— Je vous demandais seulement ça comme ça.

— Peut-être, mais, moi, je crois que vous connaissez la réponse à cette question. Pourquoi Jack Biemeyer vous a-t-il offert la maison de Chantry Canyon ?

— Parce que je le lui avais demandé.

— Une pareille générosité ne lui ressemble pas.

— Avec moi, il était généreux — à l'époque.

Le rouge de ses pommettes tranchait sur la pâleur de ses joues.

— Il est vrai qu'il ne s'est pas amélioré en vieillissant. Mais moi non plus.

— Personnellement, je pense que Biemeyer vous a acheté cette propriété au nom de la famille Chantry. Ou que c'est la famille Chantry qui vous en a fait cadeau par son intermédiaire.

— Et pour quelle raison m'aurait-elle fait ce cadeau ?

— Pour que vous gardiez le silence. A propos du meurtre de votre fils.

— Tout le monde savait que William avait été assassiné. Qu'est-ce que j'aurais été censée passer sous silence ?

— Le nom de son assassin. Selon moi, c'est Richard Chantry qui l'a tué. Il est parti pour la Californie aussitôt après le crime. L'affaire a été étouffée et il n'a fait l'objet d'aucune poursuite. Si vous avez eu des soupçons, vous les avez gardés pour vous.

Elle secoua la tête.

— Vous ne me connaissez pas, monsieur Archer. J'adorais mon fils. Quand ils m'ont mise en présence de son corps, j'ai cru que j'allais devenir folle. Et vous semblez oublier que c'était un Chantry, lui aussi. Il était le fils naturel de Felix Chantry. Il était le frère de Richard.

— Alors, pourquoi Richard a-t-il quitté l'Arizona immédiatement après le meurtre de William ?

— Je ne sais pas. Peut-être parce qu'il avait peur d'être assassiné, lui aussi.

— C'est ce qu'il vous a dit ?

— Je n'ai jamais parlé de cela avec lui. D'ailleurs, je ne l'ai même jamais revu depuis.

— Depuis la mort de William, vous voulez dire ?

— Oui. Je ne l'ai pas revu une seule fois en trente-deux ans.

La fièvre commençait à la gagner et elle lorgnait la bouteille de whisky.

— Si vous avez l'intention de vous éterniser, servez-moi donc un autre verre. Et prenez-en un aussi par la même occasion.

— Non merci. J'ai encore quelques questions à vous poser et ce sera tout. Si j'ai bien compris, William avait une femme et un fils lorsqu'il est mort ?

Son expression changea. C'était comme si son regard plongeait dans le passé.

— Je crois, oui.

— Vous voulez dire que vous ne le savez pas ?

— J'ai entendu parler d'eux, mais je ne les ai jamais vus.

— Comment cela se fait-il ?

— Parce qu'ils se sont en quelque sorte purement et simplement volatilisés. J'ai vaguement entendu dire que la veuve de William s'était remariée et que l'enfant avait pris le nom de son beau-père.

— Et ce nom, vous le connaissez ?

— Non. Ils n'ont jamais pris contact avec moi.

— Pensez-vous qu'ils aient pris contact avec Richard Chantry ?

Elle détourna les yeux.

— Pas que je sache.

— Se pourrait-il que la femme et le petit garçon qui, il y a vingt-cinq ans, sont venus voir Chantry aient été la femme et le fils de William ?

— Tout est possible, mais c'est là une théorie qui me paraît un peu tirée par les cheveux.

— Peut-être, mais quand on fouille dans un passé aussi lointain, on doit envisager toutes les hypothèses. Avez-vous une idée de l'identité de l'homme que Richard et Francine Chantry ont enterré dans la serre ?

— Pas la moindre.
— Pourrait-il s'agir de William, votre fils ?
— Mais vous êtes fou ! La mort de William remonte à trente-deux ans, soit sept ans auparavant.
— Avez-vous vu son corps ?
— Oui.
— D'après ce qu'on m'a dit, il était quasiment méconnaissable. Êtes-vous certaine que le cadavre que vous avez identifié était bien le sien ?
— Absolument.
— Qu'est devenue sa dépouille après que vous l'avez identifiée ?
— Je ne sais pas exactement.
— C'est surprenant.
— Pourquoi donc ? Sa femme a voulu que le corps de son mari soit expédié en Californie où elle habitait pour y être inhumé. Je n'ai vu aucune raison de m'opposer à son désir. Quand on est mort, on est mort. Où repose sa dépouille est sans intérêt.
La dureté avec laquelle elle avait dit cela me donna l'impression qu'elle se faisait violence pour parler de la sorte. Comme si elle s'en rendait compte, elle ajouta :
— Quand je mourrai — ce qui ne saurait plus tellement tarder, à présent —, je veux être incinérée et que mes cendres soient dispersées dans le désert aux alentours de Tucson.
— Près de chez Lashman ?
Elle me regarda avec irritation, mais aussi avec un renouveau d'intérêt.
— Vous savez fichtrement trop de choses.
— Et vous m'en dites fichtrement trop peu, Mildred. Savez-vous où votre fils William a été enterré ?
— Je vous l'ai déjà dit. Quelque part en Californie.

— Vous ne vous êtes pas rendue sur sa tombe ?

— Jamais. J'ignore où elle se trouve.

— Savez-vous où sa femme est actuellement domiciliée ?

— Non. La famille, ça ne m'a jamais beaucoup intéressée. J'ai quitté la mienne à quatorze ans et je n'ai jamais remis les pieds à Denver où nous habitions. Je ne suis pas du genre à me retourner sur le passé.

C'était pourtant sur le passé qu'étaient maintenant braqués ses yeux, un passé sur lequel je l'avais contrainte à se pencher. Mon enquête était passée à la vitesse supérieure et peut-être ressentait-elle ce que j'étais moi-même en train de ressentir : comme une secousse sismique assez puissante pour faire sortir un mort de sa tombe.

36

La pendule du tableau de bord indiquait presque trois heures lorsque j'arrivai à Sycamore Point. Je crois que je n'aurais pas bougé de mon siège et me serais purement et simplement endormi s'il n'y avait pas eu de la lumière dans le cottage. L'espace d'une minute, j'espérai que j'y retrouverais Betty. Mais non : Jessie Gable était seule.

Dès qu'elle m'eut fait entrer, je remarquai qu'elle n'était plus la même. Ses mouvements étaient plus assurés, ses yeux plus clairs. Son haleine sentait bien un peu l'alcool, mais elle n'avait pas l'air d'être saoule.

— Vous me devez cent dollars, me dit-elle après m'avoir désigné une chaise. Je connais le nom de la femme qui a vendu le tableau à Jack.

— Qui est-ce ?

Elle se pencha en avant et posa la main sur mon bras.

— Une minute ! Vous êtes trop pressé. Qu'est-ce qui me prouve que vous les avez, ces cent dollars ?

Je comptai les billets et les posai sur la table, mais quand elle tendit la main pour les prendre, je les retirai.

— Eh ! C'est mon argent ! s'exclama-t-elle.

— Vous ne m'avez pas encore dit le nom de cette femme.

Elle secoua sa blonde chevelure qui retomba sur ses épaules et les recouvrit comme un châle d'une propreté sujette à caution.

— Vous ne me faites pas confiance ?

— Si, je vous faisais confiance — jusqu'au moment où vous avez cessé de me faire confiance à moi.

— Vous êtes comme Jake. Il se débrouillait toujours pour trouver une astuce pour me coincer.

— Alors, qui lui a vendu le tableau ?

— Je vous le dirai quand vous m'aurez donné mes sous.

Je posai la moitié de la liasse devant elle.

— Voilà déjà cinquante dollars. Vous aurez le reste quand vous m'aurez donné le nom de la femme.

— C'est une information qui vaut plus que ça. Il s'agit d'une histoire énorme. On m'a dit que je devrais toucher une grosse récompense.

Bizarre. Lors de ma première visite, deux jours plus tôt, l'argent n'avait pas du tout paru l'intéresser.

— Et qui serait censé vous verser cette récompense ?

— Le journal.

— C'est Betty Siddon qui vous a raconté ça ?

— Plus ou moins. Elle m'a dit que je toucherai un bon paquet en échange du renseignement.

— Et vous lui avez dit qui était cette femme ?

— C'est qu'elle a drôlement insisté, répondit-elle en fuyant mon regard. Elle disait que c'était important. Et puis je ne savais pas si vous alliez revenir ou pas. C'est que j'ai vraiment besoin de cet argent, vous comprenez ?

Oh oui ! Pour comprendre, je comprenais. Elle mettait la dépouille de Jake Whitmore aux enchères. Et, moi aussi, j'étais acheteur.

Je posai le reste de la liasse sur la table. Elle avança la main, mais interrompit son geste comme si j'allais reprendre les billets ou, même, la gifler.

J'eus brusquement assez de ce petit jeu.

— Allez-y, c'est à vous, lui dis-je pour y mettre fin.

Elle s'empara des billets et les glissa dans son corsage en me regardant d'un air coupable. Elle semblait prête à fondre en larmes.

— Ne perdons pas davantage de temps, Jessie. Comment s'appelle cette femme ?

— Mme Johnson, dit-elle d'une voix hésitante.

— La mère de Fred ?

— Je ne sais pas.

— Quel est son prénom ?

— Je n'en sais rien. Stanley Meyer m'a juste dit son nom de famille.

— Qui est ce Stanley Meyer ?

— Un des infirmiers qui travaillent à l'hôpital. Il est peintre amateur et il vend sa production au marché-exposition de la plage. Il a le stand voisin de celui que tenait Jake, et il était là quand cette dame lui a vendu le tableau.

— Vous êtes sûre qu'il s'agissait bien du portrait de femme que Paul Grimes a par la suite racheté à Jake ?

— Oui, acquiesça-t-elle. Celui qui vous intéresse tant.

— Stanley Meyer vous a-t-il décrit la femme qui l'a vendu à Jake ?

— Vaguement. Elle était grande avec de grosses

fesses. Dans les cinquante ans. Brune, un peu grisonnante.

— Vous a-t-il dit comment elle était habillée ?

— Non.

— Comment se fait-il qu'il connaissait son nom ?

— Elle était infirmière dans le même hôpital que lui avant de se faire renvoyer.

— Meyer vous a dit pourquoi on l'avait renvoyée ?

— Non, il n'en savait rien. Mais il a entendu dire qu'elle travaille maintenant dans une maison de santé. La Paloma.

— Qu'est-ce qu'il vous a dit d'autre à propos de Mme Johnson ?

— C'est tout ce dont je me souviens.

— Et vous avez raconté tout ça à Betty Siddon ?

— Oui.

— Quand exactement ?

— Je suis incapable de vous dire l'heure qu'il était. Les montres et les pendules sont bannies de la maison. Pour Jake, ce n'était pas difficile : il n'y avait qu'à se fier au soleil. Comme les Indiens.

— Est-ce avant ou après le coucher du soleil que Betty Siddon vous a rendu visite ?

— Après. Oui, ça me revient, maintenant : vous veniez à peine de vous en aller quand elle est arrivée.

— Lui avez-vous dit que vous m'aviez vu ?

— Non.

— Et vous a-t-elle dit où elle allait quand elle est partie ?

— Non, mais comme elle m'a fait répéter que c'était bien à La Paloma que Mme Johnson travaille maintenant, je suppose qu'elle avait l'intention de s'y rendre.

A part quelques camions, la circulation était nulle sur l'autoroute. Déjà, on sentait la nuit prête à laisser la place au petit matin. Il était évident que je ne dormirais pas, cette nuit.

Je me garai devant La Paloma et allai sonner à l'entrée de service. En réponse, j'entendis un vague grognement et quelques mots étouffés. Je sonnai de nouveau. Cette fois, il y eut un claquement de talons. La porte s'entrouvrit autant que le lui permettait la chaîne de sûreté et j'aperçus la jeune infirmière noire dans l'entrebâillement.

— C'est encore moi, lui dis-je. Vous me reconnaissez ?

— Oui. Mais si vous venez pour Mme Johnson, il faudra que vous repassiez. C'est la deuxième fois cette nuit qu'elle s'esbigne et que je dois me taper tout le boulot. Je suis complètement vannée et j'ai encore du pain sur la planche avant la fin de mon service. Et ce n'est pas de faire la causette avec vous qui me fera avancer le travail.

— Croyez bien que je compatis. J'ai travaillé toute la nuit, moi aussi.

Elle me regarda d'un air incrédule.

— Travaillé à quoi ?

— Je suis détective privé. Est-ce que ça vous ennuierait de me laisser entrer, mademoiselle ? J'aimerais vous dire deux mots.

— Madame... Madame Holman, rectifia-t-elle.

Avec un soupir, elle détacha la chaîne.

— Bon, d'accord. Mais il ne faudra pas que vous me reteniez trop longtemps. Je suis débordée.

Elle ne se donna même pas la peine d'allumer le hall et nous restâmes debout, adossés au mur. Au fond sonore des ronflements et des gémissements des malades se mêlaient les grondements intermittents des poids lourds qui passaient sur l'autoroute. Le visage de la petite Noire se confondait avec les ténèbres qui nous enveloppaient de sorte que ses yeux brillants paraissaient être les yeux mêmes de la nuit.

— Qu'est-ce que vous voulez savoir ? demanda-t-elle.

— Pourquoi Mme Johnson a-t-elle quitté son service ?

— Eh bien, elle est rentrée chez elle. Son fils lui a téléphoné pour lui dire que son mari piquait encore un coup sa crise. Il est alcoolique au dernier degré et quand il en tient une bonne, il n'y a qu'elle qui peut en venir à bout. Elle a sauté dans un taxi. Je ne lui fais pas de reproches. Il fallait bien qu'elle y aille.

Elle poussa un profond soupir et la chaleur de son souffle m'effleura la figure.

— Je me mets à sa place. Moi aussi, j'ai des ivrognes dans ma famille.

— Vous êtes déjà allée chez les Johnson ?

— Non, fit-elle sèchement. Si c'est pour me demander des choses pareilles que vous êtes venu, vous me faites perdre mon temps.

— Je suis désolé, madame Holman, mais c'est important. Très important. Il y va peut-être de la vie de quelqu'un.

— Qui donc ?

— Une journaliste de la feuille locale. Qui s'appelle Betty Siddon.

J'entendis mon interlocutrice avaler sa salive.

— Son nom vous dit quelque chose ?

— Oui. Cette dame a téléphoné tout à l'heure. Juste comme je prenais mon service. Elle voulait savoir si nous avions une pensionnaire du nom de

Mildred Mead. Je lui ai répondu que cette personne avait effectivement fait un séjour chez nous, mais qu'elle habitait maintenant Magnolia Court où elle avait trouvé un logement. C'était Mme Johnson qui l'avait fait entrer à La Paloma.

— Ah bon ? En quel honneur ?

— C'était une parente à elle.

— Comment cela ?

— Je ne peux pas vous dire, je n'ai jamais su quels étaient au juste leurs liens de parenté.

— Avez-vous parlé à Mme Johnson du coup de téléphone de Mlle Siddon ?

— Non. J'ai préféré ne rien lui dire pour ne pas la mettre en colère. C'est qu'elle a fait toute une histoire quand Mlle Mead est partie d'ici. A croire que c'était un outrage personnel qu'elle lui faisait et elle ne le lui a pas envoyé dire. C'est tout juste si elles n'en sont pas venues aux mains. Des vraies enragées, ces deux bonnes femmes !

Cette soudaine volubilité me fit tiquer. J'avais l'impression qu'elle en faisait trop. Qu'elle cherchait à dresser avec des mots un écran de fumée entre moi et ce que je désirais savoir.

— Est-ce que Mlle Siddon est passée ce soir ? lui demandai-je.

— Non.

Elle avait répondu d'une voix ferme, mais en évitant mon regard comme pour que je ne puisse pas lire autre chose dans ses yeux.

— Si elle est venue, je vous supplie de me le dire. Elle court peut-être un grave danger.

— Je suis désolée, mais je ne l'ai pas vue.

— Vous êtes bien sûre que vous me dites la vérité, madame Holman ?

Du coup, elle s'emporta :

— Est-ce que vous allez arrêter de me harceler, à la fin ? Je suis navrée si votre amie a des ennuis, mais ce n'est tout de même pas ma faute ! Et si vous n'avez rien d'autre à faire qu'à me mettre comme ça sur le gril, moi, j'ai mon travail qui m'attend.

Je m'en allai à contrecœur, persuadé qu'elle en savait plus long qu'elle ne voulait bien le dire. L'atmosphère pesante de la clinique, lourde de maladie, de sénilité et de souffrance, me poursuivit jusqu'à Olive Street.

37

La silhouette obscure de la maison des Johnson se découpant sur le ciel étoilé me faisait irrésistiblement penser à un sinistre tas de laissés-pour-compte du passé empilés là depuis des générations.

J'avais beau m'entêter à frapper, je n'obtenais pas de réponse et l'envie me prit d'engueuler et d'injurier la bicoque comme l'avait fait Gerard Johnson. Bon Dieu ! Est-ce que je n'étais pas en train de devenir dingue, moi aussi ? Je m'adossai contre la porte et contemplai la rue. Elle était déserte et paisible. Au-dessus de la masse sombre des oliviers, le ciel commençait à pâlir.

Le froid du matin me pénétrait jusqu'aux os. Secouant la torpeur qui m'engourdissait, je me remis à cogner sur la porte à coups redoublés jusqu'à m'écorcher les jointures. J'étais en train de lécher mes phalanges mal en point quand la voix de Gerard Johnson retentit enfin derrière le battant :

— Qu'est-ce que c'est ?

— C'est moi... Archer. Ouvrez-moi.

Il émit une sorte de gémissement guttural :

— Je ne peux pas. Elle m'a enfermé quand elle est repartie.

— Où est-elle allée ?

— A La Paloma, pour sûr... la maison de santé où elle travaille. Elle est de garde de nuit.

— J'en viens et elle n'y était pas. Elle avait encore quitté son poste.

— Pourquoi elle fait ça ? Elle devrait pas. Elle va encore perdre sa place. Et qu'est-ce qu'on deviendra si elle se retrouve au chômage ?

— Où est Fred ?

— Je ne sais pas.

J'aurais eu pas mal d'autres questions à lui poser aussi bien à propos de sa femme qu'à propos du tableau, mais je savais d'avance qu'elles resteraient sans réponse. Aussi, je n'insistai pas davantage. Je remontai dans la voiture et pris la direction du commissariat.

Mackendrick était dans son bureau et j'avais du mal à croire que sept ou huit heures s'étaient écoulées depuis notre dernière entrevue. Certes, ses yeux étaient cernés, mais son regard, toujours empreint de sévérité, n'avait rien perdu de sa vivacité. Et il était rasé de frais.

— Vous n'avez pas l'air d'avoir beaucoup dormi, me dit-il.

— Pas du tout, même. J'ai passé la nuit à courir après Betty Siddon.

Il fit un tel effort pour gonfler ses poumons que son fauteuil émit un grincement de réprobation.

— Ça tourne à l'obsession, ma parole, grommela-t-il avec un profond soupir. C'est une journaliste, oui ou non ? Elle a le droit de passer la nuit dehors à mener ses enquêtes si ça lui chante.

— Je ne dis pas le contraire, mais l'affaire qu'elle

cherche à débrouiller n'est pas une affaire ordinaire. Je crois que vous seriez bien avisé de perquisitionner chez les Johnson.

— Vous avez une raison de penser que c'est là qu'elle se trouve ?

— Non, je ne peux pas l'affirmer. Mais il est fort possible — plus que possible, même — que c'est là que le fameux tableau est planqué.

Et j'entrepris de lui rafraîchir la mémoire : d'abord, Fred l'avait volé — ou emprunté — aux Biemeyer ; puis il avait été dérobé, soit au musée, soit, selon la première version de Fred, chez les Johnson. Je répétai aussi à Mackendrick ce que m'avait appris Jessie Gable, à savoir que c'était à Mme Johnson que Whitmore avait acheté la toile.

— Tout cela est fort intéressant, laissa-t-il tomber quand je me tus. Mais, pour le moment, je n'ai pas le temps de me lancer sur les traces de Mlle Siddon — et encore moins sur celles d'un tableau perdu, égaré ou soi-disant volé et qui vaut probablement des clopinettes.

— Mais Betty est en danger, protestai-je. Et le tableau est la clé de toute l'affaire.

Mackendrick, croisant les bras sur le bureau, se pencha pesamment en avant.

— C'est votre fiancée, hein ?

— Je ne sais pas encore.

— Mais vous vous intéressez à elle ?

— Beaucoup.

— Et ce tableau, c'est celui que vous avez été chargé de retrouver ?

— Apparemment, oui.

— Et c'est ce qui fait de lui la clé de toute l'affaire, comme vous dites ?

— Ne me faites pas dire ce que je n'ai pas dit, capitaine. Je sais faire la part des choses. Ce n'est pas parce que je m'intéresse à Betty et parce qu'on me paie pour retrouver le tableau que je leur attache autant d'importance à tous deux.

— Je veux bien croire que c'est ce que vous pensez, mais quand on voit votre tête, on est en droit de se demander si vous êtes encore capable de penser correctement. Allez donc la regarder dans la glace du lavabo, à côté. Et pendant que vous y serez, profitez-en pour vous raser. Il y a un rasoir électrique dans l'armoire à pharmacie. L'interrupteur est à gauche en entrant.

Je passai dans le cabinet de toilette et me plantai devant la glace. En effet, j'avais une tête à faire peur. Je me fis quelques grimaces dans l'espoir de faire revenir un peu de couleur à mes joues, mais mes yeux conservaient leur regard éteint.

Une fois débarbouillé et rasé, je me sentis quand même un peu retapé. Cependant, la fatigue et l'anxiété qui me plombaient le corps et l'esprit n'avaient pas disparu pour autant.

— Ça va mieux ? me demanda Mackendrick quand je le rejoignis dans le bureau.

— Un peu.

— Ça fait combien de temps que vous n'avez pas mangé ?

Je jetai un coup d'œil à ma montre. Elle indiquait sept heures moins dix.

— Neuf ou dix heures.

— Et vous n'avez pas dormi ?

— Non.

— Bon, on va casser une petite croûte chez Joe. C'est le bistrot d'en face. Il ouvre à sept heures.

Il y avait déjà du monde dans la salle et le début d'animation qui y régnait me requinqua un peu. Après tout, peut-être que la journée serait moins sombre qu'elle ne s'annonçait, me dis-je avec optimisme.

Nous nous installâmes dans un box et nous commençâmes à discuter de l'affaire devant une première tasse de café d'urgence en attendant la suite. Il allait falloir dire à Mackendrick que j'étais allé voir Mme Chantry, ce qui ne m'enchantait vraiment pas. Et vite... Avant que la nouvelle de cette visite parvienne à ses oreilles — s'il n'était pas déjà au courant. Toutefois, je décidai d'attendre d'avoir le ventre plein pour passer aux aveux.

Outre des œufs au bacon et des frites, il commanda une part de tarte aux pommes, plus une glace à la vanille. Lorsqu'il eut avalé sa dernière bouchée et demandé une autre tasse de café, je pris mon courage à deux mains et me lançai à l'eau :

— Je suis passé voir Mme Chantry, hier soir.

Ses traits se durcirent.

— Je vous avais pourtant bien recommandé de ne pas le faire.

— Je sais, mais cela m'a paru nécessaire. Nos méthodes de travail ne sont pas les mêmes, capitaine.

— Pour ça, vous pouvez le dire !

Je m'évertuai à lui expliquer qu'il était par la force des choses contraint de se plier à des règles strictes et rigoureuses. Il était le glaive de la cité, certes, mais il lui fallait faire son travail comme la cité exigeait qu'il le fasse. Et, à mesure que je parlais, j'avais l'impression qu'il commençait à entendre sonner à ses oreilles les voix innombrables de la cité. Peu à peu, son visage crispé se détendait. Mais ses yeux demeuraient indéchiffrables.

— Et qu'est-ce que cette visite vous a fait découvrir ? me demanda-t-il quand je me tus.

Je lui rapportai par le menu mon entretien avec Francine Chantry en insistant particulièrement sur l'homme au costume brun dont elle et Rico avaient déterré le squelette.

— Est-ce qu'elle vous a dit d'où venait ce type ?

Mackendrick m'écoutait maintenant avec tant d'attention qu'il en avait le visage enflammé.

— Il sortait apparemment d'un hôpital militaire.

Son poing s'abattit si brutalement sur la table que tasses et assiettes cliquetèrent. Les clients firent mine de n'avoir rien entendu.

— Mais, bon Dieu, pourquoi ne pas m'avoir dit tout ça plus tôt ? s'exclama-t-il. S'il a été soigné dans un hôpital militaire, on devrait pouvoir l'identifier à partir de son squelette !

Déjà, il était debout. Il posa trois dollars sur la table et sortit.

Je payai à mon tour mon écot et m'en allai. Il était plus de huit heures, maintenant, et la ville commençait à s'éveiller. Espérant que j'allais sans tarder faire comme elle, je me rendis à pied au journal.

Betty n'y était pas. Personne ne l'avait vue, personne n'avait eu de ses nouvelles.

Je revins sur mes pas pour reprendre la voiture et pris la direction du motel, m'efforçant de me persuader — avec un succès plus que relatif, il faut le dire — que je la retrouverai dans ma chambre, là où tout avait commencé entre elle et moi.

Elle n'y était pas. Je me laissai tomber sur le lit et sombrai presque instantanément dans un sommeil de plomb. Mais ce fut un sommeil hanté de cauchemars peuplés de morts.

Il faisait grand jour quand je me réveillai. Presque midi, me dit ma montre. Je me sentais l'esprit clair. Je m'approchai de la fenêtre et laissai mon regard errer sur le port entre les fentes des stores vénitiens. Et comme j'étais là à observer les mouvements des bateaux, un souvenir qui me tarabustait me revint soudain à la mémoire.

A Copper City, le shérif Brotherton avait fait allusion à un soldat du nom de « Wilson ou Jackson ou quelque chose comme ça » qui avait été copain avec le fils de Mildred Mead. Et Brotherton avait reçu une carte de lui. Une carte qui avait été expédiée depuis un hôpital militaire de Californie.

Je bondis sur le téléphone et appelai le commissariat de Copper City. Ce fut Brotherton lui-même qui répondit.

— Content de vous entendre, Archer. Un peu plus et vous me ratiez : j'allais partir pour déjeuner. Alors, comment va la petite Biemeyer ? Heureuse d'avoir regagné le bercail ?

— Elle va bien, oui, mais je ne sais pas si elle est tellement heureuse de se retrouver en famille.

— Comment ça ? Elle n'est pas bien avec ses parents ?

Brotherton avait l'air vexé que son intervention n'eût pas fait s'ouvrir devant Doris les portes du paradis.

— C'est une fille qui a des problèmes et elle ne s'entend pas trop bien avec son père. Justement, à propos de Biemeyer — et excusez-moi si je vous ai déjà posé la même question —, n'aurait-il pas usé de son influence pour étouffer l'enquête après la mort de William Mead ?

— Oui, vous m'avez déjà demandé ça. Et je vous ai répondu que je n'en savais rien.

— Mais peut-on envisager au moins la possibilité qu'il ait fait pression dans ce sens ?

— Ça n'aurait eu aucun sens. Il entretenait, à l'époque, des relations très étroites avec la mère de William. C'était notoire, tout le monde le sait.

— Mildred Mead souhaitait-elle, elle, que l'enquête soit poursuivie jusqu'à son terme ?

— Là encore, je suis incapable de vous répondre. Ce n'est pas à moi qu'elle a eu affaire, mais à mes supérieurs.

Le ton de Brotherton s'était considérablement refroidi.

— A-t-elle demandé que Richard Chantry soit convoqué en Arizona pour être entendu ?

— Pas que je me souvienne. Mais où voulez-vous en venir, Archer ?

— Pour le moment, je n'en sais encore trop rien. Mais vous m'avez dit à propos de cette affaire quelque chose qui peut être important. Vous m'avez parlé d'un ami de William, un militaire, qui s'est rendu en Arizona pour vous parler de la mort de Mead.

— C'est exact. J'ai d'ailleurs repensé à ce garçon. J'ai eu de ses nouvelles après la guerre. Il m'a envoyé une carte. Il était alors en traitement dans un hôpital militaire à Los Angeles. Il voulait savoir s'il y avait du nouveau au sujet de cette affaire. Je lui ai répondu que non.

— Vous souvenez-vous de son nom ?

Il hésita.

— Jackson, je crois. Jerry Jackson. La signature était presque illisible.

— Est-ce que ça n'aurait pas été plutôt Johnson ?

Il ne répondit pas tout de suite. La ligne était encombrée de voix parasites incompréhensibles. On aurait dit des souvenirs à moitié oubliés venus se poser comme des oiseaux sur les fils.

— Ce n'est pas impossible, dit enfin le shérif. Il se peut que j'aie conservé sa carte dans l'espoir de pouvoir lui envoyer un jour une réponse positive. Mais je n'en ai jamais eu l'occasion.

— Peut-être finira-t-elle par se présenter.

— Sait-on jamais ?

— Est-ce que vous soupçonnez quelqu'un d'être le meurtrier, shérif ?

— Et vous ?

— Non. Mais, je n'ai jamais eu à m'occuper de cette affaire.

Là, j'avais touché un point sensible.

— Ce n'était pas mon affaire à moi non plus, riposta-t-il avec une pointe d'amertume. On me l'a retirée.

— Qui ?

— Les autorités supérieures. Je ne nommerai personne.

— Richard Chantry a-t-il été soupçonné d'être l'assassin de son demi-frère ?

— Ce n'est pas un secret. Je vous ai dit comment on lui avait fait quitter l'Arizona tambour battant. A ma connaissance, il n'y a jamais remis les pieds.

— Y avait-il mésentente entre les deux frères ?

— Mésentente... le mot est peut-être un peu fort. Mais on peut parler de... compétition. Une saine concurrence, si vous voulez. Tous deux voulaient devenir peintres et tous deux voulaient épouser la même fille. Au bout du compte, Richard a gagné sur les deux tableaux. Et c'est bien sûr à lui qu'est revenue la fortune de la famille.

— Seulement, sa bonne étoile n'a brillé que sept ans.

— Le fait est.

— Qu'est-il devenu ? Est-ce que vous en avez une idée ?

— Pas la queue d'une. Et cette histoire s'est passée en dehors des limites de ma juridiction. Maintenant, je vais vous demander de m'excuser. Il y a quelqu'un qui m'attend et je suis déjà en retard. Au revoir.

Sur ce, il raccrocha brutalement.

Je quittai ma chambre et allai frapper à la porte de Paola.

Je l'entendis s'approcher sur la pointe des pieds.

— Qui est-ce ?

— Archer.

Elle entrouvrit la porte. Elle n'avait pas l'air tout à fait réveillé et, à voir sa tête, elle avait dû avoir des cauchemars, elle aussi.

— Qu'est-ce que vous voulez ? me demanda-t-elle d'une voix bougonne.

— Quelques renseignements.

— Je vous ai déjà dit tout ce que je savais.

— Je n'en suis pas si sûr.

Elle fit mine de refermer, mais je l'en empêchai en pesant de tout mon poids sur le battant.

— Est-ce que ça vous intéresse de savoir qui a tué votre père, oui ou non, Paola ?

Ses yeux noirs me scrutèrent, mais il n'y avait pas beaucoup d'espoir dans son regard.

— Parce que vous le savez, vous ?

— Pas encore, mais je cherche et je finirai par trouver. Seulement, pour ça, j'ai besoin que vous m'aidiez. Je peux entrer ?

— Non, je préfère descendre avec vous.

Nous allâmes nous installer près d'une fenêtre au fond du hall.

— De quoi avez-vous peur, Paola ? lui demandai-je en la voyant éloigner son fauteuil de la fenêtre.

— En voilà une question ! On vient de tuer mon père. Et je suis toujours dans cette horrible ville où il a été assassiné.

— Bon. Je repose ma question autrement : de *qui* avez-vous peur ?

— De Richard Chantry, bien sûr ! Qui d'autre ? Ici, il fait figure de héros. Mais c'est seulement parce que les gens ne savent pas quel salaud c'était.

— Vous l'avez connu ?

— Pas vraiment. J'étais trop jeune. Mais mon père, lui, l'a très bien connu. Et ma mère aussi. De drôles d'histoires couraient sur son compte à Copper City. A propos de son demi-frère, William Mead.

— Des histoires de quel genre ?

Deux rides profondes se creusèrent entre ses sourcils.

— D'après ce que j'ai entendu dire, Richard pillait l'œuvre de William. Tous les deux faisaient de la peinture, mais William était le seul à avoir vraiment du talent. Richard ne faisait que le copier. Quand son frère a été mobilisé, il lui a fauché ses esquisses et une partie de ses toiles dont il a prétendu être l'auteur. Il lui a aussi volé la femme qu'il aimait.

— L'actuelle Mme Chantry ?

— Oui.

Paola s'était insensiblement penchée vers la fenêtre comme une plante qu'attire la lumière. Cependant, son regard demeurait sombre et on y lisait toujours autant d'appréhension. Soudain, elle eut un brusque mouvement de recul comme si elle avait repéré des tireurs embusqués sur les toits.

Elle me suivit dans ma chambre où je téléphonai à

Mackendrick pour lui faire part des deux faits nouveaux d'importance capitale dont j'avais maintenant connaissance : que Richard Chantry avait abusivement fait passer pour siens certains tableaux en réalité peints par William et qu'après la mort de ce dernier, un de ses anciens camarades de régiment du nom de Jerry Johnson avait fait un passage éclair en Arizona.

— Johnson est un nom très courant, m'interrompit Mackendrick. Mais je ne serais pas autrement surpris s'il s'agissait de Gerard Johnson, notre ami d'Olive Street.

— Moi non plus. S'il a été blessé pendant la guerre et que son état ait nécessité un séjour prolongé à l'hôpital, cela pourrait expliquer certaines originalités de son comportement.

— Certaines, comme vous dites ! Il n'y a qu'une seule chose à faire : lui poser la question. Mais je veux d'abord essayer de voir si on retrouve sa trace dans les hôpitaux militaires.

— Un supplément d'enquête, en quelque sorte ?

— Exactement. Votre ami Purvis a examiné les ossements que vous avez ramenés hier et il y a décelé des indices de blessures vraisemblablement provoquées par des éclats d'obus qui sembleraient avoir fait l'objet d'un traitement spécial. Il a aussitôt commencé à prendre contact de son côté avec les hôpitaux militaires.

— Et pour Betty Siddon, où en êtes-vous ?

— Elle n'a pas encore refait surface ?

L'agacement perçait dans sa voix et je raccrochai rageusement. Mais je regrettai aussitôt ce mouvement de mauvaise humeur. Il fallait absolument faire quelque chose, mais quoi ? me demandai-je en contemplant l'appareil.

38

Je retournai au journal. Toujours pas de nouvelles de Betty. Fay Brighton avait les yeux rouges. Elle avait reçu, me dit-elle, un coup de téléphone qui l'avait alarmée, mais la personne qui avait appelé — une femme — n'avait ni donné son nom, ni laissé son numéro.

— Elle a proféré des menaces ?

— Non, ce n'est pas cela. Elle semblait inquiète. Elle voulait savoir si Betty allait bien. Mais quand je lui ai demandé pourquoi elle me demandait ça, elle a raccroché.

— Quand a-t-elle téléphoné ?

— Ce matin vers dix heures. Je n'aurais pas dû me laisser démonter. Si j'avais fait preuve d'un peu plus de doigté, j'aurais peut-être pu la faire parler.

— Vous avez eu l'impression qu'elle savait quelque chose ?

Elle réfléchit avant de répondre.

— Oui, c'est ce que j'ai pensé. Elle semblait avoir peur — ou avoir un poids sur la conscience.

— Quel genre de femme était-ce ?

— Je me suis posé la question. C'était certainement quelqu'un d'intelligent. Mais sa voix avait une intonation particulière.

Elle hésita comme si elle tendait l'oreille.

— C'était peut-être bien une personne de couleur. Mais cultivée.

Il ne me fallut pas loin d'une minute pour retrouver le nom de l'infirmière noire de La Paloma : Mme Holman. Je demandai à Fay Brighton de me passer l'annuaire.

Il n'y avait pas d'abonné à ce nom.

Qui pourrait me donner les coordonnées de Mme Holman ? Je ne connaissais qu'un seul Noir à Santa Teresa : le propriétaire du débit de boissons où j'avais acheté du whisky à l'intention de Jerry Johnson. Peut-être pourrait-il me fournir ce renseignement ? Je quittai le journal en coup de vent et sautai dans la voiture.

Il était fidèle au poste derrière son comptoir.

— Qu'est-ce que ce sera pour monsieur ? Du Tennessee comme d'habitude ?

— Ce n'est pas une mauvaise idée.

— Deux quarts ? fit-il en souriant — parce qu'il faut accepter avec indulgence les excentricités de la pratique : le client n'a-t-il pas toujours raison ?

— Non, pour cette fois, ce sera une demi-bouteille.

Pendant qu'il emballait le flacon, je lui demandai s'il connaissait une certaine Mme Holman, infirmière de son état. Du coin de l'œil, il me lança un regard furtif, l'air intrigué.

— Je ne la connais pas personnellement, elle, mais je connais son mari.

— Elle a soigné une amie à moi à la maison de santé où elle travaille et j'aurais bien voulu lui faire un petit cadeau, lui expliquai-je.

— Si c'est ça que vous voulez lui donner, je peux le lui faire remettre, me proposa-t-il en agitant la bouteille.

— Je préférerais le lui donner moi-même.

— Comme vous voudrez. Elle habite à l'angle de Nopal Street et de Martinez Street. C'est la troisième maison passé le coin. Vous la trouverez sans peine : il y a un grand eucalyptus juste devant. Pour y aller, vous prenez la cinquième rue à droite, puis la première en direction du bord de mer.

Je le remerciai, payai la bouteille et sautai dans la voiture.

L'eucalyptus était la seule tache de couleur tranchant sur la façade d'un ensemble composé de petites maisons de bois d'un étage. Mme Holman, debout en haut des marches, surveillait la marmaille qui jouait dans la carcasse d'une antique Chevrolet réduite à l'état d'épave, veuve de ses roues et abandonnée à l'ombre de l'arbre. Quand elle me vit, l'infirmière tressaillit et fit instinctivement un pas vers la porte. Mais, prenant sur elle, elle s'immobilisa et, le regard fuyant, m'adressa un sourire contraint.

— Bonjour, madame Holman.

— Bonjour.

— Ce sont vos enfants ?

— Ma fille, oui. Elle est avec ses copains. Je peux faire quelque chose pour vous ?

— Je suis toujours à la recherche de Mlle Siddon. Je me fais du mauvais sang pour elle. Et j'ai pensé que, vous aussi, vous étiez inquiète.

— En voilà une idée ! fit-elle d'une voix monocorde. Qu'est-ce qui a pu vous faire croire ça ?

— Vous avez bien téléphoné au journal, ce matin, non ?

Elle tourna la tête vers les gamins qui nous regardaient, maintenant muets et figés sur place comme s'ils étouffaient soudain sous l'ombre épaisse de l'eucalyptus.

— Oui... et alors ? répondit l'infirmière.

— Dans ce cas, vous pouvez me parler en toute confiance. Vous n'avez rien à craindre. Tout ce que je veux, c'est retrouver Betty. Et vous semblez penser comme moi qu'elle est peut-être en danger.

— Je n'ai jamais dit ça.

— Peu importe. Est-ce que vous l'avez vue hier soir à La Paloma ?

Elle hocha lentement la tête.

— Oui, je l'ai vue.

— Quand ?

— Au début de la soirée. Elle venait voir Mme Johnson. Elles se sont isolées dans une chambre vide et je n'ai rien entendu de la conversation qu'elles ont eue. Finalement, elles sont ressorties et sont parties toutes les deux dans la voiture de Mlle Siddon sans m'adresser un mot.

— Donc, la nuit dernière, Mme Johnson est retournée à deux reprises chez elle ?

— Apparemment.

— La police était à la clinique quand elle est revenue, n'est-ce pas ?

— Il me semble, oui.

— Vous savez parfaitement que les flics étaient là. Et ils vous ont certainement dit pourquoi ils étaient venus à La Paloma.

— Ils me l'ont peut-être dit, mais je ne me rappelle pas.

Sa voix était à peine audible et elle paraissait très mal à l'aise.

— Faites un effort, madame Holman. Ils cherchaient Mildred Mead et Betty Siddon et ils vous ont sûrement posé des questions à leur sujet.

— C'est possible, je ne dis pas non. Je suis fatiguée. Il y a des tas de choses qui me tracassent et la nuit dernière n'a pas été de tout repos.

— Vos soucis pourraient bien s'aggraver si la mémoire ne vous revient pas.

A ces mots, elle éclata :

— Des menaces, maintenant ?

Dans la carcasse délabrée de la vieille Chevrolet, les enfants, toujours immobiles, paraissaient maintenant effrayés. Une gamine — ce devait être la fille de Mme Holman — se mit à pleurer sans bruit, le visage entre ses mains.

— Je vous conseille de cesser de me mentir, dis-je à l'infirmière. Je n'ai rien contre vous et je n'ai nullement l'intention de vous envoyer en cabane. Mais je vous garantis que c'est là que vous vous retrouverez si vous ne me dites pas la vérité.

— D'accord, murmura-t-elle, les yeux fixés sur la fillette en larmes. Mme Johnson m'a recommandé de ne surtout pas parler de Mlle Mead et de Mlle Siddon à la police. J'ai compris à ce moment que tout ça allait mal finir. J'aurais dû me douter qu'il me faudrait payer les pots cassés.

Et, passant devant moi, elle alla rejoindre les gosses. Quand je m'en allai, elle était assise dans la vieille bagnole, sa petite fille sur les genoux, et les mômes qui l'entouraient ne pipaient mot.

39

Je retournai à Olive Street. Dans la lumière éblouissante du soleil, la maison des Johnson en face de laquelle je me garai avait quelque chose d'étrangement sinistre. C'était comme un vieux visage terrifié par le présent. Que s'était-il passé derrière ses murs ? Et qu'était-il en train de s'y passer ? Si Betty s'y trouvait, elle ne serait pas facile à trouver. Elle était grande, cette maison, pleine de coins et de recoins et je ne la connaissais pour ainsi dire pas.

Une petite Toyota remonta la rue menant à l'hôpital. Le conducteur ressemblait à Lackner, l'avocat de Fred Johnson. Elle s'arrêta un peu plus haut, tout près de l'endroit où Paul Grimes avait été mortellement assommé. Une portière claqua et la Toyota repartit. Si quelqu'un en était descendu, ce qui était plus que probable, je ne pouvais voir qui c'était : les arbres le masquaient.

Je pris dans la boîte à gants la bouteille de whisky et mon revolver que je glissai dans les poches de ma veste, puis j'allai frapper à la porte.

Entendant un léger bruit au coin de la maison, je m'aplatis contre le mur et sortis mon arme. Les buissons touffus qui bordaient la véranda s'agitèrent et la voix de Fred retentit :

— Monsieur Archer ?

— Oui, c'est moi.

Il enjamba la balustrade et s'avança vers moi d'un pas incertain. Je fus frappé par sa pâleur.

— Où étiez-vous, Fred ? lui demandai-je.

— Chez M. Lackner. Il vient de me raccompagner.

Il détourna la tête pour que je ne puisse pas lire son expression.

— Pourquoi êtes-vous allé le voir ?

— Il m'a expressément recommandé de ne le dire à personne.

— Il faudra pourtant bien vous y résoudre à un moment ou à un autre, Fred.

— Je sais, il me l'a dit. Mais je ne dirai pas un mot hors de sa présence, il y tient.

— Où est-il allé ?

— Au commissariat. Pour parler au capitaine Mackendrick.

— De quoi ?

— Je ne peux rien vous dire.

Il avait baissé la voix comme si la maison avait des oreilles.

— Écoutez, Fred... Vous avez une dette envers moi. Si je n'étais pas intervenu, vous seriez encore à Copper City à l'heure qu'il est, bouclé dans une cellule.

— J'ai aussi une dette envers ma mère et mon père.

Je le pris par les épaules. Il tremblait. Sa moustache en berne qui retombait de part et d'autre de sa bouche était comme le symbole de l'avortement de sa virilité.

— Qu'ont-ils fait, Fred ? lui demandai-je avec toute la douceur dont j'étais capable.

— Je ne sais pas.

Il avala péniblement sa salive et se passa la langue sur les lèvres.

— Dites-moi... est-ce qu'il y a une femme chez vous ?

Il eut un hochement de tête accablé.

— Oui, je l'ai entendue. Dans le grenier.

— Qu'est-ce qu'elle fait dans votre grenier ?

— Je ne sais pas. Mon père était là-haut avec elle.

— Quand l'avez-vous entendue ?

— Ce matin. Très tôt. Le jour n'était pas encore levé. Je crois qu'elle a été là toute la nuit.

Je le secouai si violemment que sa tête oscilla en avant et en arrière et je dus faire un effort pour arrêter : j'y allais de si bon cœur qu'un peu plus je lui aurais brisé la nuque !

— Pourquoi ne me l'avez-vous pas dit plus tôt ?

— Je ne savais pas au juste ce qui se passait dans le grenier. Il m'a bien semblé reconnaître sa voix, mais c'est seulement quand j'ai fait le tour par-derrière et que j'ai vu sa voiture que j'ai eu la certitude que c'était Mlle Siddon.

— Qui pensiez-vous donc qu'était cette femme ?

— Ça aurait pu être n'importe qui. Une souris qu'il aurait raccrochée dans la rue. Ou une fille de l'hôpital. Ça lui arrivait d'en ramener à la maison. Il les obligeait à se déshabiller devant lui. Il se livre à ce petit jeu depuis que ma mère s'est mis en tête de l'enfermer à double tour chaque fois qu'elle s'absente.

— Vous croyez qu'il est mentalement très atteint ?

— Je ne sais pas.

Les yeux pleins de larmes, il détourna la tête.

— M. Lackner pense que oui et qu'il faut avertir la police pour le faire enfermer.

C'était aussi mon opinion, mais je me méfiais des méthodes brutales de la police qui risquaient de mettre encore d'autres personnes en danger. Certes, je voulais retrouver Betty, mais je tenais surtout à ce qu'elle s'en sorte saine et sauve.

— Est-ce que vous avez une clé, Fred ?

— Oui, j'ai fait faire un double.

— Alors, ouvrez-moi.

— C'est que M. Lackner m'a dit d'attendre qu'il revienne avec la police.

— D'accord, attendez-le. Mais donnez-moi votre clé.

Il la sortit de sa poche et me la tendit à contrecœur. On aurait presque pu croire qu'il s'amputait d'une partie vitale de lui-même en s'en séparant. Cependant, ce sacrifice parut en même temps lui mettre du cœur au ventre, car ce fut d'une voix raffermie qu'il me dit :

— Je vais vous accompagner. Vous ne connaissez pas la maison.

Je lui rendis alors la clé. Il la fit tourner dans la serrure et ouvrit.

Mme Johnson se tenait au pied de l'escalier. Elle m'adressa un sourire de commande embarrassé et aussi affreux à voir que le sourire artificiel que les employés des pompes funèbres plaquent sur le visage de leurs clients quand ils les embaument.

— Que puis-je faire pour vous ? me demanda-t-elle.

— Me laisser passer, répondis-je. C'est votre mari que je veux voir.

Son sourire se mua en un rictus de rage dirigée vers Fred, cette fois.

— Qu'est-ce que tu lui as raconté ? gronda-t-elle.

— Il faut qu'on fasse quelque chose pour l'arrêter, maman.

Elle demeura quelques instants hagarde, incapable d'imprimer à son visage une expression susceptible de traduire la dualité de son personnage. Elle aurait aussi bien pu cracher sur son fils et le couvrir des pires insultes qu'éclater en sanglots.

— Il est fou à lier, hoqueta-t-elle. Je n'ai jamais pu le rendre raisonnable.

— Voulez-vous venir avec moi et essayer de lui parler ? lui proposai-je.

— Lui parler ? J'ai essayé, cette nuit. Il m'a dit qu'il la tuerait et se tirerait une balle dans la tête après si je ne les laissais pas tranquilles.

— Il a encore un revolver ?

— Bien sûr. Et même plusieurs, je crois. J'ai eu beau tout retourner là-haut en profitant qu'il était rétamé, je n'ai jamais réussi à mettre la main dessus.

— Est-ce qu'il lui est déjà arrivé de s'en servir ?

— Non. C'est juste des fanfaronnades, ça ne va pas plus loin.

Mais le regard interrogatif et effrayé qui accompagnait ces mots n'avait rien de rassurant.

— Comment est-il parvenu à entraîner Mlle Siddon dans le grenier ?

— Je n'en sais rien, répondit-elle en détournant les yeux.

— C'est vous qui l'avez fait monter ?

— Non ! Je n'aurais jamais fait une chose pareille.

Son fils, alors, intervint :

— Si, c'est toi qui l'as fait monter.

— Et alors ? Elle l'a bien cherché, non ? Elle voulait lui parler, qu'elle a dit. Et comme il était là-haut dans son antre... Je ne suis quand même pas responsable de tous les journalistes qui viennent se mêler de nos affaires.

Je la repoussai contre le mur et commençai à escalader les marches, Fred sur mes talons. Arrivé au palier, je m'arrêtai pour essayer de m'y retrouver dans la demi-obscurité. Fred alla allumer. La porte du grenier était cadenassée.

— Votre mère l'a enfermé ? lui demandai-je.

— Sûrement. Elle a follement peur qu'il s'en aille. Comme la fois où il est parti pour la Colombie-Britannique.

— Allez lui demander la clé.

Comme il dévalait l'escalier, la voix de son père s'éleva derrière la porte, rauque et effrayée :

— Qui est là ?

— C'est moi... Archer. Je viens en ami.

— Je n'ai pas d'amis.

— C'est moi qui vous ai apporté du whisky l'autre jour.

— Un petit coup de whisky, ça ne me ferait pas de mal, dit-il après une pause. J'ai été debout toute la nuit.

Fred réapparut, grimpant les marches deux par deux en brandissant une petite clé comme un trophée.

— Et celui-là, qui c'est ? demanda Johnson.

Fred me tendit la clé en me faisant signe de répondre. Décidément, si quelqu'un pouvait encore faire preuve d'un semblant d'autorité dans cette maison, c'était moi, et personne d'autre. Je m'exécutai :

— Fred... votre fils.

— Qu'il aille au diable ! Mais un petit coup de whisky, ça, je ne suis pas contre.

Mais il était trop tard pour échanger des gracieusetés de ce genre. Une sirène ululait déjà au loin. Elle se rapprochait. Sans perdre une seconde, j'ouvris le cadenas et sortis mon revolver dont je rabattis le chien.

— Qu'est-ce que vous fabriquez ? s'enquit Johnson.

— Je vous amène votre whisky.

Des pas résonnaient dans la rue. On montait le perron. J'ôtai le cadenas de la main gauche et poussai la porte.

Johnson était assis au pied de l'escalier conduisant au grenier. Un petit revolver — encore un *Saturday-night special* — était posé près de lui sur la marche. Heureusement, ses réflexes étaient lents et j'eus le temps d'écraser sa main sous mon pied quand il en empoigna la crosse. Je m'emparai de l'arme. Il lécha ses doigts endoloris en me regardant d'un air de reproche comme si je l'avais trahi.

Je l'écartai, me précipitai dans l'escalier et entrai en trombe dans l'espèce d'atelier aménagé dans le grenier. Betty était assise, entièrement nue, sur une chaise au dossier de laquelle elle était ligotée par une corde à linge. Pâle, le visage inerte, elle avait les yeux fermés et, sur le moment, je crus qu'elle était morte. Ce fut comme si le sol cédait sous mes pieds. Mais comme je m'affairais à la détacher, elle revint à la vie entre mes bras. Je la serrai contre moi de toutes mes forces.

— Tu y as mis le temps pour arriver, finit-elle par murmurer.

— Oui, j'ai été stupide.

— Non, c'est moi qui ai agi comme une idiote. Je n'aurais jamais dû venir ici toute seule. Il m'a forcée à me déshabiller sous la menace de son arme. Après quoi, il m'a attachée sur cette chaise et s'est mis à peindre mon portrait.

L'ébauche posée sur un chevalet plein de taches de peinture était devant nous. Elle me rappela immédiatement les tableaux que j'avais vus ces derniers jours au musée et chez Francine Chantry. Aussi invraisemblable que cela puisse paraître, tout portait à croire que le vieil ivrogne que j'entendais couvrir d'insultes Mackendrick qui venait de procéder à son arrestation n'était autre que Chantry, le peintre qui s'était transformé en courant d'air.

Je fouillai le grenier pendant que Betty se rhabillait et trouvai d'autres tableaux, pour la plupart inachevés. Presque tous étaient des portraits de femme. Le dernier que je découvris dissimulé sous un vieux matelas, enveloppé dans un morceau de toile de jute, était le portrait de Mildred Mead, peint de mémoire, que Biemeyer m'avait chargé de retrouver. Le trousseau de clés que je trouvai dans la même cachette attestait que l'emprisonnement de Johnson dans sa propre maison n'avait été que relatif.

Je redescendis avec mon butin. Fred attendait au pied de l'escalier.

— Où est votre père ? lui demandai-je.

— Si c'est de Gerard que vous parlez, il est en bas avec le capitaine Mackendrick. Mais je ne crois pas qu'il soit mon père.

— Alors, qui est-il ?

— C'est justement ce que j'essayais de savoir. Si j'ai pris... enfin, si j'ai emprunté le tableau des Biemeyer, c'est parce que je soupçonnais qu'il était l'œuvre de Gerard. Je voulais tenter de déterminer son âge et de le comparer avec les Chantry du musée.

— Mais il n'a jamais disparu du musée, n'est-ce pas ?

— Non. Là, je vous ai menti. Il n'avait pas quitté

la maison. Gerard l'a pris dans ma chambre. C'est cela qui m'a fait comprendre que c'était lui qui l'avait peint. Et, s'il l'a peint, il n'est pas mon père — il est Richard Chantry.

— Alors, pourquoi l'avez-vous protégé ? Parce que vous avez pensé que votre mère tirait les ficelles ?

Fred leva nerveusement la tête et, suivant son regard, je me retournai. Betty, assise sur la dernière marche de l'escalier, un calepin sur les genoux, était occupée à prendre des notes. Décidément, elle n'avait pas fini de m'étonner ! Elle avait passé une nuit blanche en compagnie d'un homme soupçonné d'être un assassin qui la tenait sous la menace de son revolver et elle ne pensait qu'à une chose : avoir son scoop ! Incroyable, cette fille !

Je revins à Fred :

— Où est votre mère ?

— En bas avec M. Lackner et le capitaine Mackendrick.

Nous allâmes tous les trois les rejoindre dans le salon. Betty s'appuyait de tout son poids sur mon bras. Elle ne tenait plus sur ses jambes et je lui proposai de la reconduire chez elle, mais elle refusa.

Dans le salon sinistre des Johnson, la situation était quasiment bloquée : Gerard et Mme Johnson, soutenus par Lackner qui ne cessait de leur rappeler leurs droits, refusaient obstinément de répondre aux questions de Mackendrick sur le meurtre de Paul Grimes.

Je jugeai bon d'intervenir.

— J'ai une théorie, annonçai-je. C'est même maintenant un peu plus qu'une théorie. Grimes et Jacob Whitmore ont été tués tous les deux parce qu'ils avaient découvert d'où venait le tableau des Biemeyer. A propos, je viens de le retrouver.

Je le brandis.

— Il était dans le grenier. C'est probablement là que Johnson l'a peint.

Johnson gardait la tête baissée. Mme Johnson lui décocha un regard à la fois inquiet et lourd d'animosité.

Mackendrick se tourna vers moi.

— Je ne vois pas ce que ce tableau a de si important.

— C'est qu'il semble s'agir d'un Chantry, capitaine. Et que c'est Johnson qui l'a peint.

Il fallut quelques instants à Mackendrick pour saisir tout ce que cela impliquait. Alors, il dévisagea avec ahurissement Gerard Johnson qui lui rendit son regard. On lisait dans les yeux de celui-ci un mélange de peur et d'accablement. J'essayai de retrouver derrière ses traits bouffis le visage du jeune homme qu'il avait été. Il était aussi difficile de croire qu'il avait été beau que d'imaginer que, derrière ces yeux éteints et rougis, se cachait l'âme d'un créateur. L'essence même de sa vie était passée dans son œuvre : il n'était plus qu'une coquille vide.

Pourtant, quelque chose devait quand même subsister du personnage qu'il avait jadis été car Mackendrick s'exclama :

— Vous êtes Richard Chantry, n'est-ce pas ? Je vous reconnais.

— Non. Mon nom est Gerard Johnson.

Il ne voulut pas en démordre et demeura sans réaction quand Mackendrick, après lui avoir lu ses droits, le mit en état d'arrestation. Fred et sa mère furent laissés libres, mais il les pria de l'accompagner au commissariat pour y être interrogés. Tout le monde sortit et s'entassa dans sa voiture sous l'œil vigilant d'un jeune sergent qui gardait la main posée sur la crosse de son revolver.

Le véhicule démarra, nous laissant seuls sur le trottoir, Betty et moi. Je mis le tableau des Biemeyer dans le coffre de mon auto et ouvris la portière, mais Betty fit un pas en arrière.

— Tu sais où est la mienne ? me demanda-t-elle.

— Derrière la maison. Mais laisse-la là pour le moment. Je te reconduis chez toi.

— Je ne rentre pas. Il faut d'abord que je fasse mon papier.

Je la regardai avec attention. Ses yeux avaient un éclat bizarre. Comme une ampoule électrique sur le point de sauter.

— On va faire quelques pas ensemble. J'ai encore du boulot, moi aussi, mais ça peut attendre.

Elle prit mon bras et nous nous promenâmes sous les arbres. Pour la première fois, la rue me paraissait souriante dans la lumière du matin.

— Quand j'étais enfant, dis-je à Betty, on m'a raconté une histoire. Dans le temps, les hommes et les femmes étaient encore plus que des jumeaux : ils partageaient un seul et même corps. Quand nous nous sommes retrouvés tous les deux dans ma chambre, au motel, j'ai cru que ces temps anciens étaient revenus. Et quand tu as disparu, j'ai eu l'impression que j'avais perdu une partie de moi-même.

Elle me serra doucement le bras.

— Je savais que tu me retrouverais.

Nous fîmes lentement le tour du pâté de maisons, puis nous prîmes la voiture et allâmes manger un morceau à *La Bouilloire*. Nous étions heureux et graves comme si nous célébrions une cérémonie. Betty débordait de vitalité.

Je la déposai devant le journal et la suivis des yeux tandis qu'elle grimpait l'escalier quatre à quatre pour retrouver sa machine à écrire.

40

Je retournai au commissariat. En y entrant, je croisai Purvis qui sortait de chez Mackendrick. Il paraissait tout excité.

— Ça y est ! Le squelette a été identifié, m'annonça-t-il d'une voix triomphale.

— Alors ?

— C'est celui d'un ancien combattant qui est resté plusieurs années en traitement à l'hôpital militaire de Skyhill. Un dénommé Gerard Johnson.

— Vous voulez répéter ?

— Gerard Johnson. Il avait été grièvement blessé dans le Pacifique. Ils ont pratiquement dû le remettre complètement à neuf. Il est sorti de Skyhill il y a environ vingt-cinq ans. En principe, il aurait dû revenir passer régulièrement des visites de contrôle, mais on ne l'a jamais revu à l'hôpital. Maintenant, nous savons pourquoi.

Purvis eut un sourire satisfait.

— A propos, je vous dois des remerciements : c'est vous qui m'avez mis sur la piste. Je vous revaudrai ça à l'occasion.

— Si vous estimez avoir une dette envers moi, vous pouvez vous en acquitter tout de suite.

Il me dévisagea d'un air un peu surpris.

— Avec plaisir. En quoi puis-je vous être utile ?

— Il vaudrait mieux que vous notiez ce que j'ai à vous dire.

Il prit un bloc-notes et un stylo-bille dans son porte-documents.

— Allez-y, je vous écoute.

— A l'armée, Gerard Johnson avait un copain nommé William Mead. Mead a été assassiné dans l'Arizona en 1943. Brotherton, le shérif de Copper City, connaît l'affaire sur le bout des doigts. C'est lui qui a découvert le corps dans le désert et qui l'a expédié en Californie pour les obsèques. J'aimerais savoir dans quelles conditions s'est fait le transfert et où a eu lieu exactement l'inhumation. Je crois qu'il vaudrait la peine d'exhumer le cadavre pour l'examiner.

Purvis leva le nez de son bloc. Le soleil le fit cligner des yeux.

— L'examiner pour quoi ?

— Pour déterminer les causes de la mort, vérifier son identité... tout le toutim, quoi. Et puis, Mead était marié. Si on retrouvait sa femme, cela pourrait être utile.

— Eh bien, dites donc ! Vous en avez, des exigences !

— Tout le monde y trouvera son compte, croyez-moi.

Mackendrick, la mine lugubre, était seul dans son bureau.

— Où est votre prisonnier, capitaine ? lui demandai-je d'entrée.

— Le district attorney l'a emmené au palais de

justice. Suivant les conseils de Lackner, il n'a pas ouvert la bouche et le reste de la famille observe le même mutisme. Et moi qui espérais pouvoir régler cette affaire aujourd'hui !

— C'est peut-être encore possible. Où sont Fred et sa mère ?

— Il a bien fallu que je les laisse rentrer chez eux. Le D.A. ne veut pas les inculper — pas encore, tout au moins. Il fait ses débuts dans le métier et il tient à ne pas se mouiller. Pour lui, tout ce qu'on peut retenir contre la femme Johnson est d'avoir vécu en concubinage avec Richard Chantry en le faisant passer pour son mari, ce qui ne constitue pas un crime.

— Sauf si, ce faisant, elle l'aidait à cacher un meurtre.

— L'assassinat du vrai Gerard Johnson ? C'est à cela que vous pensez ?

— Tout à fait, capitaine. Purvis, comme vous savez, a établi que le vrai Gerard Johnson était l'homme au costume brun dont le cadavre a été enterré dans la serre des Chantry. Tout porte à croire que Richard Chantry l'a assassiné, a pris son identité et est ensuite allé vivre avec sa femme et son fils.

Mackendrick hocha la tête d'un air morne.

— C'est aussi l'idée qui m'est venue. Mais je viens de vérifier en m'adressant à l'association des anciens combattants et à l'hôpital militaire de Skyhill. Johnson n'était pas marié et n'avait pas d'enfant. La famille Johnson, c'est du bidon. Elle n'existe pas.

— Mais Fred ?

— Il n'est apparemment pas plus le fils de sa soi-disant mère que de son prétendu père.

J'avais dû accuser le coup car Mackendrick ajouta :

— Je sais que vous avez de l'affection pour lui et

que c'est dur à digérer. Si cela peut vous consoler, les sentiments que j'éprouve actuellement sont analogues aux vôtres. Quand j'étais une bleusaille, j'admirais profondément Chantry. Comme tous les habitants de Santa Teresa, même s'ils ne l'avaient jamais vu. Et il va falloir maintenant que je leur explique que leur héros est un poivrot à moitié cinglé doublé d'un assassin !

— Mais êtes-vous sûr et certain que ce Gerard Johnson et Richard Chantry ne font qu'un ?

— Absolument. J'ai connu Chantry personnellement, je vous l'ai dit. Et ceux qui pourraient en dire autant ne sont pas légion. Il a changé, naturellement. Énormément, même. Mais c'est lui, il n'y a pas le moindre doute. Je l'ai reconnu, et il le sait, même s'il s'obstine à se taire.

— Avez-vous pensé à le confronter avec sa femme — Francine Chantry, je veux dire ?

— Naturellement. Je suis passé chez elle ce matin à la première heure, mais elle avait déjà pris la poudre d'escampette. Et sûrement sans espoir de retour. Elle a vidé son coffre à la banque et la dernière fois qu'on l'a vue, c'était sur l'autoroute où elle filait plein sud.

Mackendrick me lança un regard noir.

— Vous y êtes d'ailleurs pour quelque chose. Si vous n'étiez pas allé lui rendre visite prématurément...

— Je ne dis pas non. Mais si cette affaire est maintenant élucidée, j'y suis aussi pour quelque chose.

— Elle n'est pas réglée pour autant. On a retrouvé Chantry, c'est vrai, mais il reste encore bien des choses à expliquer. Pourquoi a-t-il pris le nom de Johnson, l'homme qu'il avait tué, par exemple ?

— Pour cacher la disparition du véritable Johnson.

Il secoua la tête.

— Ça n'a pas beaucoup de sens.

— Le meurtre de Johnson n'en a pas davantage. Pourtant, il l'a assassiné. La femme le savait fort bien et elle en a profité pour le garder sous sa coupe. Il était pratiquement prisonnier dans la maison d'Olive Street.

— Mais pourquoi tenait-elle tellement à l'avoir sous sa coupe, comme vous dites ?

J'avouai que je n'en savais rien.

— Peut-être se connaissaient-ils avant le crime, ajoutai-je. Ça vaudrait la peine de creuser un peu de ce côté-là.

— C'est plus facile à dire qu'à faire, rétorqua-t-il. La mort de Johnson remonte à vingt-cinq ans. La femme garde bouche cousue et Chantry aussi.

— Et si j'essayais de lui tirer les vers du nez ?

— Ça ne dépend pas de moi, Archer. Pour ça, il faudrait vous adresser au D.A. C'est une affaire énorme, et il veut en récolter tous les lauriers. N'oubliez pas que Chantry est la gloire de cette ville. Bon Dieu ! Quand on pense qu'il en est arrivé là, quelle déchéance ! conclut-il en assenant un coup de poing sur son bureau.

Ces mots sonnaient à mes oreilles comme une marche funèbre.

Le palais de justice était à quelques pâtés de maisons du commissariat. La tour carrée qui le surmontait était le point culminant de la ville. C'était une gigantesque horloge à quatre cadrans surplombant une plate-forme panoramique que ceinturait une balustrade en fer forgé. Une famille de touristes en goguette y contemplait le paysage. Un petit garçon, le menton appuyé sur la balustrade, me sourit quand je levai la tête. Je lui souris en retour.

Ce devait être mon dernier sourire de la journée. Je commençai par faire le poireau pendant près de deux heures dans la salle des pas perdus. Finalement, je réussis à voir le district attorney. Mais pas à lui parler : il traversa la salle au pas de charge, et adieu ! En désespoir de cause, j'essayai de m'expliquer avec un de ses assistants, mais ils étaient tous occupés, et je ne pus même pas franchir le rempart des assistants des assistants. Du coup, je renonçai et descendis au bureau du coroner.

Purvis attendait un appel de Copper City et je décidai de lui tenir compagnie pour meubler son attente. L'appel n'arriva qu'en fin d'après-midi. Tandis qu'il écoutait, j'essayai de lire par-dessus son épaule les notes qu'il prenait, mais ce fut peine perdue : son écriture était illisible.

— Alors ? lui demandai-je quand il eut enfin raccroché.

— C'est l'armée qui s'est chargée du transfert du corps de William Mead. Il était dans un tel état qu'on a dû le mettre dans un cercueil plombé. Il a été inhumé dans un petit cimetière.

— Où ça ?

— Ici même, à Santa Teresa. C'est là que Mead habitait avec sa femme. Au 2136 Los Bagnos Street. Avec un peu de chance, peut-être qu'elle est toujours à la même adresse.

Nous décidâmes d'aller vérifier sans plus tarder. Purvis sauta dans sa voiture, moi dans la mienne, et, l'un suivant l'autre, nous nous dirigeâmes vers le quartier de l'hôpital. Nous passâmes devant la maison Johnson et devant l'endroit où j'avais trouvé Paul

Grimes en train d'agoniser. Somme toute, c'était là que tout avait commencé trente-deux ans plus tôt et j'avais le sentiment que la boucle n'allait pas tarder à être bouclée.

Los Bagnos Street est une rue voisine d'Olive Street. L'ancienne maison du 2136 avait depuis longtemps cédé la place à un immeuble de bureaux que dominait, à l'est, un imposant complexe médical flambant neuf. Cependant, de l'autre côté se dressait encore une maison de bois datant d'avant la guerre. « Chambres à louer », annonçait le carton placardé à l'une de ses fenêtres.

Purvis s'arrêta à sa hauteur, mit pied à terre et alla frapper à la porte devant laquelle je le rejoignis. Un vieux bonhomme l'entrouvrit et nous regarda d'un œil méfiant.

— Qu'est-ce que c'est ? s'enquit-il.

— Je m'appelle Purvis. Je suis coroner-adjoint.

— Y a pas eu de mort ici. Juste ma femme, mais ça fait déjà un bon moment.

— Et M. William Mead ? Il a bien été votre voisin, non ?

— C'est vrai, admit-il, il l'a été un bout de temps. Il est mort, lui aussi. Mais c'est vieux. Ça remonte à la guerre. Il a été assassiné en Arizona. C'est sa femme qui me l'a appris. Parce que, moi, je ne lis pas les journaux. Jamais. Tout ce qu'ils impriment, c'est que des mauvaises nouvelles.

Il nous dévisageait par l'entrebâillement de la porte comme si nous étions, nous aussi, des messagers du malheur.

— C'est ça que vous vouliez savoir ?

— Vous nous avez été très utile, lui dit Purvis. Mais, à part ça, sauriez-vous ce qu'est devenue la femme de Mead ?

— Oh ! Elle est pas bien loin. Elle a fini par se remarier et elle a déménagé. Elle habite maintenant Olive Street, tout à côté. Mais elle n'a pas eu plus de chance avec son deuxième mari qu'avec son premier.

— Que voulez-vous dire ?

— En secondes noces, elle a épousé un ivrogne qui lui boit tout ce qu'elle gagne. Heureusement que le travail ne lui fait pas peur.

— Et où travaille-t-elle ?

— A l'hôpital. Elle est infirmière.

— Son mari ne s'appellerait-il pas Johnson ?

— Oui, il s'appelle Johnson. Si vous le savez, pourquoi vous le demandez ?

41

Nous regagnâmes Olive Street et ses arbres centenaires qui s'alignaient en rangs serrés le long des trottoirs. En gravissant les marches de la véranda déjà plongée dans l'ombre, je me sentais accablé sous le poids du passé.

La soi-disant Mme Johnson nous ouvrit immédiatement, à croire qu'elle attendait notre visite. Le regard noir qu'elle posa sur moi était presque tangible.

— Qu'est-ce que vous voulez ? demanda-t-elle.

— Est-ce qu'on peut entrer ? Je vous présente le coroner-adjoint...

Elle m'interrompit :

— Je le connais. Je vous ai vu à l'hôpital, poursuivit-elle à l'adresse de Purvis. Je ne sais pas pourquoi vous venez. Je suis seule à la maison. Et tout ce qui devait arriver est arrivé.

C'était moins une affirmation que l'expression d'un vague espoir.

— Il y a différentes choses dont nous voudrions parler avec vous, dis-je. Des choses qui remontent au passé. De la mort de William Mead, notamment.

— Je n'ai jamais entendu ce nom, rétorqua-t-elle sans sourciller.

— Laissez-moi vous rafraîchir la mémoire, dit calmement Purvis sur un ton officiel. Selon les informations dont je dispose, William Mead a été votre mari. Après son assassinat en Arizona en 1943, son corps vous a été expédié pour être inhumé. Aurais-je été mal renseigné ?

Elle était demeurée impassible.

— Peut-être bien que tout ça m'est sorti de la tête. J'ai toujours eu la mémoire qui flanche. Et les moments épouvantables que j'ai vécus ont plus ou moins effacé tout le reste, vous savez.

— Il faut pourtant que nous en parlions, insista Purvis. Pouvons-nous entrer un moment ?

— Si vous voulez.

Elle s'effaça pour nous laisser passer. Une vieille valise de toile usagée était posée au pied de l'escalier. Je la soulevai. Elle pesait son poids.

— Laissez cette valise, m'enjoignit-elle.

Je la reposai.

— Vous avez l'intention de quitter la ville ?

— Et alors ? J'en ai bien le droit. Je n'ai rien fait de mal. Je suis libre d'aller où ça me plaît et rien ne me retient ici. Mon mari n'est plus là et Fred s'en va.

— Pour aller où ?

— Il refuse de me le dire. Probable que c'est avec sa bonne amie qu'il fiche le camp. Après toute la peine que je me suis donnée pendant vingt-cinq ans pour entretenir cette maison, je me retrouve toute seule. Seule, sans un sou et avec des dettes. Je ne vois pas pourquoi je ne m'en irais pas.

— Parce que vous êtes suspecte, répondis-je. Si vous essayez de décamper, vous aurez de fortes chances d'être mise en état d'arrestation.

— Suspecte de quoi ? Je ne suis pour rien dans la

mort de Will Mead. C'est en Arizona qu'il a été tué alors que je travaillais comme infirmière à l'hôpital de Santa Teresa. Quand on m'a prévenue, ça a été un choc terrible. Un choc dont je ne suis pas encore remise et dont je ne me remettrai jamais. Lorsqu'on l'a enterré, j'aurais voulu l'accompagner dans la tombe.

J'éprouvai soudain un élan de compassion et je dus prendre sur moi pour n'en rien laisser voir.

— Mead n'est pas le seul à avoir été tué. Deux autres hommes ont également été assassinés : Paul Grimes et Jacob Whitmore, avec qui vous étiez en affaires, votre mari et vous. Grimes a été agressé ici même, dans votre rue. Et c'est peut-être dans votre baignoire qu'on a noyé Whitmore.

Elle me lança un regard effaré.

— Je ne comprends rien à ce que vous racontez.

— Je ne demande pas mieux que de vous expliquer, mais cela risque d'être un peu long. Nous ne pourrions pas poursuivre cette conversation dans votre salon ?

— Non. On m'a déjà posé suffisamment de questions comme ça et M. Lackner m'a conseillé de ne plus rien dire.

— Vous ne croyez pas que je devrais lui donner lecture de ses droits, Archer ? me demanda Purvis d'une voix hésitante.

Du coup, elle retrouva son agressivité :

— Mes droits, je les connais. Rien ne vous autorise à m'interroger, ni vous ni personne. Pas plus qu'à forcer ma porte comme vous vous êtes permis de le faire.

— Nous n'avons nullement eu recours à la force. C'est vous qui nous avez invités à entrer.

— Certainement pas ! Vous vous êtes invités tout seuls. C'est tout juste si vous n'avez pas enfoncé la porte.

Purvis se tourna vers moi. Il avait pâli. En bon bureaucrate qu'il était, il était terrorisé à l'idée qu'on pourrait lui imputer une faute professionnelle.

— Pour le moment, il vaudrait mieux nous retirer, Archer. Interroger des témoins n'est pas dans mes attributions. Le D.A. criera certainement à la violation des droits de la personne. Et je ne voudrais surtout pas compromettre cette affaire au moment où le voile commence à se lever.

— Quelle affaire ? s'exclama-t-elle avec une virulence accrue. Il n'y a pas d'affaire. Vous n'avez pas le droit de vous acharner sur moi et venir me harceler sous prétexte que je suis une pauvre femme sans amis, sans appuis et dont le mari est un débile mental qui ne sait même plus qui il est tellement il est atteint.

— Et qui est-il, en fait ?

Elle me décocha un regard alarmé, mais laissa la question sans réponse.

— A propos, repris-je, pourquoi vous faites-vous appeler Mme Johnson ? Parce que vous avez effectivement été l'épouse du véritable Gerard Johnson ? Ou parce que Chantry a simplement pris son nom après l'avoir supprimé ?

— Je ne dirai rien, siffla-t-elle. Et maintenant, sortez de chez moi !

Dans sa hâte à se désolidariser de mes méthodes d'interrogatoire peu conformes à l'orthodoxie, Purvis, lui, était déjà dans la rue. Je lui emboîtai le pas et nous nous séparâmes sur le trottoir.

Le soir n'allait pas tarder à tomber. Je m'assis dans la voiture pour tenter de mettre de l'ordre dans mes idées. Tout avait commencé avec la rivalité qui avait dressé les deux frères, Richard Chantry et William Mead, l'un contre l'autre. Le premier avait volé l'œuvre et la femme du second, après quoi il l'avait tué, abandonnant son corps dans le désert arizonien.

Richard s'était alors installé à Santa Teresa et n'avait jamais été inquiété par la justice arizonienne, bien que la loi autorisât l'extradition d'un État à l'autre de tout individu soupçonné d'assassinat. La Californie lui fut bénéfique. Comme si le meurtre de son demi-frère l'avait fait proliférer, son talent mûrit et se développa : sept ans plus tard, il était devenu un peintre de renom. Et puis son univers s'écroula brutalement quand, à sa sortie de l'hôpital militaire où il était jusque-là en traitement, l'idée vint à Gerard Johnson de rendre visite à William Mead, son ancien copain de régiment.

Il alla voir Richard, puis il revint quelques jours plus tard, accompagné, cette fois, de la veuve et du fils de William. C'était la dernière visite qu'il devait rendre à quelqu'un : Richard l'avait tué et l'avait enterré dans sa serre. Alors, pour se punir de son geste, il avait décidé de disparaître. Prenant le nom de sa victime, il avait installé ses pénates dans la maison d'Olive Street et y avait vécu vingt-cinq ans en reclus en s'imbibant d'alcool.

Durant les premières années, avant que l'âge et l'alcoolisme l'eussent rendu méconnaissable, il avait dû y demeurer claustré comme les malades mentaux qui, au XIXe siècle, passaient leurs jours enfermés dans un grenier. Mais il avait été incapable de renoncer à ses pinceaux. Et c'est la persistance de son talent qui avait fini par le perdre définitivement.

Fred avait dû se rendre compte à un moment ou un

autre que celui qui passait pour son père peignait en secret et il avait inconsciemment commencé à faire le rapprochement entre lui et Chantry qui s'était volatilisé. Cela expliquerait l'intérêt grandissant qu'il portait à l'œuvre de ce dernier et qui l'avait conduit à voler — ou à emprunter — le tableau des Biemeyer. Il l'avait ramené chez lui pour l'examiner de manière approfondie, mais son « père » avait vu la toile dans sa chambre, s'en était emparé et l'avait cachée dans son antre — le grenier même où il l'avait originellement peinte.

Elle était maintenant dans le coffre de ma voiture. Chantry était sous les verrous. J'aurais dû être heureux et savourer ma réussite. Mais pas du tout. L'affaire n'était pas réglée, loin de là, je le sentais bien, et c'était ce qui me tenait là, rivé dans la rue aux oliviers qu'envahissait le crépuscule.

Qu'est-ce que j'attendais ainsi ? Que Mme Johnson sorte de chez elle. Mais elle ne mettrait sûrement pas le nez dehors tant que je resterais garé devant la maison. Je l'avais vue à deux reprises regarder par la fenêtre du salon. La première fois, elle avait paru effrayée en me voyant ; mais, la seconde, elle était furieuse. Elle avait brandi le poing dans ma direction. Je lui avais adressé un sourire rassurant et elle avait tiré le rideau effiloché.

Je me pris à imaginer ce qu'avait été la vie du couple durant ces vingt-cinq années : lui, prisonnier dans tous les sens du terme — moralement aussi bien que physiquement ; elle, sachant sûrement qu'il avait tué l'homme sous le nom duquel elle vivait désormais. Car elle devait le savoir, de même qu'elle savait probablement qu'il avait aussi tué William Mead, son époux légitime. Leur cohabitation ressemblait plus à une peine de prison qu'à une union conjugale.

Et pour préserver leur secret, ils avaient commis deux autres crimes : celui de Paul Grimes, massacré en pleine rue, et celui de Jacob Whitmore, vraisemblablement noyé dans leur propre baignoire. Tout simplement pour qu'il soit impossible de remonter jusqu'à Chantry.

Savoir tout cela aurait dû m'inciter à fuir cette maison. Mais quelque chose me disait qu'il fallait que je reste là et que j'attende.

Le soleil avait disparu et, à l'ouest, les toits se découpaient sur un ciel pourpre. La nuit prenait possession de la ville. L'air commençait à se rafraîchir.

Un taxi s'arrêta derrière moi. Betty en sortit.

— Pourriez-vous attendre une minute ? demanda-t-elle au chauffeur en réglant sa course. Le temps que je vérifie si ma voiture est bien là.

— D'accord, à condition que ça ne prenne pas trop de temps, répondit le chauffeur.

Elle ne me vit pas. Sans regarder dans ma direction, elle s'éloigna dans l'intention de contourner la maison. Je remarquai que sa démarche semblait manquer d'assurance. C'est vrai : pour autant que je sache, elle n'avait pas dormi depuis la nuit que nous avions passée ensemble — un souvenir qui me traversa comme une flèche acérée.

Je lui emboîtai le pas.

Une fois que j'eus contourné la maison, je la vis penchée sur la portière en train d'essayer d'ouvrir la serrure. « Mme Johnson » l'observait derrière la fenêtre de sa cuisine.

Enfin, Betty se redressa. Elle m'aperçut quand elle s'appuya contre la portière.

— Tiens ! Bonsoir, Lew, fit-elle sans manifester un enthousiasme délirant.

— Comment te sens-tu, Betty ?

— Je suis morte. J'ai passé l'après-midi à me crever pour rien. Il paraît que, juridiquement parlant, mon papier est impubliable — le rédac en chef dixit. Alors, je me suis tirée.

— Et où vas-tu maintenant ?

— Je suis en mission, répondit-elle avec un semblant de raillerie dans la voix. L'ennui, c'est que cette fichue portière ne veut rien savoir pour s'ouvrir.

Je lui pris son trousseau des mains et ouvris sa portière du premier coup.

— Avec la bonne clé, c'est plus facile, fis-je sur un ton léger.

Avoir pu lui donner ce modeste coup de main me faisait inexplicablement plaisir, mais cela ne fit, semblait-il, qu'accentuer encore la lassitude de Betty.

— Raconte-moi. Quelle est cette mission ?

— Désolée, Lew, mais je ne peux rien te dire. Confidentiel-défense.

Entre-temps, « Mme Johnson » était sortie par la porte de derrière et elle s'avançait à grands pas vers nous.

— Vous allez me ficher le camp, et plus vite que ça, vous deux ! gronda-t-elle d'une voix acariâtre. Vous n'avez pas le droit de me persécuter comme ça. Je suis innocente. Mon seul tort est de m'être mise avec ce propre à rien. J'aurais dû le quitter depuis longtemps — et c'est ce que j'aurais fait s'il n'y avait pas eu le petit. Vous croyez que c'est drôle de vivre vingt-cinq ans avec un fondu doublé d'un pochard ? Essayez donc un peu pour voir. Vous m'en direz des nouvelles !

— Oh ! ça suffit comme ça, l'interrompit Betty. Vous saviez parfaitement que j'étais dans votre grenier, la nuit dernière. C'est vous-même qui m'avez invitée à y monter. Vous m'avez laissée enfermée toute la nuit avec lui sans même lever le petit doigt pour venir à mon aide. Alors, le mieux que vous ayez à faire est de la boucler.

« Mme Johnson » demeura sans voix, son visage flasque brusquement tiraillé de tics. On aurait dit une méduse qui essaie d'échapper à quelque monstre marin en chasse — peut-être était-ce à la réalité qu'elle cherchait à échapper. Tournant les talons, elle regagna sa cuisine dont elle referma soigneusement la porte.

Betty bâilla à se décrocher la mâchoire — un bâillement qui lui fit venir les larmes aux yeux. J'entourai ses épaules de mon bras.

— Ça ira ?

— Dans une minute.

Elle bâilla à nouveau en s'étirant.

— Ça m'a défoulée de lui dire ce que j'ai sur le cœur. C'est une de ces bonnes femmes capables de regarder leur mari commettre un meurtre comme si de rien n'était, sans éprouver autre chose que la satisfaction de se sentir moralement supérieures. Elle a passé toute sa vie dans le faux-semblant. Son credo, c'est que tout est sauvé si les apparences sont sauves. Mais elle n'a rien sauvé du tout. Pas même les gens qu'elle a laissé zigouiller sous ses yeux. Et il s'en est fallu de peu que je me fasse tuer, moi aussi.

— Par Chantry ?

Elle acquiesça.

— Elle n'a pas assez de cran pour passer à l'acte et réaliser ses fantasmes. Alors, elle se contente du rôle de spectateur en laissant l'autre agir à sa place. Ça lui suffit pour atteindre ses petits orgasmes sadiques.

— Tu la détestes vraiment, hein ?

— Oh oui ! Parce que je suis une femme, moi aussi.

— Pourtant, tu ne détestes pas Chantry après ce qu'il t'a fait subir ?

Elle secoua la tête et ses cheveux firent comme une brume dans le crépuscule.

— C'est qu'il ne m'a pas tuée, tu comprends ? Oh ! Il en avait l'intention. Il me l'a même carrément dit. Et puis, il a changé d'avis : au lieu de cela, il a préféré faire mon portrait. En fin de compte, je lui suis reconnaissante. De ne pas m'avoir tuée, mais également d'avoir peint mon portrait.

— Je partage ton sentiment.

Je voulus la prendre dans mes bras, mais, apparemment, ce n'était pas le moment : elle s'écarta.

— Tu sais pourquoi il a eu pitié de moi ? poursuivit-elle. Non, évidemment. Je t'ai raconté que mon père m'avait emmenée avec lui un jour où il était allé lui rendre visite, tu te rappelles ?

— Oui, je m'en souviens.

— Eh bien, il s'en souvenait, lui aussi. Je n'ai pas eu besoin de le lui rappeler. Il m'avait reconnue. Il m'a dit que j'avais toujours les mêmes yeux. Qu'ils n'avaient pas changé.

— Malheureusement, lui, il a changé.

— C'est vrai. Mais rassure-toi, Lew. Je ne suis pas en train de m'attendrir sur Chantry. Je suis simplement heureuse d'être encore en vie. Terriblement heureuse.

Je lui assurai qu'il en allait de même pour moi.

— Il n'y a qu'une seule chose qui me navre. Comment t'expliquer ? Pendant tout ce temps, je n'ai pas cessé d'espérer qu'il se produirait je ne sais quoi qui révélerait que cet homme n'était pas Chantry, que tout cela n'était qu'une erreur monstrueuse. Mais non. C'était bien lui. L'homme qui a peint ces merveilleux tableaux est un assassin.

— Je sais.

42

Le chauffeur du taxi surgit au coin de la rue. Il n'avait pas l'air content.

— Vous m'avez fait attendre un bon moment, mademoiselle, dit-il à Betty. Faut que je vous compte une surcharge.

Elle régla sans barguigner, puis monta dans sa voiture. Mais celle-ci refusa de démarrer. Je n'eus pas plus de succès quand je pris sa place au volant. Je levai alors le capot. Bon. La batterie était à plat.

— Mais qu'est-ce que je vais faire ? gémit Betty. Il faut absolument que j'aille quelque part.

— Je peux te conduire, je ne demande pas mieux.

— Non, je dois y aller seule. Je l'ai promis.

— A qui ?

— Je suis désolée, mais je ne peux pas te le dire.

J'avais l'impression très nette qu'elle voulait prendre ses distances avec moi. M'approchant d'elle à la toucher, je la scrutai. Dans le crépuscule, son visage aux yeux et à la bouche d'ombre n'était plus qu'une tache blême que j'avais presque peur de voir m'échapper, emportée par la nuit.

Elle posa la main sur mon bras.

— Tu peux me prêter ta voiture, Lew ?

— Pour combien de temps ?

— Juste pour cette nuit.

— Pour quoi faire ?

— Pas d'interrogatoire, s'il te plaît. Dis-moi seulement si c'est oui ou si c'est non.

— Alors, c'est non.

— Je t'en supplie... C'est vraiment très important.

— La réponse est toujours non. Je n'ai aucune envie de passer une nouvelle nuit à me torturer la cervelle en me demandant ce qu'il t'est arrivé.

— Très bien. Je me débrouillerai autrement.

Sur ce, elle s'éloigna en trébuchant plus ou moins dans les herbes folles. L'idée que je risquais de la perdre m'était insupportable et je me lançai à sa poursuite en courant. Je la rejoignis au coin de la rue.

— Alors, tu me la prêtes ? me demanda-t-elle en se tournant vers moi.

— Non. Et il n'est pas question que je te perde de vue. Si tu loues une voiture ou si tu en empruntes une, je te filerai le train, tu peux y compter.

— Tu ne peux pas admettre que je te dame le pion en poursuivant mon enquête toute seule, c'est ça ?

— Pas du tout. Cette nuit, tu as fait cavalier seul et tu as failli y rester. Je n'ai pas envie que tu remettes ça. C'est très joli de prendre des risques. Encore faut-il savoir mesurer le danger qu'on court.

Je repris mon souffle.

— Dis-moi... Est-ce que tu t'es au moins un peu reposée aujourd'hui ?

— Je ne sais plus, répondit-elle évasivement. Et puis, tu m'ennuies.

— Autrement dit, tu n'as pas pris le temps de souffler pour récupérer. Tu ne peux pas prendre la route maintenant si tu n'as pas dormi. Dieu sait comment cela pourrait se terminer !

— Seuls Dieu et Lew Archer savent tout, c'est bien connu. Et il ne leur arrive jamais ni à l'un ni à l'autre de commettre d'erreur, n'est-ce pas ?

— Si, Dieu en a commis une. Il a oublié de doter Ève d'une paire de couilles.

Sa féminité blessée par ces fortes paroles se manifesta par un strident cri de rage qui s'acheva par une crise d'hilarité, et elle finit par accepter que je l'accompagne à condition que je la laisse conduire au moins la moitié du chemin. Nous convînmes que ce serait moi qui prendrai le volant pour la première partie du trajet.

— Alors, où allons-nous ? lui demandai-je en actionnant le démarreur.

— A Long Beach. Je suppose que tu sais où c'est ?

— Tu parles ! C'est là que je suis né. Et qu'est-ce qu'il y a de si intéressant à Long Beach ?

— J'ai juré de ne parler de ça à personne.

— Et à qui as-tu fait ce serment ? A Mme Chantry ?

— Puisque, décidément, tu sais tout, il me paraît superflu de répondre à tes questions.

— C'est donc de Francine Chantry qu'il s'agit. Qu'est-ce qu'elle fabrique à Long Beach ?

Elle hésita avant de se résoudre à lâcher du bout des lèvres :

— Apparemment, elle a eu un accident.

— Elle est à l'hôpital ?

— Non. Elle m'attend dans un endroit qui s'appelle *Le Galion d'Or*.

— Je connais. C'est un bar du front de mer. Qu'est-ce qu'elle fait là-bas ?

— Elle boit, j'imagine. Je ne l'ai jamais vue abuser de la boisson, mais elle est en train de craquer.

— Pourquoi t'a-t-elle demandé de venir ?

— Elle m'a dit qu'elle avait besoin de mes conseils. Et de mon aide. Nos rapports n'ont jamais été très intimes, et je suppose que je ne suis pas plus proche d'elle que n'importe qui, mais elle m'a bien précisé que c'est à mon expérience en matière de relations publiques qu'elle veut faire appel. Ce qui doit probablement vouloir dire qu'elle a besoin que je lui donne un coup de main pour sortir du guêpier où elle s'est fourrée en prenant la fuite.

— Et t'a-t-elle expliqué pourquoi elle a pris la fuite ?

— Elle a paniqué, c'est tout.

Je me dis dans mon for intérieur tandis que je m'engageais sur la bretelle de l'autoroute que ce n'était pas sans raison que Francine Chantry s'était affolée : elle s'était par son silence rendue complice de la mort de Gerard Johnson. Et aussi de celle de William Mead dont, selon toute probabilité, elle était également au courant.

J'appuyais à fond sur l'accélérateur. Betty s'était endormie, la tête sur mon épaule, et son contact s'ajoutant à la sensation de vitesse me donnait presque l'impression d'avoir retrouvé ma jeunesse. C'était un peu comme si ma vie pouvait prendre un nouveau départ.

Bien que la circulation fût encore assez dense à cette heure, nous ne mîmes pas plus de deux heures pour faire la route. A Long Beach, j'étais chez moi comme je l'avais dit à Betty, et les lumières du front de mer étaient pour moi autant de promesses anciennes surgies du passé — et tant pis si elles n'avaient pas été tenues. J'étais devenu un fidèle du *Galion d'Or* à l'époque où mon mariage avait commencé à tourner en eau de boudin et où les nuits solitaires étaient longues à tuer. Il avait étrangement peu changé depuis le temps — beaucoup moins que moi. Il avait alors la réputation d'être une boîte à la bonne franquette, autrement dit qu'il accueillait les ivrognes de tous âges et de tous sexes.

Je restai sur le seuil, assailli par le vacarme des conversations, tandis que Betty se frayait un chemin autour du bar en fer à cheval. Tout le monde parlait en même temps, y compris les barmaids. Rien d'étonnant à ce que cette atmosphère bruyante et faussement chaleureuse ait pu attirer quelqu'un d'aussi esseulé que devait l'être Francine Chantry.

Je repérai cette dernière à l'autre bout du bar, sa tête à la chevelure d'argent penchée au-dessus d'un verre vide. Quand elle reconnut Betty, ce qui demanda plusieurs secondes, elle la serra dans ses bras et Betty répondit à son étreinte. Malgré la tendresse qu'elle m'inspirait et le plaisir que j'éprouvais à être témoin de sa spontanéité et de sa vivacité, je ressentais quand même un certain malaise à les voir ainsi toutes deux enlacées : Betty était la jeunesse et la pureté alors que Francine Chantry, directement associée à un meurtre, vivait depuis des années dans le mensonge.

Toutes deux se dirigèrent vers la porte. Francine Chantry, qui titubait un peu, devait s'accrocher au bras de Betty. Je remarquai qu'elle avait une coupure au front. Son visage était défait, son teint gris et ses yeux étaient ternes. Elle se cramponnait à son sac comme, à son ballon, un joueur de rugby qui se prépare à marquer.

Je lui demandai où était sa voiture.

Elle se secoua pour sortir de son apathie.

— Au garage. Ils m'ont dit qu'elle était bonne pour la casse. Ce qui signifie que nous sommes toutes les deux à peu près dans le même état.

— Vous avez eu un accident ?

— Je ne sais pas ce qui s'est passé au juste. Je me préparais à sortir de l'autoroute et, brusquement, j'ai perdu le contrôle. Au fond, c'est un peu l'histoire de ma vie.

Le rire nerveux qui acheva sa phrase ressemblait à une toux sèche.

— Justement, l'histoire de votre vie m'intéresse, madame Chantry.

— Oh, je sais, soupira-t-elle.

Elle se tourna vers Betty.

— Pourquoi l'avez-vous amené avec vous ? Je pensais que nous aurions pu parler de l'avenir de façon constructive, toutes les deux. Je croyais que nous étions amies.

— Mais j'espère bien que nous le sommes, répliqua Betty. Simplement, il m'est apparu que je n'étais pas de taille à arranger ça à moi toute seule.

— Arranger quoi ? Il n'y a rien à arranger.

Mais une note d'effroi s'était glissée dans sa voix. On aurait dit quelqu'un qui aurait franchi la limite extrême du monde et s'apercevrait soudain, mais trop tard, qu'il ne pourrait jamais revenir en arrière.

Quand nous eûmes rejoint ma voiture, Betty prit le volant d'autorité. Bien que, une fois sur l'autoroute, elle roulât trop vite, cela m'arrangeait, en un sens, car j'allais ainsi pouvoir parler plus librement avec Mme Chantry.

— A propos de votre avenir, commençai-je, on aura peut-être du mal à inculper votre mari.

— Mon mari ?

Elle paraissait désarçonnée.

— Oui. Richard Chantry, alias Gerard, dit Jerry, Johnson. Lui faire endosser ces meurtres risque de ne pas être tâche facile. Pour l'instant, en tout cas, il refuse de parler. Et tout cela remonte à si loin ! Je ne serais pas étonné que le procureur vous propose un marché. Je doute qu'il veuille retenir contre vous des charges trop lourdes. Ça dépend de lui, bien sûr. Et de ce que vous avez à lui offrir en échange.

Elle eut le même rire sec que tout à l'heure.

— Quoi ? Mon cadavre ? Vous croyez que ça lui ira, mon cadavre ?

— Il vous veut vivante. Et disposée à parler. Vous en savez plus que quiconque sur cette affaire.

Il y eut un long silence.

— Si je parle, ce ne sera pas par choix.

— Vous m'avez déjà dit l'autre soir que vous n'aviez jamais eu le choix. Mais, en réalité, il y a des choix que vous avez faits dans le passé. C'est vous qui avez décidé de laisser tomber William Mead pour faire votre vie avec Richard Chantry. C'est vous qui avez décidé de quitter l'Arizona avec lui alors que vous saviez parfaitement qu'il comptait parmi les principaux suspects du meurtre de son demi-frère. Et c'est vous, enfin, qui avez décidé, sept ans plus tard, de camoufler l'assassinat de Gerard Johnson.

— De qui ?

— De Gerard Johnson. L'homme au costume marron, vous savez bien. C'était un ami de William Mead. Il venait de passer cinq ans dans un hôpital quand il est venu rendre visite à votre mari à Santa Teresa. Je crois qu'il détenait la preuve que Chantry était mêlé à la mort de Mead.

— Comment cela ?

— Peut-être qu'avant de se faire assassiner, Mead avait raconté à Gerard Johnson, son ancien camarade de régiment, que son demi-frère l'avait menacé et qu'ils s'étaient querellés à votre sujet ou à propos des tableaux que Chantry lui volait. L'apparition de Johnson en compagnie de la veuve et du petit garçon de William Mead à Santa Teresa mettait un point final à la liberté de Chantry, et il l'a tué pour ne pas avoir de comptes à rendre. Mais, ce faisant, il est tombé de Charybde en Scylla. Pour lui comme pour vous, ça a été un choix définitif.

— Je n'ai eu aucune part dans ce choix.

— Vous l'avez accepté. Vous avez laissé un homme se faire tuer dans votre propre maison, vous avez vous-même enterré son cadavre et vous avez gardé le silence. C'était un mauvais choix, pour vous aussi bien que pour Chantry qui en a subi les conséquences. Le meurtre de Gerard Johnson l'a mis à la merci de la veuve de William Mead — la pseudo-Mme Johnson. Je ne sais pas pourquoi elle tenait tellement à mettre la main sur lui. Peut-être y avait-il eu autrefois quelque chose entre eux. Ou qu'elle a simplement exigé qu'il remplace auprès d'elle le mari qu'il avait tué. Je ne sais d'ailleurs pas non plus comment il a pu accepter pareil marché. Vous avez une explication ?

— Non, se décida-t-elle à répondre après une longue hésitation. Tout cela, je n'en savais strictement rien. Je ne savais pas que Richard habitait à Santa Teresa. Je ne savais même pas qu'il était encore vivant. Je n'ai pas eu la moindre nouvelle de lui depuis vingt-cinq ans.

— Vous ne l'avez pas revu ces derniers temps ?

— Non. Et je n'ai aucune envie de le revoir.

— Pourtant, il le faudra bien. La police vous demandera de l'identifier — bien qu'il n'y ait guère de doute sur son identité. C'est un homme physiquement et moralement ravagé. Pour moi, le meurtre de Gerard Johnson l'a émotionnellement cassé — et, si ça se trouve, il s'était déjà effondré avant. Mais, si amoindri qu'il soit, il est toujours capable de manier le pinceau. Les tableaux qu'il fait maintenant n'ont peut-être plus la qualité de ses œuvres d'autrefois, mais personne d'autre n'aurait pu les peindre.

— Apparemment, vous ne vous contentez pas d'être détective, dit-elle avec une ironie désabusée. Vous êtes aussi critique d'art.

— Je n'ai pas cette prétention. Mais il se trouve que j'ai dans ma voiture une toile de lui, une toile récente. Et je ne suis pas seul à penser que c'est un authentique Chantry.

— Vous voulez parler du portrait de Mildred Mead ?

— En effet. Je l'ai trouvé ce matin dans le grenier de Johnson, et c'est précisément là qu'il a été exécuté. Ce tableau semble être à l'origine de toute l'affaire. C'est, en tout cas, à cause de lui que je m'y suis trouvé mêlé. Et c'est à cause de lui que Chantry a commis ces deux nouveaux meurtres.

— J'avoue que je ne vous suis pas très bien.

Néanmoins, Francine Chantry paraissait soudain intéressée comme si le seul fait d'entendre parler de l'œuvre de son mari agissait sur elle comme un stimulant.

— Il faut reconnaître que l'enchaînement des événements a été pour le moins complexe. Mme Johnson — appelons-la comme ça pour simplifier — a vendu le tableau en question à Jacob Whitmore, qui l'a revendu à Paul Grimes. Dès lors, la couverture de Chantry vola en éclats. Grimes a tout de suite compris qu'il s'agissait d'un Chantry et a vu le parti qu'il pouvait en tirer : il a fait chanter Mme Johnson et l'a forcée à voler de la drogue pour sa consommation personnelle. Par ailleurs, il a revendu le portrait à Mme Biemeyer qui avait des raisons toutes personnelles de s'intéresser à Mildred Mead. Comme vous le savez sans doute, celle-ci avait été la maîtresse de Jack Biemeyer.

— C'était de notoriété publique en Arizona. Ce que l'on savait moins, en revanche, c'est que Ruth Biemeyer était alors amoureuse de Richard. Je crois que c'est cet amour de jeunesse qui l'a conduite à pousser son mari à déménager pour s'installer à Santa Teresa.

— Oui, c'est en tout cas ce qu'il prétend. Cela a sérieusement compliqué la situation du ménage dont les rapports se sont encore un peu plus tendus quand Mildred Mead est venue à son tour habiter à Santa Teresa. Pour moi, Chantry l'a aperçue il y a quelques mois, et c'est ce qui l'a incité à faire son portrait de mémoire.

— C'est possible, mais que voulez-vous que j'en sache ?

— Vous ne l'avez pas revu dernièrement ?

— Certainement pas.

Francine Chantry regardait fixement le pare-brise.

— Il y a vingt-cinq ans que je n'ai pas entendu parler de lui, je vous l'ai déjà dit. Je ne savais même pas qu'il demeurait à Santa Teresa.

— Même quand vous avez reçu un coup de téléphone de la femme avec laquelle il vivait ?

— Elle ne m'a pas parlé de lui. Elle a seulement fait allusion à... au corps enterré dans la serre et m'a dit qu'elle avait besoin d'argent. Et ça a été l'ultimatum : si j'étais compréhensive et lui en donnais, elle continuerait de garder le silence. Sinon, elle dévoilerait la vérité sur la disparition de mon mari.

— Et vous avez payé ?

— Non. Maintenant, je le regrette. Comme je regrette que Richard ait peint ce fameux portrait de Mildred. C'est presque à croire qu'il cherchait à se faire découvrir.

— Peut-être le cherchait-il inconsciemment. Ce qui est sûr, c'est que Fred a tout fait pour ça. S'il a emprunté le tableau aux Biemeyer, c'était indiscutablement parce qu'il voulait s'assurer en professionnel que c'était bien un Chantry. Mais il avait aussi des motivations d'ordre personnel. La facture de ce tableau lui en rappelait d'autres qu'il avait vus chez lui. Il y avait là un mystère qu'il voulait tenter d'élucider. Mais avant que l'idée lui soit venue de faire le rapprochement entre son beau-père et le peintre Chantry, le pseudo-Johnson a escamoté la toile — cette toile que les Biemeyer m'avaient justement chargé de retrouver.

Betty donna un coup de klaxon. Comme la route était libre devant nous, je tournai les yeux vers elle. Elle me rendit mon regard et posa un doigt sur sa bouche. Message reçu : *Tu parles trop, ça suffit comme ça.*

Elle avait raison. Je retombai dans le silence.

Un silence qui ne dura que quelques instants.

— Ce n'est pas le premier portrait de Mildred qu'il a peint de mémoire, reprit soudain Francine Chantry. Il en avait déjà exécuté plusieurs quand nous vivions ensemble. Il en a notamment utilisé un comme modèle pour une pietà.

Cette fois, elle se tut pour de bon.

Quand nous arrivâmes aux portes de Santa Teresa, elle se mit à pleurer doucement. Sur elle et sur Chantry, sans doute. Mais peut-être aussi sur cette union brisée qui avait permis à l'œuvre du peintre de parvenir à son plein épanouissement.

— Et maintenant, où va-t-on ? s'enquit Betty.

— Au commissariat.

Francine Chantry exhala un léger cri qui s'acheva en gémissement.

— Je ne pourrai même pas passer la nuit à la maison ?

— On va faire un saut chez vous pour que vous preniez quelques affaires si vous le désirez. Mais ensuite, je crois qu'il vaudra mieux pour vous que vous vous présentiez à la police accompagnée de votre avocat.

Plus tard, beaucoup plus tard, le froid me réveilla. Il faisait encore noir. Betty dormait à côté de moi. Le bruit de sa respiration paisible me faisait penser au murmure de la mer. Une image me revint en mémoire — celle de Francine Chantry dans la chambre de l'infirmerie aux fenêtres grillagées où je l'avais laissée. Et celle aussi, nébuleuse, d'une autre femme. Une femme aux cheveux de neige qui, jadis, avait été une beauté.

Le mot *pietà* me vint brusquement à l'esprit. Je réveillai Betty en posant la main sur sa hanche. Elle se retourna avec un soupir.

— Qu'est-ce qu'il y a, Lew ?

— Qu'est-ce que c'est, une pietà ?

Elle bâilla bruyamment.

— C'est bien le moment de poser une question pareille !

— Ce qui veut dire que tu ne sais pas ?

— Bien sûr que si ! C'est une peinture qui représente la Vierge Marie pleurant sur le corps de son fils. Pourquoi ?

— Francine Chantry m'a dit que son mari en a peint une en prenant Mildred Mead pour modèle.

— Oui, je sais. Elle est dans la réserve du musée, mais on ne l'expose pas. On a peur que certaines personnes crient au scandale si elles voient que Chantry s'est peint lui-même sous les traits du Christ.

Elle bâilla à nouveau et se rendormit. Je restai un moment à regarder son visage tandis que l'aube prenait lentement possession de la chambre. Quel réconfort de voir le sang faire battre sa tempe ! C'était la vie. Elle était vivante !

43

Lorsque je me réveillai pour de bon, Betty n'était plus là. Elle avait laissé à mon intention sur la table de la cuisine un paquet de céréales, une bouteille de lait et un rasoir mécanique. Plus une note hermétique : « J'ai fait un drôle de rêve. Que Mildred Mead était la mère de Chantry. Est-ce que c'est possible ? »

Après avoir englouti mon petit déjeuner en toute hâte, je fonçai à Magnolia Court, mais j'eus beau frapper à coups redoublés à la porte, pas de réponse. Un vieux monsieur sortit du pavillon voisin et resta à m'observer. Après un bon moment de réflexion, il se décida à m'informer que « Mme Mead » était sortie.

— Savez-vous où elle est allée ? lui demandai-je.

— J'ai entendu qu'elle disait au chauffeur du taxi de la conduire au palais de justice.

Je m'y rendis aussitôt, mais pour trouver Mildred, c'était une autre histoire. Le tribunal et ses annexes occupaient tout un bloc, et je ne tardai pas à me rendre compte que je perdais mon temps à arpenter les allées reliant les différents bâtiments et à faire du marathon dans les couloirs dallés dans l'espoir de mettre la main sur une vieille dame boiteuse.

En désespoir de cause, je grimpai à l'étage réservé aux services du coroner. Henry Purvis était dans son bureau. Mildred était passée le voir une demi-heure plus tôt, me dit-il.

— Qu'est-ce qu'elle voulait ?

— Des renseignements sur William Mead. D'après ce que j'ai pu comprendre, il était son fils naturel. Je lui ai dit qu'il était enterré dans le cimetière de Santa Teresa, je lui ai même offert de la mener à sa tombe. Mais ma proposition n'a pas eu l'air de l'intéresser. Elle s'est mise à parler de Richard Chantry. Elle prétendait lui avoir jadis servi de modèle et elle voulait le voir. Je lui ai répondu que ce n'était pas possible.

— Où Chantry est-il détenu ?

— Ici même. Le district attorney Lansing l'a fait placer en garde à vue dans une cellule de haute surveillance. Moi-même, je n'y ai pas accès, ce qui ne me gêne d'ailleurs nullement : je n'ai pas particulièrement envie de voir cet individu. Il semble avoir complètement perdu les pédales. On a dû le mettre sous sédatif pour qu'il se tienne tranquille.

— Et qu'est devenue Mildred ?

— Elle est repartie. C'est d'ailleurs à contrecœur que j'ai dû la laisser s'en aller. Elle n'était visiblement pas dans son assiette. Elle avait l'air secouée et elle avait bu. Mais je n'avais aucune raison de la retenir.

Je ressortis et fis une nouvelle fois le tour des bâtiments. Sans plus de succès. La nervosité commençait à me gagner. Que le rêve de Betty contînt ou non une part de vérité, Mildred, j'en avais la conviction, était d'une manière ou d'une autre un élément clé de l'affaire. Or, j'avais perdu sa trace. Et j'étais en train de perdre ma matinée.

Je levai les yeux vers la tour carrée dont s'enorgueillissait l'édifice central. L'horloge indiquait dix heures. Quelqu'un était en haut du belvédère panoramique, une femme aux cheveux blancs qui se mouvait avec difficulté et que je reconnus immédiatement : c'était Mildred. Agrippée à la balustrade qui lui arrivait presque au menton et d'une immobilité de statue, elle regardait la cour intérieure comme elle eût contemplé le fond de sa propre tombe.

Ce qu'elle avait en tête n'était que trop évident et, évitant de me faire remarquer de peur de précipiter le geste fatal, je gagnai la porte la plus proche et me ruai dans l'ascenseur menant au sommet de la tour.

Lorsque je débouchai sur la plate-forme, elle fit volte-face. A ma vue, elle tenta d'enjamber la balustrade pour se jeter dans le vide, mais c'était trop présumer de ses forces. Déjà, je l'avais rattrapée et la tenais solidement entre mes bras. Pantelante, elle haletait comme si elle avait escaladé la tour à mains nues.

— Lâchez-moi, hoqueta-t-elle en se débattant pour échapper à mon étreinte.

— Pour que vous fassiez le plongeon ? N'y comptez pas. Vous êtes trop belle pour finir en marmelade sur les pavés.

— Une vieille sorcière, voilà ce que je suis, oui !

Mais, dans le même temps, elle me lança un regard par en dessous avec la coquetterie instinctive d'une femme qui avait été jadis une beauté et avait encore de la prestance.

— Allez ! Faisons un pacte. Vous me faites redescendre et, une fois en bas, vous me laissez repartir. Je ne ferai rien. Ni contre moi, ni contre personne.

— C'est un risque que je ne peux pas prendre.

Je sentais la chaleur de son corps à travers ses vêtements. De la sueur perlait au-dessus de sa lèvre et autour de ses yeux cernés.

— Parlez-moi plutôt de votre fils William.

Elle garda le silence. Son visage, maintenant que son maquillage se délitait, m'évoquait un masque mortuaire.

— Le corps que vous avez identifié était-il le sien ou celui de quelqu'un d'autre ?

Elle me cracha à la figure avant d'éclater soudain en sanglots convulsifs. Quand la crise eut passé et qu'elle se fut calmée, nous prîmes l'ascenseur et je la conduisis chez le district attorney sans qu'elle ouvrît une seule fois la bouche. J'expliquai qu'elle avait tenté de se suicider et demandai qu'elle soit fouillée avec soin et qu'on la surveille de près.

J'avais eu raison : Lansing m'apprit un peu plus tard qu'on avait découvert sur elle un stylet enveloppé dans un bas de soie.

— Et sait-on ce qu'elle avait l'intention d'en faire ?

Le D.A. hocha la tête.

— Elle voulait vraisemblablement tuer Chantry.

— Pour quelle raison ?

Lansing se mit à tirailler sa moustache d'un air embarrassé.

— Je dois vous demander de garder pour vous ce que je vais vous dire car c'est de nature confidentielle. Il semblerait que c'est Chantry qui, il y a trente ans, a tué le fils de Mildred Mead dans l'Arizona. C'est du capitaine Mackendrick que je tiens cette information. Il a repris l'affaire depuis le début et a fait de l'excellent travail. Je ne serais pas étonné qu'il soit bientôt nommé à la tête des services de police.

— J'en serais ravi pour lui. Mais si Mlle Mead voulait venger son fils en exécutant son meurtrier, pourquoi a-t-elle essayé de se suicider tout à l'heure ?

— Êtes-vous sûr que c'était une réelle tentative de suicide ?

— C'est en tout cas l'impression que j'ai eue. Si elle avait réussi à enjamber le garde-fou et si je n'avais été là pour la retenir, elle serait morte à l'heure qu'il est.

— Ce n'est pas incompatible, vous savez. Voyant avorter ses projets de vengeance, sa frustration a fort bien pu la conduire à vouloir se supprimer.

— Je ne vous suis pas très bien, monsieur le district attorney.

— Vraiment ? C'est sans doute que vous n'êtes pas aussi familiarisé que nous avec les récents développements de la psychologie criminelle.

Comme j'avais encore besoin de ses lumières, je ne tins pas compte du sourire supérieur qui accompagnait cette remarque et, faisant le gros dos, je me contentai d'acquiescer.

— C'est vrai. Je n'ai jamais fait mon droit.

— Vous nous avez néanmoins apporté une aide précieuse et nous vous en sommes très reconnaissants, croyez-le bien, fit-il avec condescendance.

Il se leva, me signifiant par là que l'entretien était terminé. J'eus l'impression atroce qu'une porte se refermait sur mon nez. Je me levai à mon tour.

— Me serait-il possible de voir votre prisonnier, monsieur le district attorney ?

— Quel prisonnier ?

— Chantry. J'aimerais lui poser une ou deux questions.

— Je peux vous dire tout de suite que c'est à un mur que vous vous adresserez. Son avocat lui a conseillé de ne répondre à aucune question.

— Celles auxquelles je pense ne sont pas liées aux crimes qu'on le soupçonne d'avoir commis — du moins, pas directement.

— Et quelles sont ces questions ?

— Je voudrais lui demander quel est son véritable nom pour voir sa réaction. Et aussi pour quelle raison Mildred Mead a essayé de se suicider.

— Qu'est-ce qui vous fait penser que Chantry pourra vous renseigner sur ce point ?

— Je crois que Mildred et lui sont étroitement liés. En outre, cela intéressera directement mon client, M. Biemeyer.

— Si M. Biemeyer a quelque suggestion à faire ou quelque question à poser, qu'il vienne donc s'adresser à moi. Je suis à son entière disposition.

— Eh bien, je lui ferai la commission.

La maison des Biemeyer avait l'air abandonnée. Comme un bâtiment évacué après une alerte à la bombe. Je sortis le portrait de Mildred du coffre de la voiture, mais avant même que j'eusse escaladé les marches du perron, Ruth Biemeyer surgit sur le seuil. Elle porta un doigt à ses lèvres.

— Mon mari est très fatigué. J'essaie de l'obliger à se reposer.

— Il faut pourtant que j'aie une conversation avec lui, madame Biemeyer.

Elle se contenta de refermer la porte.

— Vous pouvez me parler librement. D'ailleurs, c'est à moi que vous devez rendre compte de votre mission. Le tableau volé m'appartenait personnellement. Mais n'est-ce pas précisément lui que vous rapportez ?

— En effet. Toutefois, ce n'était pas un vol à proprement parler. Mettons que Fred vous l'a emprunté pour des raisons d'ordre historique et biographique. Il voulait savoir qui l'avait peint, quand et qui était le modèle. Certes, les réponses à ces questions revêtaient pour lui une grande importance sur le plan personnel, mais cela ne fait pas de lui un criminel pour autant.

Elle eut un hochement de tête d'assentiment et ce fut comme si un rayon de lumière effleurant ses cheveux la rendait soudain plus jolie.

— Je pense pouvoir comprendre pourquoi il a fait cela, dit-elle.

— Je le crois volontiers. C'est également pour des raisons personnelles que vous avez acheté ce tableau. Mildred Mead s'était installée à Santa Teresa et votre mari s'était remis à la revoir. Exposer son portrait chez vous était un reproche implicite, non ? Ou une sorte de menace tacite ?

Ses sourcils se froncèrent et son regard parut s'intérioriser.

— Franchement, je ne sais pas pourquoi je l'ai acheté. Sur le moment, je ne m'étais même pas rendu compte que c'était le portrait de Mildred.

— Mais ce n'était pas le cas de votre mari.

Le rythme lointain du ressac léchant le pied de la colline scandait le long silence qui suivit.

— Jack n'est pas en très bonne forme. Il a beaucoup vieilli en l'espace de quelques jours. Si jamais cette histoire s'ébruitait, cela ruinerait sa réputation. Ce serait pour lui un coup terrible dont il ne se remettrait peut-être jamais.

— C'est là un risque qu'il a pris le jour où il a fait ce qu'il a fait.

— Qu'est-ce qu'il a fait au juste ?

— Il a rendu possible l'imposture de Chantry.

— L'imposture de Chantry ? Que voulez-vous dire ?

— Vous le savez très bien, je n'en doute pas. Mais c'est avec votre mari que je préférerais en discuter.

Elle se mordit la lèvre. Avec ses incisives à nu, elle me fit penser à un chien de garde défendant une porte. Enfin, elle prit le tableau et me conduisit dans le bureau de Biemeyer.

Celui-ci était assis à sa place en face de la photo de la mine de cuivre. Ce n'était plus le même homme. Il était décomposé. Quand il me vit, il s'efforça de reprendre un peu de poil de la bête et un sourire forcé lui redressa le coin des lèvres.

— Qu'est-ce que vous voulez, Archer ? Encore de l'argent ?

— Non. Seulement des renseignements supplémentaires. Cette affaire a débuté en 1943. Il serait temps qu'elle se termine.

Ruth Biemeyer se tourna vers moi :

— Que s'est-il passé au juste en 1943 ?

— Je ne saurais vous le dire exactement. Je crois que tout a commencé quand William Mead est rentré chez lui, en Arizona, à l'occasion d'une permission. « Chez lui » n'est d'ailleurs pas l'expression qui convient vraiment puisque son foyer était ici, à Santa Teresa, où l'attendaient sa jeune femme et son petit garçon. Mais sa mère vivait encore en Arizona. Au fait, monsieur Biemeyer, où demeurait-elle au juste ?

Il fit semblant de ne pas avoir entendu et ce fut sa femme qui répondit à sa place :

— Elle habitait Tucson, mais elle passait ses weekends dans les montagnes avec mon mari.

Biemeyer eut l'air tellement surpris que je me demandai s'ils avaient jamais parlé ouvertement, sa femme et lui, de sa liaison avec Mildred.

— William n'en fut probablement pas étonné. Sa mère avait déjà vécu avec d'autres hommes, avec Lashman, notamment, qui avait été un véritable père pour lui et lui avait appris à peindre. Quand il arriva en Arizona, donc, il découvrit que son soi-disant demi-frère Richard s'était approprié certaines de ses œuvres dont il prétendait être l'auteur. Pour moi, l'imposture a véritablement commencé quand Richard Chantry a volé ses toiles et ses dessins, et, en prime, épousé Francine, la fille que William aimait. Il y a eu une explication entre les deux jeunes gens.

« Une explication qui a dégénéré : ils se sont battus à mort. William a tué Richard et a abandonné son corps dans le désert après l'avoir revêtu de son uniforme. Fils illégitime de Felix Chantry, il avait probablement rêvé toute sa vie de prendre la place de Richard. C'était pour lui l'occasion ou jamais de réaliser le rêve qui l'avait toujours hanté et d'échapper du même coup à l'armée et au mariage qu'il avait été forcé de contracter après avoir mis une fille enceinte.

« Cependant, sans une aide extérieure, il n'aurait jamais réussi à s'en sortir. Trois personnes se sont faites ses complices. D'abord, Francine Chantry. Elle était de toute évidence amoureuse de lui, bien qu'il fût marié et qu'il eût tué Richard, son époux. Il n'est d'ailleurs pas exclu qu'elle l'ait même incité à le supprimer. Toujours est-il que cela ne l'a pas dissuadée de le suivre en Californie et de vivre à Santa Teresa avec lui en se faisant passer pour sa femme.

« Je ne sais d'ailleurs pas pourquoi il a couru le risque de revenir ici. Peut-être voulait-il se rapprocher de son fils. Mais, pour autant que je sache, il n'a jamais vu Fred au cours des sept années où il a vécu à Santa Teresa. Possible que le seul fait de vivre si près de sa véritable femme et de son fils tout en leur restant invisible faisait partie du jeu de l'homme aux deux visages qu'il jouait. Peut-être cela créait-il en lui une espèce de tension qui lui était indispensable pour maintenir l'illusion, pour s'identifier totalement à Richard Chantry et poursuivre son œuvre. Mais peu importe.

« Avant tout, il lui fallait quitter l'Arizona libre et insoupçonnable. C'est là que sa mère est intervenue.

Dans toute cette affaire, c'est sans doute à Mildred qu'a été dévolu le rôle le plus difficile : conduite devant le corps de Richard Chantry, elle l'a identifié comme étant celui de William. C'était un coup de bluff à la fois courageux et audacieux, mais à la mesure de l'amour passionné qu'elle portait à son fils, même si c'était un assassin. Un amour qui ne s'est jamais démenti, mais qui a tourné au tragique : ce matin, elle a essayé d'être mise en sa présence. Et elle était armée d'un stylet.

— Elle voulait le tuer ? s'exclama Ruth.

— Ou lui fournir le moyen de se tuer lui-même. Je pense que, pour elle, cela serait revenu au même. De toute manière, la vie de Mildred est finie et bien finie.

Jack Biemeyer laissa malgré lui échapper un soupir.

Sa femme me dévisagea.

— Vous disiez tout à l'heure que William avait reçu l'appui de trois personnes.

— Au moins trois, oui.

— Quelle était la troisième ?

— Je pense que vous le savez, madame Biemeyer. William Mead n'aurait jamais pu quitter l'Arizona, du moins définitivement, s'il n'avait pas été aidé. Il a fallu que quelqu'un intervienne auprès des autorités pour que le shérif Brotherton soit dessaisi de l'enquête et que l'affaire soit classée.

Comme moi, Ruth regarda fixement son mari qui leva les bras comme si nos yeux étaient des revolvers pointés sur lui.

— Je n'aurais jamais fait une chose pareille, protesta-t-il faiblement.

— Tu l'as sûrement fait si elle te l'a demandé, rétorqua sa femme. D'aussi loin que je me rappelle, tu as toujours fait ses quatre volontés. Va donc la retrouver au palais de justice pour prendre ses ordres ! Elle exigera que tu dépenses une fortune pour faire échapper son assassin de fils à son sort. Et tu obéiras, le petit doigt fixé sur la couture du pantalon.

— Oui, je crois que je vais y aller.

Le regard qu'il braquait sur elle la surprit et la frayeur s'empara soudain de Ruth. Enfin, il se leva avec lenteur comme s'il portait un fardeau accablant sur les épaules.

— Pourriez-vous me conduire là-bas, Archer ? me demanda-t-il. Je ne me sens pas en état de prendre le volant.

Quand j'eus accepté, il se dirigea vers la porte. Lorsqu'il l'eut ouverte, il se retourna et fixa à nouveau sa femme.

— Il y a une chose qu'il faut que tu saches, Ruth. William est aussi mon fils. Notre fils à Mildred et à moi. Je n'avais pas encore vingt ans quand il est né.

Ruth, bouleversée par cet aveu, resta un instant sans voix avant de s'exclamer avec désolation :

— Pourquoi ne me l'as-tu pas dit plus tôt ? C'est trop tard, maintenant.

Elle le regardait comme si elle le voyait pour la dernière fois.

Il se détourna et sortit du bureau. L'écho de nos pas résonnait de façon caverneuse dans la maison vide. Biemeyer chancelait presque en marchant. Je l'aidai à s'installer dans ma voiture.

— Ça a été un accident, dit-il quand j'eus démarré. Un de ces accidents stupides qui peuvent arriver à n'importe qui. J'avais fait la connaissance de Mildred à l'issue d'un match de football. Je faisais partie de l'équipe de l'université. Le vieux Chantry avait organisé une réception et j'y avais été invité parce que ma mère était sa cousine. Le parent pauvre, quoi.

Il se tut quelques instants.

— J'avais marqué trois buts, ce jour-là. Quatre si on compte aussi Mildred. J'avais dix-sept ans quand William a été conçu, dix-huit quand il est né. Mais je ne pouvais pas faire grand-chose pour lui, à l'époque : je n'avais pas d'argent et j'avais déjà suffisamment de mal à payer mes études. Alors, Mildred a dit à Felix que l'enfant était de lui. Il l'a crue et il l'a entretenue financièrement jusqu'au jour où elle a rompu pour se mettre avec Simon Lashman.

« Elle a fait aussi ce qu'elle a pu pour moi et quand j'ai eu décroché mon diplôme, elle a travaillé Chantry au corps pour qu'il m'embauche à la fonderie. C'est grâce à elle que j'ai pu gravir les échelons. Je lui dois beaucoup.

Pourtant, c'était sans chaleur qu'il disait cela. Peut-être avait-il le sentiment que Mildred lui avait fait prendre une voie sans issue et que si sa vie avait finalement mal tourné, c'était elle qui en était responsable. Il regardait défiler les arbres qui bordaient la rue comme s'il ne les avait encore jamais vus.

Moi aussi, je me sentais un peu en terre étrangère. Les salles du palais de justice que nous traversions prenaient des airs de catacombes. Après d'interminables formalités qui me faisaient penser aux rites d'initiation de je ne sais quelle tribu primitive, on finit par nous mettre en présence de l'homme que j'avais démasqué.

Malgré les deux gardes sur le pied de guerre qui l'encadraient, il n'avait rien d'un adepte du meurtre en série. Pâle, tassé sur lui-même, il avait cet air désemparé qu'ont souvent les violents après avoir donné libre cours à leur bestialité.

— William ?

Il se borna à un hochement de tête. Ses yeux se brouillèrent et des larmes commencèrent à couler lentement le long de ses joues.

Jack Biemeyer s'approcha et caressa d'une main hésitante la figure défaite de son fils.

ACHEVÉ D'IMPRIMER SUR LES PRESSES
DE COX & WYMAN LTD. (ANGLETERRE)

N° d'édition : 2423
Dépôt légal : juin 1994
Imprimé en Angleterre